ADHEMAR
Fé em Deus e pé na tábua

AMILTON LOVATO

ADHEMAR

Fé em Deus e pé na tábua

GERAÇÃO

Crédito das imagens: Arquivo Público do Estado de São Paulo

1ª edição — Setembro de 2014

Grafia atualizada segundo o Acordo Ortográfico da Língua Portuguesa de 1990,
que entrou em vigor no Brasil em 2009

Editor e Publisher
Luiz Fernando Emediato

Diretora Editorial
Fernanda Emediato

Produtora Editorial e Gráfica
Priscila Hernandez

Assistentes Editoriais
Adriana Carvalho
Carla Anaya Del Matto

Capa
Alan Maia

Projeto Gráfico e Diagramação
Ilustrarte Design e Produção Editorial

Preparação de Texto
Juliana Amato

Revisão
Marcia Benjamim
Josias Andrade

DADOS INTERNACIONAIS DE CATALOGAÇÃO NA PUBLICAÇÃO (CIP)
(Câmara Brasileira do Livro, SP, Brasil)

Lovato, Amilton
Adhemar : fé em Deus e pé na tábua / Amilton Lovato. – 1. ed.
– São Paulo : Geração Editorial, 2014.

Bibliografia
ISBN 978-85-8130-250-8

1. Brasil – Política e governo 2. Barros, Adhemar de, 1901-1969 – Biografia I. Título.

14-07068 CDD-324.2092

Geração Editorial

Rua Gomes Freire, 225 – Lapa
CEP: 05075-010 – São Paulo – SP
Telefax: (+ 55 11) 3256-4444
E-mail: geracaoeditorial@geracaoeditorial.com.br
www.geracaoeditorial.com.br

Impresso no Brasil
Printed in Brazil

À memória de Angelo Lovato Filho (1935-2003),
que se divertia com as artes da política. Meu pai.

SUMÁRIO

Nessa linguagem pitoresca, Adhemar está de corpo inteiro. Político profissional no sentido mais extenso do termo, para uns, Adhemar é um palavrão; para outros, uma oração; para alguns, uma solução; para muitos, uma aberração.

DAVID NASSER

1

SEM RUMO E SEM VOLTA

Ele sabia que a única saída era fugir. O mandado de prisão tinha sido expedido, a polícia já estava em seu encalço e o clamor da oposição transformava a busca em espetáculo. Um espetáculo especial para os janistas, a quem a captura proporcionaria verdadeira catarse coletiva.

Adhemar estava sendo acusado de irregularidades no uso do dinheiro público, numa operação cheia de falhas, ocorrida de fato mais de seis anos antes. Havia munição abundante para seus advogados defenderem--no, mas o tempo decorrido desde um pedido de *habeas corpus* até a concessão da medida pelo tribunal poderia ser longo demais. Além da humilhação, os estragos políticos causados por uma prisão amplamente noticiada, com fotos e em detalhes, seriam irreparáveis. Nesse caso, desaparecer era mesmo a solução.

E não seria a primeira vez. Após a derrota na Revolução de 1932 ele foi buscar abrigo na Argentina, assim como outros milhares de combatentes que tomaram parte nos comandos da luta. De volta, aproveitou a onda de liberdade que se instalou no Brasil e se elegeu deputado estadual, colaborando com o fim do clima morno que reinava na Assembleia

Legislativa de São Paulo, onde os discursos eram "lisos" e não pretendiam "machucar ninguém", como disse um parlamentar da época. O próprio colega se encarregaria de destacar os feitos do novato: "O Adhemar avançou um pouco e a rapaziada ficou feito peru em chapa quente. Eu gostei. Palavra de honra que gostei. A gente andava cansado de tanta pasmaceira".

Quem se surpreendeu foi o povo, então acostumado com autoridades empertigadas, quase todas provenientes de famílias tradicionais, e que depois se rendeu a uma figura de discurso simples, sem retórica, repleta de frases de efeito, a sua marca registrada: "Fé em Deus e pé na tábua"; "Para a frente e para o alto"; "São Paulo não pode parar"; "O diabo está solto".

Era a espontaneidade, com certeza, a característica mais intrigante daquele personagem que parecia não se ajustar à sociedade paulista conservadora — e se via desprezado por ela em grande parte, apesar de ter nascido no seu seio. Na primeira visita que ele fez como interventor à sede da Guarda Civil paulistana, que tinha acabado de se mudar para um novo prédio na alameda Barão de Limeira, sua comitiva chegou com alguns minutos de antecedência à solenidade, para desespero do coronel Kinguelhofer, o comandante, um homem enérgico e de reputação insuspeita. Curiosamente, chegaram todos numa jardineira, meio de transporte muito comum à época, semelhante a um ônibus, mas aberto dos lados.

Ao ver o interventor se aproximar, Kinguelhofer se dirigiu nervoso ao público, mandando sair da frente do veículo. Quando o espaço estava livre, deu a ordem:

— Toquem daí a jardineira.

Mas a banda da corporação ouviu e, em vez da marcha batida, como era de praxe, executou *A jardineira*, marchinha carnavalesca de Benedito Lacerda que então fazia o maior sucesso em todo o país. Vermelho, o coronel tentava se esquivar da trapalhada, enquanto Adhemar, batendo palmas, ia puxando o cordão dos presentes:

Ó jardineira, por que estás tão triste?
Mas o que foi que te aconteceu?

Foi a camélia que caiu do galho, deu dois suspiros
E depois morreu.

A passagem pela interventoria talvez tenha lhe deixado alguns vícios próprios da ditadura. E isso não se referia à amizade com Filinto Müller, chefe de polícia e elemento de confiança de Vargas, e nem à experiência de governar sem oposição e imprensa livre, pois a queda pela tirania não fazia parte de seus defeitos. Mesmo assim, logo que assumiu o governo do estado em 1947, eleito pelo povo, ele inseria em seus primeiros despachos a tradicional menção "autorizo", com a secura típica do Estado Novo. Um assessor o aconselhou a acrescentar a expressão "na forma da lei", esclarecendo que, se o executor do ato cumprisse a determinação de modo ilegal, a responsabilidade seria dele, e não do governador. Ao despachar na audiência seguinte, Adhemar se lembrou da ressalva, mas apenas parcialmente. Sem se intimidar com o salão cheio, chamou o assessor em voz alta e fuzilou:

— Como é mesmo aquela frase que a gente usa quando autoriza e o outro é que se estrepa?

Nessa trajetória, se ele procurava se ajustar aos novos tempos, era obrigado também a abrir mão de planos quando fosse impossível colocá-los em prática. Foi assim com o desejo pela Presidência da República, uma estrada que lhe parecia não ter fim. Quando a oportunidade finalmente surgiu, ele percorreu o país de ponta a ponta, permitindo que o seu jeito típico de fazer política, até então exclusividade regional, ficasse conhecido de todos. Durante a campanha, numa cidadezinha do interior, ele iniciou o comício do alto do palanque, aguçando a curiosidade do povo:

— Meus patrícios, vocês têm água potável?

— Não.

— Têm posto de saúde?

— Não.

— Têm maternidade?

— Não.

— Escolas?

— Não.

— Igrejas?

— Não.

— Vigário?

— Não.

Aí ele não se conteve:

— Mas como é que vocês moram numa merda desta?

Em Teresina, a situação foi ainda mais surpreendente. Diante de um calor escaldante, ele tentou transferir para o período da noite o comício que havia sido marcado para a tarde, mas não conseguiu, pois as pessoas já haviam chegado. No palanque, debaixo do sol forte e suando sem parar, ouviu resignado os correligionários discursarem, até que anunciaram seu nome com grande destaque e o puseram no centro das atenções:

— Meus amigos, se eu for eleito presidente da República, vou vender este país inteiro para melhorar a vida de vocês. Só não vou vender o Piauí e São Paulo.

A multidão aplaudiu, embasbacada. Ele completou:

— E sabem por quê? Porque São Paulo é onde eu moro, com dona Leonor e os meus filhos. E o Piauí porque, com um calor deste, ninguém vai querer comprar.

Sua figura corpulenta, de nariz grande e fisionomia marcante, era um prato cheio para os caricaturistas. Já os comediantes dos teatros de revista adoravam imitar seus gestos histriônicos e sua voz nasalada, um contraponto ao estilo empolado de Jânio Quadros, seu opositor durante boa parte da carreira política. No palco, ao representar os dois personagens notáveis, os humoristas criavam também uma situação incomum, pois na vida real raramente houve um encontro entre os rivais.

Jânio não foi a primeira pedra em seu caminho, nem seria a última. Dada a intensa pressão que sofria durante as disputas políticas, não era raro Adhemar se amparar em algo místico. Mesmo sendo devoto de Nossa Senhora Aparecida, ele frequentava terreiros de umbanda e sessões espíritas. A muitos amigos, inclusive, declarava se considerar a reencarnação de dom Pedro I e, sem se preocupar com os incrédulos, contava histórias estranhas. Numa delas dizia que, certa noite, quando ainda exercia a medicina, foi atender a um paciente na Barra Funda, demorando-se com ele até tarde. Na volta, ao passar em frente ao palácio do governo, na avenida Rio Branco, seu carro parou de funcionar. Ele o encostou no meio-fio e tentou ligar o motor, sem sucesso. Ficou então esperando um pouco, até que sentiu uma rajada de vento frio nas costas e ouviu uma voz lhe dizer:

— Serás hóspede deste palácio.

Muito assustado, primeiro ele se virou para o banco traseiro e depois saiu do carro para olhar em volta, mas não viu absolutamente nada. Estava tudo deserto. Procurando manter a calma, respirou fundo e tentou novamente dar a partida no motor, que, para sua surpresa, ligou normalmente. Ao entrar em casa, contou à esposa o ocorrido e pediu-lhe que não o revelasse a ninguém:

— Vão pensar que fiquei louco.

Anos depois, no começo de 1936, ele receberia outra predição. Nessa época, aberta a luta partidária em São Paulo com a divisão entre pecepistas e perrepistas, Adhemar, então deputado estadual, era membro do segundo grupo e atacava Getúlio Vargas sem tréguas. Em visita a Ribeirão Preto, ele ouviu de uma ilustre dama da sociedade local, Anita Junqueira, um conselho que o espantou pela clareza e pela convicção com que era dito:

— Não brigue com o senhor Getúlio. Ele vai ser seu amigo e lhe entregará, em breve, o governo de São Paulo.

Adhemar riu do que se anunciava como uma profecia e continuou normalmente com seus ataques ao caudilho. No entanto, algum tempo depois, convencido da necessidade de se aproximar do governo instituído em 10 de novembro de 1937, mudou completamente sua orientação, e assim acabou por ser nomeado interventor. A profecia se realizara.

Essa atitude de ouvir os conselhos do além nunca cessou. Durante o período que foi governador, em 1947, ele precisava de uma figura forte para nomear como prefeito da capital paulista, de modo a lhe trazer prestígio. Como estava indeciso, os amigos do partido, que tinham especial desejo pela indicação de Asdrúbal da Cunha, aconselharam-no a se consultar com dona Pina, uma famosa vidente de São Paulo. A pedido do governador, ela aceitou incorporar a entidade espiritual que, segundo disse, ia indicar o nome mais adequado para o cargo de prefeito. Diante dos olhares ansiosos dos pessepistas que a rodeavam, entrou em transe. Contorcia-se e parecia delirar, murmurando um nome que os presentes não conseguiam entender:

— Duba, Duba.

— É Barone? — Adhemar perguntou.

A mulher respondeu com um gesto negativo.

— Asdrúbal? — ele insistiu.

Ela então fez menção positiva.

Adhemar ficou pasmado, pois nunca havia pensado naquela opção para o cargo, mas não teve como ceder diante da vontade mais forte, vinda lá do Alto:

— Senhores, o assunto está encerrado. Asdrúbal da Cunha é o novo prefeito de São Paulo.

Mesmo contando com a simpatia dos companheiros, Asdrúbal não teria sorte, demonstrando pouca competência para o posto. Logo Adhemar percebeu a armação em que havia caído e quis exonerá-lo, providência para a qual um simples decreto seria suficiente. Mas sentia pruridos em fazê-lo, pois aos olhos do público a nomeação havia decorrido de sua livre e espontânea vontade. Depois de pensar, achou uma solução que lhe pareceu perfeita. Quando se elegeu governador, ele já era dono de alguns veículos de comunicação, como o jornal *A Época*. Achava fundamental esse controle, sobretudo para contrabalançar a artilharia vinda dos opositores, cujo conteúdo não escapava de suas vistas, como explicou Mario Beni:

> Lia detidamente os jornais. Sentia o golpe das perfídias. Sem dizer uma palavra, apenas abusava das elasticidades dos suspensórios para, de repente, soltá-los com ambas as mãos, ouvindo-se, a seguir, o estalar dos mesmos na caixa torácica. Às vezes, embora destituído de

cócegas, gargalhava a bom gargalhar. Da imprensa paulistana, apesar dos pesares, não escondia a admiração e o respeito que sempre consagrou a *O Estado de S. Paulo*.

Indicado para a direção de *A Época*, o jornalista Francisco Rodrigues Alves Filho foi ao palácio agradecer a designação e recebeu de Adhemar uma série de recomendações:

— Antes de mais nada, preciso demitir essa besta do Asdrúbal. Você, amanhã, ponha esta manchete na primeira página: "Demita-se, prefeito", e um pequeno comentário mostrando a inutilidade dele à frente da administração municipal.

O jornalista também considerava sofrível a gestão do prefeito, mas não entendeu o motivo da determinação. Adhemar foi lacônico:

— Você verá.

No dia seguinte, *A Época* trazia a manchete recomendada pelo governador. Alves Filho foi novamente ao palácio encontrar-se com Adhemar e ouviu dele um comentário intrigante quando lhe apresentou um documento:

— Olhe o que o seu jornal arranjou.

Era o decreto de exoneração de Asdrúbal da Cunha. Agora ele tinha motivos para substituí-lo, pois havia queixa nesse sentido vinda de um órgão da imprensa. Bem entendido, do *seu* jornal.

Ainda que, graças às publicações que possuía, pudesse ficar livre do ostracismo, não era sempre que Adhemar queria aparecer. Ele adotava a tática da ausência para impor respeito e silenciar as críticas. Quando terminava uma eleição derrotado ou chegava ao fim de um mandato, viajava para o exterior, onde passava vários meses. Com isso, fazia os seus adeptos sentirem saudades, os indiferentes notarem sua falta e os adversários perderem a razão para os ataques. Numa dessas viagens, em novembro de 1952, foi aos Estados Unidos observar a campanha eleitoral à Presidência da República e o processo mecânico de apuração dos votos, quando acabou se encontrando com o republicano Dwight Eisenhower. Como havia um grande número de pessoas querendo falar com o candidato, seu secretário frisou a Adhemar que ele teria apenas cinco minutos. Esgotado o tempo, o sujeito veio avisá-lo, mas os dois continuaram conversando. Mais cinco minutos, o aviso se repetiu. Decorridos doze minutos de conversa, o secretário bateu no ombro de Adhemar e perguntou:

— O senhor é nosso amigo?

— Claro — ele respondeu.

— Então dê o fora.

Quando afastado do poder, Adhemar era diferente dos momentos em que o exercia. Mostrava-se mais cordial e amável, visitava amigos e companheiros ou os recebia no solar da rua Albuquerque Lins, onde passou boa parte da vida com a família, antes de se tornar interventor e após os mandatos exercidos a partir de então. Mas o número de pessoas que apareciam em sua casa aumentava ou diminuía conforme ele estivesse em evidência ou declínio, sendo insignificante nas fases em que ele deixava de ocupar cargos públicos ou participar de campanhas políticas.

De uma coisa ninguém duvidava: ele tinha carisma de sobra. Mesmo quem ainda não fizesse parte de seu círculo dificilmente ficava indiferente à sua personalidade magnética e cativante. Numa conversa informal, ele ganhava a simpatia alheia de imediato. Quando o assunto era política, então, não havia quem o segurasse: atraía adeptos e convencia o maior dos resistentes, trazendo-o para o seu ninho, fosse isso a conquista de mais um eleitor ou um novo membro do partido. Também tinha uma cultura e um gosto artístico acima da média, que, no entanto, procurava disfarçar atrás de uma fachada irreverente e meio caipira, de modo que pudesse viver melhor entre os comuns.

Normalmente, ele aceitava o debate e admitia ideias contrárias se as divergências fossem sinceras, apesar de muitas vezes escolher a solução proposta pela última pessoa com quem havia conversado, que nem sempre era a mais acertada. Quando não queria responder a uma pergunta, fazia um olhar de surpresa. Era apaixonado pela multidão e detestava ficar sozinho, mas tinha um humor instável e imprevisível, o que deixava atônitos seus assessores e as pessoas que conviviam com ele, desafiando quem ousasse definir seu estado de espírito ou se acomodar ao seu temperamento. Em poucos instantes passava de afável a ríspido, e não raro se excedia nos impulsos e criava situações constrangedoras. Certa feita, em seu aniversário, cumprimentado por mais de duzentos prefeitos vindos do interior, irritou-se com tantos abraços e apertos de mão e perdeu a paciência com um dos visitantes:

— Vá cumprimentar o diabo. Chega de tanto apertar mão. Não aguento mais.

Dono de grande capacidade intelectual, aprendia as coisas com facilidade e não gostava de relatos demorados. Se a pessoa com quem conversava se alongasse, ele começava a bater na mesa, num gesto de impaciência. Esse traço de sua personalidade era capaz de provocar rupturas, como aconteceu com Paulo Nogueira Filho, secretário-geral do PSP, cuja vinda para o partido fora saudada por muitos, em virtude do seu caráter e preparo. Numa convenção, o novo integrante iniciou um discurso denso, de cerca de trinta páginas, em que fazia uma análise das perspectivas políticas brasileiras e do espaço que poderia ser ocupado pela agremiação. Presente ao encontro, Miguel Reale anotou:

> Sentado ao lado do governador, percebia que ele ia-se enervando à medida que se alongava a leitura do documento e, a um certo instante, entre a gargalhada geral, apertou entre o polegar e o indicador as páginas que faltavam, sacudindo a cabeça num gesto de enfado. Paulo Nogueira Filho não vacilou um instante sequer. Recolheu as páginas lidas e exclamou:
>
> — Não há necessidade de ler mais nada, pois não está mais aqui o Secretário Geral do PSP.
>
> E retirou-se, enquanto Adhemar, perplexo, fazia um gesto de desconsolo. Inúteis foram todos os esforços para demover Paulo de sua justa decisão de abandonar nossas fileiras partidárias.

Durante a fase como interventor, Adhemar começaria a manifestar outra de suas características mais problemáticas, cujas consequências lhe marcariam negativamente toda a carreira política: a falta de controle no trato da máquina pública. Ele simplesmente não se preocupava em registrar os gastos, de modo a justificar as despesas e evitar sanções diante de uma fiscalização conduzida pela oposição ou de uma ação do Ministério Público. Um episódio ocorrido naquele período demonstra bem o defeito. Certo dia, ele recebeu a visita de um professor da Escola Paulista de Medicina, cirurgião de grande prestígio em São Paulo, que resolveu procurar o interventor para relatar as dificuldades enfrentadas pelo hospital em que trabalhava, aproveitando o fato de que Adhemar também era médico e devotava especial atenção às causas da saúde. Após ouvir o colega, Adhemar perguntou de quanto ele precisava para resolver os problemas que acabava de expor. Soube então que eram necessários, no mínimo, duzentos contos, uma grande quantia na época. Num gesto surpreendente, abriu a gaveta de um armário, tirou duzentos contos em dinheiro e entregou ao médico, que saiu radiante. Porém, quando ele chegou ao hospital, os companheiros de trabalho lhe mostraram a gravidade da situação:

— Isso é muito perigoso. Como interventor, o Adhemar toma decisões a todo momento e pode não se lembrar delas com exatidão. Se, numa prestação de contas, ele se confundir e disser que lhe deu não duzentos, mas dois mil contos, você não vai ter como desmentir.

Imediatamente, o cirurgião, assustado, quis voltar e devolver o dinheiro, mas a necessidade do hospital era grande e a quantia recebida se mostrava muito bem-vinda. O provedor da instituição, José Carlos de Macedo Soares, encontrou então uma maneira de superar a falha. Tomou a iniciativa de escrever uma carta ao interventor, assinada por todos os médicos do hospital, agradecendo a doação de duzentos contos feita por intermédio do colega que o procurou.

Aos poucos, por essas e outras, ia crescendo o conjunto de acusações contra Adhemar. Diziam que havia instituído uma caixinha, alimentada com a participação em obras não autorizadas, e que montou um verdadeiro "dinheiroduto" com verbas procedentes da exploração de jogos ilícitos e da prostituição. Ele não respondia às acusações que lhe faziam, nem quando o chamavam de desonesto, de louco e de irresponsável. A explicação para o silêncio, nesse caso, era curiosa:

— Eu não sou águia, sou falcão. As águias precisam de céu claro para voar. Eu não. Eu gosto de voar com o céu negro e o corisco.

Mas a caixinha, longe de constituir uma lenda, era real e se consolidou, tornando-se organizadíssima, na melhor tradição brasileira. Baseava-se numa taxa, cobrada dos fornecedores de bens e dos empreiteiros que realizavam obras públicas para o estado e para as prefeituras administradas por elementos do partido. Feito o pagamento, era dado um recibo por conta de doação de campanha, pelo fundo da agremiação partidária. A prática gerou versões que se tornaram famosas e acabaram por se consagrar, segundo as quais o dinheiro ia para o bolso de Adhemar. Era a forma de a UDN combatê-lo e de veículos da imprensa, como *O Estado de S. Paulo*, aumentarem o fogo contra ele.

O folclore criado a partir dessa fonte de financiamento do partido fez que, nos anos 1960, Herivelto Martins compusesse *Caixinha abençoada*, uma canção popular que descrevia o sentimento de boa parte das pessoas a respeito do tema:

Quem não conhece?
Quem nunca ouviu falar?
Na famosa "caixinha" do Adhemar
Que deu livros, deu remédios, deu estradas
Caixinha abençoada!

A letra causou desconforto aos adhemaristas, mas Adhemar pareceu não se importar muito com o fato. Ao contrário, até cantarolava a música — enquanto os seus companheiros, em vão, o advertiam de que ela representava uma aprovação de tudo o que se falava sobre ele — e arrematava:

— Quem tem lombriga assustada não serve para andar comigo.

A caixinha ajudou Adhemar a dar solidez ao PSP e preparou o partido para enfrentar todos os tipos de intempéries. Porém, como não podia deixar de ser, colocou mais uma arma na mão de seus adversários, que já tinham criado o hábito de guardar elementos de provas para utilizar quando fosse mais conveniente. Assim, bastava que Adhemar se candidatasse a um cargo público, qualquer um deles, para os processos se iniciarem — com estardalhaço, obviamente. Dessa vez, contudo, as coisas tinham ido longe demais.

Pelo rádio, ele tomou conhecimento da decisão judicial, que havia sido proferida às 3h25 pelo presidente do Tribunal de Justiça de São Paulo, desembargador Amorim Lima, após oito horas de sessão secreta. Era terça-feira. Por recomendação dos familiares, Adhemar refugiou-se numa casa de campo em Santo Amaro, nas imediações de Parelheiros, onde ficou no aguardo das notícias que seriam dadas por seus advogados. Dois dias depois, de madrugada, saiu escondido numa ambulância, numa verdadeira operação de guerra, sob a proteção de um oficial do Exército, amigo seu, armado de metralhadora. Tensos, alternando momentos de expectativa com outros de grande apreensão, como acontecia nos postos de guarda — a polícia toda havia sido alertada —, percorreram do início ao fim a via Anhanguera, uma bela estrada com pavimentação em concreto e cerca de noventa quilômetros, que ele próprio mandara construir em seu primeiro governo. Após pouco mais de uma hora chegaram ao Campo dos Amarais, em Campinas, onde diante da pista de terra batida aguardaram o avião Douglas DC-3, prefixo PP-DSC, de propriedade de Adhemar e chamado pelos adversários de "boate voadora", que tinha sido usado por ele na campanha de 1955 e em várias outras missões.

Adhemar embarcou na aeronave com o genro João Jorge Saad, que acompanhava a tripulação, e logo em seguida decolaram rumo ao exílio forçado. Seu destino: Paraguai.

Durante a viagem, o rádio foi mantido desligado o tempo todo para não dar a posição do avião, que, apesar da destreza do piloto Armando Azevedo de Andrade, chacoalhava muito. A bordo, os companheiros quase não abriam a boca, inibidos pelo clima de aflição. Tudo era imprevisível. Não havia garantia de que ele seria acolhido em solo estrangeiro e, mesmo que fosse, pesava a ameaça dos inevitáveis pedidos de extradição. Nenhum país vizinho ia querer se indispor com o Brasil em benefício de um cidadão que, para eles, naquele momento, não tinha importância alguma.

Em Assunção, porém, a recepção foi amistosa. Adhemar declarou sua condição de refugiado político e teve a entrada franqueada no país, com a autorização de permanecer ali. Logo que se sentiu seguro, passou um telegrama à família informando que tudo transcorrera bem. Hospedou-se então no Grande Hotel Paraguai, localizado no antigo casarão que havia pertencido à senhora Lynch, companheira do ditador Solano Lopes. O prédio, de dois séculos de construção, era amplo, com enormes salões e quartos espaçosos, mas de mobiliário antigo, camas duras e desconfortáveis. Ou ele voltava logo para o Brasil, ou teria de procurar um lugar mais acolhedor para ficar.

No final da semana, ele recebeu brasileiros residentes na cidade e paraguaios, todos interessados em prestar apoio. Era a única coisa que lhe quebrava a rotina e amenizava a angústia. Na manhã do terceiro dia, soube da chegada de uma caravana de jornalistas, radialistas e operadores de cinema e televisão, que deveriam entrevistá-lo. Ele estranhou tanta gente para uma reportagem daquelas. Os profissionais queriam detalhes da fuga, do esconderijo, da chegada ao Paraguai. Pouco à vontade, Adhemar deu declarações apenas superficiais.

As pessoas comentavam com ele que algo estranho estava acontecendo na embaixada do Brasil. Os rumores corriam, mas ninguém sabia definir o que era. Seu advogado, o argentino Cesar de Barros Hurtado, já o havia advertido a respeito:

— Não vá à embaixada brasileira. Os funcionários não são seus amigos e não farão nada para proteger o senhor.

Notícias preocupantes foram dadas também pelo outro genro, Manuel de Figueiredo Ferraz, que foi visitá-lo e confirmou que o pedido de extradição estava sendo preparado.

Naquela noite, Adhemar ia jantar no Clube União com o advogado e Edgard Insfran, o chefe de polícia paraguaio, de quem dizia ser muito amigo. Mas prometeu aos jornalistas uma entrevista para o dia seguinte, às oito horas, anunciando que depois embarcaria para o Chaco.

Insfran apareceu antes do horário combinado com Hurtado e Adhemar. Era uma pessoa de trato agradável e, aparentemente, um pouco jovem para ocupar o cargo. Ele havia tido um ligeiro contato com o político de São Paulo no dia da chegada deste, apenas para constatar a veracidade da notícia de que tomara conhecimento. O que mais o preocupava era um documento enviado por autoridades brasileiras, que, de uma forma ou de outra, o obrigaria a tomar uma importante decisão. Dizia o seguinte:

> *Ruego prisión preventiva ciudadano brasileño Adhemar Pereira de Barros, condenado dos años prisión por Tribunal Justicia San Paulo crime peculato, que llego ayer Asunción via aerea. Pedido extradición seguirá via diplomatica.*

No Brasil, a imprensa noticiava que Adhemar estava sempre bem-humorado e parecia não se incomodar com a situação, mas não era bem assim. Na verdade, ele não conseguia dormir e se sentia à beira de um colapso nervoso. Dava longas caminhadas pelas ruas até ficar cansado e, só então, conseguir repousar. Também sofria com o clima de Assunção, quente demais — nada que lembrasse São Manuel, pequena cidade da região de Botucatu, no interior paulista, na qual ele passou os primeiros cinco anos de vida, em meio à imensidão da Fazenda Redenção do Araquá, que percorria a cavalo na companhia do pai, Tonico. No hotel, a única maneira que ele encontrava para se refrescar eram os banhos. Depois de tomar o quinto daquele dia, um domingo, Adhemar aguardou a vinda do advogado para o jantar com o chefe de polícia. Cada vez mais ansioso, contava os minutos.

2

DO JALECO À FARDA

A Fazenda Redenção do Araquá, que primeiro se chamava Boa Vista do Araquá, era uma área impressionante, com cerca de mil alqueires de terra. Possuía cem casas para colonos, escola, capela e um pequeno hospital, além da sede. No auge, contava com um milhão de pés de café, o que respondia por uma produção anual de 100 mil sacas, gerando uma receita, em valores atualizados, de 6 a 10 milhões de dólares. Foi lá que, em 1872, Antonio Emygdio de Barros, mais conhecido por Tonico, nasceu. Ele era o oitavo de catorze filhos de José Emygdio de Barros e Sebastiana Leopoldina, e neto de um alemão emigrado que havia desbravado toda a zona agrícola da região de São Manuel, fazendo fortuna graças ao café.

Como Tonico, Elisa Pereira Pinto também era descendente de ricos fazendeiros cafeicultores, mas da região de Piracicaba. Em 1899, eles se casaram. Tonico acabou herdando as terras que a sua família possuía e, depois do casamento, comprou novas fazendas, sendo a maior delas Turvinhos, em Lençóis Paulista, com 6 mil alqueires destinados basicamente à criação de gado. Ele acabou se consolidando como um dos maiores cafeicultores do país, condição que manteve até a crise que castigou o setor, durante a década de 1930.

Apesar de tantas posses, era um homem de hábitos simples. Quando já estavam crescidos, os filhos, que conheciam bem sua falta de atenção com as coisas básicas, juntaram dinheiro para lhe dar um presente muito útil:

— Aqui está um colchão novo, pai. O seu já não deve estar aguentando mais.

Tonico viveu a maior parte da vida no interior, inspecionando as áreas de terra que se perdiam de vista, sempre a cavalo. Como todo fazendeiro da época, possuía residência em São Paulo, um solar na rua Baronesa de Itu, que ele e a mulher construíram, e andava "para baixo e para cima" — do interior para a capital. Quando estava em São Paulo, costumava acompanhar os filhos e depois os netos ao jóquei clube e ao estádio, pois era aficionado por jogos e corridas de cavalos. Sociável e de conversa fácil, contrastava com a esposa, mais severa.

Quando se preparava para dar à luz o primeiro filho, Elisa não quis ficar longe da família: dirigiu-se a Piracicaba, onde, no dia 22 de abril de 1901, nasceu o primogênito, Adhemar Pereira de Barros. Já adulto, porém, ele reafirmaria que, embora "caipira das barrancas do Rio Piracicaba", seu coração pertencia a São Manuel, cidade com a qual manteve laços por toda a vida. Foi ali, na escola rural da fazenda dos pais, que ele realizou seus primeiros estudos, formando a personalidade sob a influência sertaneja, o que muito contribuiu para o seu jeito sem rodeios de lidar com as pessoas.

Além de Adhemar, o casal Tonico e Elisa teve mais quatro filhos: Oswaldo Pereira de Barros, em 1903; Antonio Emygdio de Barros Filho, em 1905; Geraldo Pereira de Barros, em 1910; e Maria José Pereira de Barros, em 1918.

Adhemar cresceu saboreando os doces deliciosos que Elisa fazia, especialmente o de laranja, seu predileto, e acompanhando o pai nos passeios pela fazenda e à cidade. Mesmo vivendo numa época em que ainda não podiam contar com automóveis, raramente usavam os tílburis e os carros puxados por dois animais, o que só acontecia nos dias de festa, quando o veículo da família ia todo enfeitado com as velhas colchas, adequadas à ocasião, ou com os vistosos coxinilhos coloridos.

Com apenas cinco anos de idade Adhemar mudou-se para a capital, onde passou a estudar em regime de internato no Colégio Anglo-Brasileiro — a *Anglo Brazilian School*, notável escola em que os filhos da aristocracia paulista eram matriculados. Situava-se na avenida Paulista, em meio aos soberbos casarões que se alinhavam ao longo de mais de 2 mil metros, numa São Paulo que então fervia com a formação de novos grupos sociais. Desde o início do século, as constantes crises do setor cafeeiro empurraram para as cidades uma grande massa de trabalhadores rurais, que se juntavam aos imigrantes e formavam um caldeirão de raças e idiomas, numa mistura de português, espanhol, italiano e árabe. Pelas ruas circulavam operários e mascates, ao mesmo tempo em que crescia a gama de outros profissionais como barbeiros, sapateiros, fotógrafos, engenheiros. Imigrantes com algum dinheiro montavam lojas ou pequenas fábricas, dando origem às grandes fortunas e ao surgimento, na cidade, de palacetes e mansões. A avenida Paulista, misto de várias tendências, seria a maior representante do lucro privado.

Foi nessa São Paulo que Adhemar residiu até concluir o ginásio, transferindo-se em seguida para o Rio de Janeiro, onde ingressou na Escola Nacional de Medicina, naquele tempo a mais importante faculdade do país na área médica. Na antiga capital da República, instalou-se em um lugar com o sugestivo nome de Pensão Paulista, localizada na Praia da Saudade — que depois passaria a se chamar avenida Pasteur. Mais tarde, mudou-se para um apartamento no Leme. Conhecido como "o estudante milionário" e vivendo em plena *belle époque* carioca, tinha carta de crédito, o que o dispensava de receber mesada dos pais, e era um dos poucos alunos a possuir carro, nada menos que um Hispano-Suiza, exemplar da célebre indústria automobilística que, até 1939, quando encerrou suas atividades por força da Guerra Civil Espanhola, foi a única a superar a inglesa Rolls-Royce em luxo e desempenho.

Na medicina ele encontrou sua primeira paixão. Mesmo quando, anos mais tarde, se afastou da profissão por causa da política, ele gostava de praticá-la nos períodos em que viajava e sempre carregava consigo uma maleta com amostras de medicamentos, pois recebia todas as novidades dos laboratórios. Durante as campanhas, era comum realizar dois ou três partos em cada viagem e seus companheiros de partido o encontravam trabalhando, quase sempre depois de fazer a inevitável pergunta:

— Onde diabos se meteu o Adhemar?

Foi sempre o primeiro da turma. Ao final, especializou-se em parasitologia, helmintologia e microbiologia no Instituto Oswaldo Cruz, mais conhecido por Manguinhos, no elogiado curso de Medicina Experimental dirigido por Carlos Chagas. Depois, fez especialização em ginecologia e obstetrícia, sob a tutela de Fernando de Magalhães, na velha maternidade da rua das Laranjeiras. Quando terminou o curso, em 1923, apresentou a tese *Histerectomia abdominal subtotal*, que foi aprovada com distinção e laureada com o prêmio Medalha de Ouro Visconde de Saboia, com viagem de estudos pela Europa.

Assim foi que, depois de São Paulo e do Rio, ele começou a descobrir o mundo. A primeira parada foi nos Estados Unidos, onde frequentou a Universidade John Hopkins. Depois foi para a Europa, fazendo residência médica em Hamburgo e Berlim, na Alemanha, e em hospitais da França (Maternidade Jean Louis Baudelocque, em Paris), Áustria, Suíça e Inglaterra. Circulava com desenvoltura por esses países, pois falava fluentemente alemão, inglês, francês e italiano. Apaixonado também pela aviação, fez na Europa o curso de pilotagem, recebendo o brevê de piloto civil.

Adhemar permaneceu no exterior até setembro de 1926, quando retornou ao Brasil. Pois foi exatamente na viagem de volta, a bordo do navio Capitão Polônio, que ele conheceu aquela que seria sua companheira nos anos seguintes, Leonor Mendes de Barros. Ela viajava na companhia da mãe e do pai, que tinha crises de paralisia, e, numa emergência, pediu à filha que procurasse alguém a bordo que pudesse socorrê-lo. Foi quando lhe informaram que havia um brasileiro nessas condições. Diante daquele jovem alto e forte que imediatamente a atraiu, ela só teve tempo de confirmar:

— Você é médico?

Um pouco mais nova que Adhemar, Leonor nasceu em São Paulo no dia 21 de julho de 1905. Era filha de Otávio Mendes, advogado e professor catedrático da Faculdade de Direito do Largo de São Francisco, e de Elisa de Moraes Mendes, ambos integrantes da tradicional sociedade paulistana. Dois meses após o desembarque no Brasil, ela e Adhemar ficaram noivos, e a 6 de abril de 1927 casaram-se na residência dos pais dela, na avenida Paulista. A sequência rápida de acontecimentos, de pouco mais de seis meses, numa época em que os namoros e noivados eram longos, foi compensada por uma bela e demorada lua de mel no México e nos Estados Unidos, para onde viajaram a bordo de um transatlântico.

Na volta, foram morar numa casa na rua Gualachos, no bairro da Aclimação, em São Paulo, onde nasceram os quatro filhos: Maria Helena, Adhemar Filho, Maria e Antonio. Adhemar fez o parto dos três primeiros. O de Antonio, o caçula, foi confiado a um colega. Só depois eles se mudariam para a casa da rua Albuquerque Lins, no bairro de Higienópolis, que ele herdou do sogro.

Nos primeiros anos de seu retorno ao Brasil, Adhemar se concentrou apenas na vida profissional. Tinha um consultório na praça da Sé, onde começou a atender e, posteriormente, mudou-se para o quarto andar do prédio Glória, na praça Ramos de Azevedo, um soberbo edifício ao lado do Theatro Municipal, com paredes forradas de mármore travertino, florões de ferro trabalhado e fechaduras inglesas de latão polido. Lá, ele ficaria até a Revolução de 1932.

Logo após o nascimento de Maria Helena, em 1928, ele e a mulher fizeram um passeio que ficaria marcado em sua memória e que, anos depois, quando ele já estava na política, reverteria em benefícios locais: foram conhecer a estância de Campos do Jordão, onde se podia desfrutar o melhor clima do Brasil e um dos melhores do mundo para o tratamento da tuberculose. Para o turista comum, no entanto, a viagem não trazia maiores atrativos. Desprovido de conforto, o local era procurado apenas por doentes, que perambulavam pelas ruas. Quartos aquecidos de hotel, nem em sonho:

> Fazia um frio de rachar e o nosso primeiro contato com Campos do Jordão foi o mais desagradável possível [...]. A casa não estava preparada, não estava aquecida. Passamos uma noite sem dormir, a tiritar de frio. Com os poucos agasalhos que tínhamos, abrigamos Maria Helena o melhor que podíamos, e nós dois — Leonor e eu — passamos a noite [...] andando de um lado para o outro. Queimamos as cadeiras mais velhas e tudo o que pudesse dar fogo na lareira. O termômetro estava doze graus abaixo de zero. Foi uma noite de cachorro sem dono e com grande alegria vimos o nascer do dia e o sol surgir no horizonte montanhoso. Lá fora tudo estava branco, coberto por uma espessa camada de geada de mais de duas polegadas. Foi aí que pudemos ver a incrível beleza daquela serra maravilhosa. Pouco depois, esquecemos a terrível noite que passamos.

Enquanto Adhemar se dedicava à medicina e se preocupava com a saúde pública e privada, a política nacional entrava em ebulição. Em 1926, havia chegado à Presidência da República Washington Luiz, da ala conservadora do Partido Republicano Paulista (PRP). Embora fluminense, ele havia feito carreira política em São Paulo e criado raízes nesse estado. Empossado, e com Getúlio Vargas à frente do Ministério da Fazenda, levou adiante uma reforma financeira ampla, cujo planejamento ultrapassava sua gestão no governo. Por esse motivo, tratou de assegurar a sucessão, indicando, ainda em 1928, um nome que se mantivesse fiel à sua política: Júlio Prestes de Albuquerque, líder da bancada do PRP no Congresso e governador de São Paulo desde 1927. Gaúchos e mineiros reagiram.

E não era para menos. O plano do presidente eliminava a política do "café com leite", pela qual São Paulo e Minas se alternavam no poder. Já o Rio Grande do Sul, que nunca havia engolido esse revezamento entre paulistas e mineiros, começou a cogitar fazer Getúlio Vargas, seu governador eleito em 1928, o próximo presidente. Com o apoio de Minas e da Paraíba, lançaram em 1929 a Aliança Liberal, chapa de oposição que indicou Vargas candidato à Presidência da República. Júlio Prestes acabou sendo eleito sob fortes indícios de fraude para a revolta dos aliancistas, que ficaram ainda mais inconformados quando receberam a trágica notícia: o candidato a vice na chapa de Vargas, João Pessoa, tinha sido assassinado.

Durante anos, o crime cometido por João Dantas contra João Pessoa foi atribuído a motivações puramente de cunho político. Dantas era seu opositor ferrenho e havia aderido à candidatura de Júlio Prestes. Com a vitória da chapa governista, a polícia paraibana começou a invadir casas e escritórios de apoiadores do candidato oficial, em busca de armas e munições. João Dantas foi uma das vítimas dessa ação, mas os estragos que sofreu foram muito mais do que políticos.

Desde 1928 ele mantinha um romance com Anayde Beiriz, uma atraente professora e poeta que intrigava a sociedade conservadora local. Aos dezessete anos ela havia se formado em primeiro lugar no curso normal e, aos vinte, ganhara um concurso de beleza. De aparência singular, usava cabelos curtos e decotes ousados, saía às ruas sozinha numa época em que mulher não andava desacompanhada e escrevia versos que mesmo as pessoas mais liberais qualificavam como obscenos. Com Dantas ela trocava cartas de amor e os poemas eróticos, que ele guardava em seus arquivos particulares. Após a invasão da polícia ao seu escritório, autorizada por João Pessoa, tudo aquilo veio a público e o casal de amantes passou a ser motivo de escárnio. Humilhado e tomado pelo ódio, Dantas acabou se afastando, aconselhado por amigos, e foi passar um tempo em Olinda. Por um capricho do destino, João Pessoa, acompanhado apenas de seu motorista, acabou se dirigindo para bem perto dali, a cidade do Recife. O motivo oficial da viagem foi a visita a um amigo doente, o juiz Francisco Tavares da Cunha Melo, mas fontes da época afirmavam que a razão era bem outra: Pessoa teria ido à capital pernambucana encontrar-se em segredo com a cantora Cristina Maristany.

Informado de que o grande inimigo estava no Recife, João Dantas seguiu com seu cunhado Moreira Caldas para o centro da cidade, acabando por achar Pessoa na elegante Confeitaria Glória, quando então se aproximou e sacou a arma sem fazer rodeios:

— João Pessoa, eu sou João Dantas.

Na saraivada de tiros que ele e seu cunhado dispararam não foi possível saber de onde partiu a bala que varou as costas de João Pessoa. Dantas e Moreira Caldas acabaram recolhidos à Casa de Detenção do Recife, onde no início de outubro, logo após a eclosão da Revolução de 1930, foram mortos em circunstâncias não muito esclarecidas — a versão mais aceita é a de que ambos se suicidaram com golpes de bisturi (teriam deixado bilhetes embaixo de seus travesseiros declarando essa intenção). Suas cabeças foram mandadas à Paraíba como troféus. Apenas alguns dias depois, a bela Anayde Beiriz morreu envenenada, provavelmente também em ato de suicídio. Órfã de pai e mãe, sem o apoio de João Dantas e chamada de prostituta pela população, foi enterrada como indigente.

Com as eleições perdidas para Júlio Prestes e diante do assassinato de João Pessoa, os aliancistas sentiram-se estimulados a uma ação radical. Apoiados pelos militares, conseguiram derrubar facilmente a ordem vigente e depor Washington Luiz. Uma junta governativa provisória, formada pelos generais Mena Barreto e Tasso Fragoso e pelo almirante José Isaías de Noronha, assumiu o poder e, no dia 3 de novembro de 1930, passou o comando a Getúlio Vargas, a quem coube o papel de enterrar a República Velha.

A presidência de Vargas era um ato de caráter provisório, mas ele acabou se instalando, atraído pelo poder. Oito dias após assumir o cargo, baixou um decreto, com a assinatura de seus ministros, que legitimava o governo a exercer não apenas o poder Executivo, mas também a autoridade legislativa, até que uma Assembleia Constituinte estabelecesse a reorganização política do país. Todas as casas de leis, do Congresso Nacional às câmaras de vereadores, foram fechadas. Nos estados, assumiram os interventores federais, que nada mais eram do que fantoches do governo central.

Em São Paulo, Vargas nomeou interventor o pernambucano João Alberto Lins de Barros, o que causou enorme descontentamento. Não demorou muito para que uma oposição contra o seu governo fosse formada, tornando-lhe a administração quase impossível. João Alberto exonerou-se e passou o cargo para Laudo Ferreira de Camargo, que também não teve condições de governar. Alguns meses depois de empossado, Camargo foi substituído pelo coronel Manuel Rabelo, que encontrou resistência ainda maior, por ser militar.

De eleição não se falava. Numa reunião com elementos do Clube 3 de Outubro, em março de 1931, Vargas referiu-se à hostilidade paulista contra os "estrangeiros":

— O regresso ao regime constitucional não pode ser e não será uma volta ao passado, como querem as carpideiras da situação deposta, que invocam o princípio da autonomia e exigem um registro de nascimento a cada interventor local.

Registro de nascimento era pouco. O PRP se uniu ao movimento de oposição, por desforra contra a revolução que impediu a posse de seu candidato, Júlio Prestes, e também pela invasão de São Paulo por "forasteiros". Mas não foi o único grupo a protestar. Outros setores também mostravam as garras. Em primeiro lugar, engrossavam o coro os cafeicultores, que achavam as medidas em favor do seu setor algo desprezível diante das enormes dificuldades por que passavam. Além deles, antigos oficiais militares também aderiram ao movimento, inconformados com a sua substituição por tenentes durante o expurgo que se seguiu à Revolução de 1930.

Em São Paulo, estado mais ressentido com o golpe, os constitucionalistas liberais se desiludiram com a tática de Vargas de retardamento de novas eleições. No dia 13 de janeiro de 1932, o Partido Democrático rompeu publicamente com o governo provisório. Em fevereiro, organizou-se a Frente Única Paulista, grupo heterogêneo que incluía a Liga de Defesa Paulista e uma ala do PRP. O circo ameaçava pegar fogo, pois, além de o interventor, Manuel Rabelo, ser impopular e sem nenhuma habilidade política, o chefe de polícia, Miguel Costa, ajudava a organizar milícias populares e respondia às reivindicações sociais de maneira violenta.

Como, além de São Paulo, Minas Gerais e o Rio Grande do Sul começavam a demonstrar crescente descontentamento com o governo federal, Vargas se viu forçado a fazer concessões. Em março, baixou um decreto marcando a data de 3 de maio de 1933 para as eleições à Assembleia Constituinte. Em São Paulo, nomeou interventor Pedro de Toledo, civil e paulista, o que não foi suficiente para acalmar os ânimos, pois a fermentação já ocorria no meio político do estado. Para muitos, o novo interventor não passava de uma imposição dos gaúchos instalados no palácio do Catete. Os protestos foram crescendo até que, na noite de 23 de maio, quando Pedro de Toledo acabava de nomear um secretariado composto de republicanos e democratas, visando a apaziguar seus conterrâneos, um grupo de rebeldes atacou a sede da Legião Revolucionária — organização apoiada por Getúlio Vargas que tentava contrabalançar o poder exercido pelas oligarquias do café em São Paulo. Ao subirem as escadarias do prédio, os insurgentes foram recebidos com tiros, sendo que quatro estudantes, Euclides Bueno Miragaia, Mário Martins de Almeida, Dráusio Marcondes e Antônio Américo de Camargo Andrade, morreram. A morte dos jovens causou revolta e foi o estopim para a criação do movimento MMDC, em sua homenagem — a sigla era formada pelas iniciais dos nomes dos quatro: Miragaia, Martins, Dráusio e Camargo (um quinto estudante, Orlando Alvarenga, também se feriu, mas veio a falecer três meses depois).

Em 9 de julho, São Paulo iniciou a Revolução Constitucionalista. A adesão foi grande: as fábricas passaram a fornecer munição bruta, as mulheres colaboraram confeccionando uniformes e os jovens foram para a frente de batalha, como voluntários. Os estudantes e boa parte da população adotaram a ideia de instituir no Brasil um governo constitucional e democrático e de resgatar para o estado de São Paulo a condição de líder político da Federação. Alguns revolucionários até pagavam para fazer parte dos pelotões de elite. Já os mais ricos mandavam confeccionar suas fardas nos alfaiates da moda. Para estes, a revolução era uma festa. Nas provisões de batalha, levavam mais doces e conservas do que munição. Mas os ideais da revolução não conquistaram as massas, que se mantiveram indiferentes aos apelos para a luta.

Em meio a todos esses acontecimentos conturbados, Adhemar se preparava para entrar na cena política e dela nunca mais sair. Abraçando o ideal revolucionário, alistou-se como médico e foi deslocado para o setor Norte, na região de Aparecida e Lorena. Dada a escassez de oficiais, logo foi promovido a 2º tenente-médico na 2ª Divisão de Infantaria, sob o comando do coronel Euclides Figueiredo. Ele gostava de comentar sua admiração pelos companheiros de batalha e pelo comandante, em especial:

— Poucas criaturas tão valentes eu conheci na vida. Ele expunha os soldados ao perigo, mas com tal bravura que ninguém sequer sentia o que era medo.

Em sua correspondência quase diária à esposa, confessava a situação "estafante" que o obrigava a passar noites em claro, e descrevia certas cenas das quais nunca mais iria se esquecer:

> Pude apreciar o combate, quase no meio dele, pois nossa artilharia estava nas minhas costas, a 1 km, atirando e alvejando o inimigo por cima de nossas cabeças. As metralhadoras pesadas roncavam permanentemente em todos os cantos e dos dois lados.

Curioso que, no início, mesmo diante da luta renhida, ele achava que o sucesso da revolução era apenas uma questão de tempo:

> Calculo que a vitória não deva demorar; as coisas estão caminhando para uma solução breve; em todo caso, continuaremos a fazer força, não esperando outra coisa do que a continuação da guerra.

Isso não era novidade. Os revolucionários consideravam favas contadas a deposição de Vargas. Para eles, a revolução nada mais seria do que um passeio ao Rio de Janeiro que terminaria com a deposição do "dono" do Catete. Acreditavam na total adesão das Forças Armadas ao movimento, visto ser São Paulo o detentor do maior poderio econômico do país. Mas cometeram o erro clamoroso de misturar as exigências de reforma constitucional com uma aspiração exclusivamente paulista: o separatismo. Com isso, enfraqueceram qualquer possibilidade de adesão de rebeldes de outros estados. No final, o movimento acabou reduzido a mera contrarrevolução dos oligarcas do antigo regime, ideia que, em São Paulo, foi realçada com a adesão do PRP, ainda que a organização do movimento tivesse sido do Partido Democrático, com o apoio da classe média. Com isso, os paulistas, que tinham tudo para liderar um movimento de abrangência decisiva, ficaram isolados.

O apoio de Minas Gerais e do Rio Grande do Sul, que era bastante provável, deixou de existir, mesmo porque São Paulo começou a revolta antes que seus aliados se organizassem. Apenas alguns comandantes, como o do Mato Grosso, aderiram ao movimento paulista. Já a contraofensiva foi pesada. No Vale do Paraíba, tropas sob o comando do general Góes Monteiro impediam o avanço dos rebeldes em direção à capital. Enquanto isso, o porto de Santos foi bloqueado. De repente, a vitória, antes tão fácil, tornou-se quase impossível.

Em agosto, Adhemar foi comissionado no posto de capitão-médico, sendo também nomeado diretor do Hospital Militar de Lorena e comandante do 5º Regimento de Infantaria. A alguns quilômetros de onde ele estava ocorreu um dos episódios mais dramáticos do movimento. Nas proximidades de Cunha, o agricultor Paulo Virgínio, que morava perto da divisa entre os estados de São Paulo e Rio de Janeiro e havia fugido para a Serra do Indaiá para proteger a mulher e os cinco filhos, foi capturado por um batalhão. Os militares tinham subido a Serra do Mar e desejavam chegar à capital paulista pelo Vale do Paraíba. Virgínio, ao sair para buscar alimento, encontrou a desgraça. Os soldados o interrogaram sem piedade para que ele fornecesse informações sobre a posição das forças paulistas e, como ele se recusou a falar, mandaram-lhe pegar o enxadão que trazia e cavar a própria sepultura. Enquanto ele removia a terra, os militares repetiam as perguntas, mas as respostas eram sempre as mesmas. Deram-lhe então o primeiro tiro. Sangrando e vendo a morte iminente, ele declarou aos inimigos:

— Eu morro, mas São Paulo vence.

Aí recebeu o tiro fatal. Diz a lenda que, antes de matá-lo, os soldados jogaram água fervendo sobre ele. No final, Paulo Virgínio se transformou num dos maiores heróis da Revolução.

Os combates avançavam. Reforços de Minas Gerais e do Rio Grande do Sul invadiram o estado de São Paulo ao norte e ao sul, aumentando o cerco à capital paulista, que foi atacada inclusive por bombardeio aéreo. Em 2 de outubro, oitenta e cinco dias depois de iniciada, a Revolução

Constitucionalista chegou ao fim, com 600 mortos entre os insurgentes e 200 nas tropas do governo provisório.

A caça aos rebeldes então começou. Depois de escapar da polícia, Adhemar fugiu para o Paraguai, mas mal teve tempo de descansar da violência, pois o país vizinho estava em guerra com a Bolívia pela região do Chaco Boreal. Havia muito tempo os bolivianos desejavam um acesso ao oceano Atlântico por meio do rio Paraguai, o que os estimulava a lutar pela área. Com a descoberta de petróleo na região, a cobiça aumentou e o conflito foi inevitável. Havia poucos médicos no país, e a frente de batalha carecia de profissionais que socorressem os feridos. Adhemar se ofereceu como voluntário e, com esse gesto, granjeou muita simpatia dos paraguaios. De lá, seguiu para a Argentina.

Ele tinha conhecimento das aflições que estavam sofrendo os paulistas com papel importante no movimento de Nove de Julho e, no íntimo, alimentava o desejo de desforra. Deixou isso registrado numa carta à esposa:

> Tenho tido notícias de São Paulo e sei que o bloco está completamente disperso, a maioria no estrangeiro; se as cousas apertarem muito, irei trabalhar com o Vespa. Sei também que São Paulo está sofrendo muita perseguição dos Ditatoriais; não faz mal, que aproveitem bastante, pois quando chegar novamente nossa vez, nem queiram saber, descontaremos tudo e com vantagem. É preciso não se esquecer daquele célebre ditado: não há mal que sempre dure e nem bem que nunca se acabe, e quem com ferro fere com ferro será ferido.

O personagem mencionado, Vespa, era Vespasiano Martins, um colega de turma com o qual ele se encontrara em sua fuga, ao passar pelo Mato Grosso. Leonor escrevia ao marido endereçando as cartas para Waldemar Pereira Mendes, conforme Adhemar lhe havia recomendado. Ele demonstrava receio de ser encontrado pelas autoridades:

> Você se lembra daquele médico nortista que almoçou em [...] nossa casa, em um dos últimos dias que precederam a minha fuga? Pois por

> cartas vindas daí fiquei sabendo que o mesmo é muito suspeito. Assim sendo, seja quem for que procure por mim ou meu endereço, você sempre se descartará dizendo que estou no Paraguai, em Concepción, com o dr. Vespasiano; os investigadores costumam se fazer de vítimas da polícia para descobrirem o paradeiro dos chefes, portanto, muito cuidado; avise também as criadas.

Naquele momento, voltar era algo fora de cogitação. Mas a monotonia do exílio com certeza estava lhe fazendo mal:

> Tenho tido notícias de diversos amigos daí e sei que as cousas continuam pretas. A polícia de vez em quando finge desinteresse por alguns dias, para depois voltar à carga. Eles devem estar com muita raiva de mim, pois lhes passei uma boa capoeira. Você sabe que eu cheguei a ser preso e depois fugi? Nestas condições, não quero abusar. Pelo menos, vamos deixar passar o Ano Bom.
>
> [...] O exílio anda se tornando bem monótono — eu não sei o que seria se eu estivesse preso em um cubículo; talvez ficasse maluco.
>
> Passo os dias lendo e estudando alguma cousa sobre agricultura, por sinal, estou ficando um bicho em plantação e trato de mandiocas, aliás, um bicho na teoria; em todo caso, diante das conversas que tenho permanentemente sobre lavouras, estou ficando bem inclinado a me tornar fazendeiro. O que achas se, em vez de irmos negociar café em Paris, como pretendemos, viermos todos de mudança para cá? Paris ou Redempção? Cidade Luz ou orquestra de sapos? Seriamente, Nona, este doce exílio está me transtornando a cabeça [...].

As cartas contavam apenas parte da verdade. De fato, Adhemar acabou se entediando com a falta do que fazer, mas, como revelaria mais tarde, somente após ver malogrado um ambicioso plano arquitetado com outros revoltosos, que também fugiram do Brasil e se instalaram em Buenos Aires. O movimento logo deveria ser transferido para as fronteiras do Brasil, em território uruguaio. Contudo, após três meses de trabalhos intensos, descobriram que um dos companheiros, que veio a falecer, era agente da ditadura. Quando foram arrumar as coisas do sujeito para enviar à família, encontraram correspondência mantida com agentes da Polícia Federal. Chegaram então à triste conclusão de que estavam descobertos, e todo o trabalho de três meses, perdido.

O desânimo se apoderou de cada um deles. Sem ter o que fazer, passavam o tempo conversando com políticos paulistas, quase todos figuras ilustres do Partido Democrático, como Ataliba Leonel, velhos guerreiros vivendo em grandes dificuldades. Adhemar também estreitou os laços com o coronel Euclides Figueiredo, seu comandante no Exército Constitucionalista. Ao relembrar esses fatos, tempos mais tarde, ele comentaria:

— Foi aí que comecei a me contaminar pela política. Como não tínhamos nada que fazer, gostávamos de ouvi-los falar. Ficávamos horas escutando suas histórias, sem ver o tempo passar.

Em São Paulo, depois que as forças revolucionárias foram derrotadas, os paulistas ainda tiveram de engolir Valdomiro Castilho de Lima, nomeado delegado interventor por Getúlio Vargas. General linha-dura, ele não dava a menor folga para a imprensa oposicionista. Qualquer crítica ao sistema vigente, mínima que fosse, era suficiente para levar o jornalista responsável à sede da 2ª Região Militar, que na época funcionava na rua Conselheiro Crispiniano. Parecia que a guerra contra os "forasteiros" ia recomeçar. Realmente, após pouco mais de nove meses no cargo, Castilho de Lima foi substituído por outro general, Manuel de Cerqueira Daltro Filho, o que aumentou o temor de nova crise. Mas Getúlio Vargas acabou por devolver o poder aos paulistas, nomeando o civil Armando de Sales Oliveira. Para tirar o máximo proveito do gesto, declarou solenemente:

— Com este decreto, entrego o governo de São Paulo aos revolucionários de 32.

Aos poucos as coisas foram se assentando. Vargas reafirmou as promessas de realização de eleições e de uma nova constituição. Com relação a São Paulo, deu ordens ao Banco do Brasil de cobrir os bônus de guerra que os bancos do estado haviam emitido para financiar o movimento. Em 3 de maio de 1933, conforme o prometido, foram realizadas as eleições para a Assembleia Nacional Constituinte, e, depois da promulgação da Carta, em 1934, Getúlio foi eleito pelo Congresso presidente da República. Depois de tudo isso, viu por bem conceder anistia geral aos revoltosos de 1932.

Adhemar estava livre.

3

O GOSTO DO PODER

A volta dos combatentes de 1932 ao Brasil coincidiu com um período de renascimento da política. Muitas coisas ajudavam, sendo a principal delas a nova constituição, que havia acabado de entrar em vigor. No geral, parecia que as circunstâncias tinham se amoldado à ordem vigente e que os adversários do regime não estavam mais a fim de brigar, pelo menos naquele momento. Se havia oposição, era discreta.

Adhemar, então contagiado pela política, queria ingressar no Partido Constitucionalista para se candidatar à Assembleia Legislativa, mas teve sua filiação negada. Ajudado pelo tio José Augusto Pereira de Rezende, que já havia sido senador do estado pelo PRP no período anterior à Revolução de 1930, acabou indo para a agremiação adversária. Dono de prestígio no meio político de São Paulo, Rezende foi convidado pelos correligionários a integrar novamente o partido, mas condicionou sua volta à inclusão do sobrinho na chapa que concorreria às eleições para a Constituinte do estado, em outubro. A exigência foi aceita.

Indicado por Ataliba Leonel, líder perrepista do Distrito Eleitoral de Botucatu, para concorrer a deputado pela região, Adhemar encontrou nova resistência, pois a posição era disputada por elementos de maior tradição do partido. Esbarrou também no veto do bispo dom Carlos Duarte Costa, que, unido com rivais da família Barros em São Manuel, tentou impugnar sua candidatura. Mesmo com a oposição franca articulada por dom Carlos, Adhemar foi lançado pela Congregação Mariana de Botucatu. Além da corporação religiosa, velhos companheiros de revolução também manifestaram seu apoio. A organização Capacetes de Aço, integrada por elementos remanescentes do movimento de 1932 e presidida por Juvenal Rodrigues de Moraes, endossou o nome do novo candidato.

Eleito deputado estadual pelo Partido Republicano Paulista, Adhemar iniciou a oposição a Getúlio Vargas e ao interventor Armando de Sales Oliveira, que chamava de "o pretoriano do ditador sorridente que tem assinalado sua passagem pelo poder com a mais evidente desorientação e a mais alarmante incapacidade". Na tribuna da Assembleia Legislativa, seus discursos como opositor de Getúlio eram ácidos:

> O assalto realizado em outubro de 1930, sob o pretexto de que as instituições republicanas estavam sendo desvirtuadas, entronizou no governo o arbítrio e a anarquia, transformando-se o país inteiro em presa das ambições de grupos, que, à míngua de prestígio, pretenderam dominar pela brutalidade da força.
>
> [...] Todos os crimes foram, calculadamente, cometidos contra as instituições e os interesses do país, visando exclusivamente à conservação do poder, objeto único que tem animado, até agora, o sr. Getúlio Vargas, na sua calamitosa trajetória pelas regiões governamentais.
>
> [...] O objetivo imediato do movimento em que nos empenhávamos [Revolução Constitucionalista de 1932] era o de libertar o Brasil da ação dissolvente e nefasta do sr. Getúlio Vargas, porque sabíamos que, fossem quais fossem as leis, não poderíamos sair do regime degradante em que nos encontrávamos, enquanto estivesse à frente dos

nossos destinos o homem que, por sua insensatez, incompetência e impatriotismo, arrastara a nação ao descrédito e à anarquia.

Esse vigor tinha uma explicação: no início, a posição de Adhemar no partido era modesta — em 1937 ele era apenas o presidente do diretório da Liberdade, em São Paulo. Se quisesse triunfar na carreira, teria de aparecer de qualquer jeito, escolhendo de preferência um inimigo poderoso, pois um peixinho jamais lhe daria destaque. Mas ao público o jovem deputado escondia suas pretensões e procurava transmitir a imagem de que só havia ingressado na política em razão da situação opressiva que então havia no país:

> [Antes de 1930] não fazia política alguma. Nunca fui político militante, nunca exerci uma função pública; no exercício da medicina circunscrevi os meus horizontes e provavelmente dela e só para ela teria vivido se os erros e os destinos dos que subiram e a dignidade dos que caíram em 30 não me houvessem trazido a esta trincheira.

Já Armando de Sales Oliveira, que ao ser nomeado interventor de São Paulo em 1932 não pertencia a nenhum dos partidos da Frente Única, passou a ser criticado por Adhemar por "não defender os interesses de São Paulo, só os do ditador". Um dos fundadores do Partido Constitucionalista, Sales Oliveira lançou-se candidato a governador, pleito que veio a vencer. No dia 11 de abril de 1935, ele assumiu o cargo.

A política brasileira, assim como ocorria na Europa, se radicalizava cada vez mais. Uma facção do Partido Comunista, chamada "legalista", emancipou-se e organizou um movimento popular que batizaram de Aliança Nacional Libertadora (ANL). O carisma de seu líder, Luís Carlos Prestes, arrebanhou até eleitores vindos da classe média. O discurso da ANL era pelo combate ao "imperialismo" e pela adoção dos pontos comuns com o Partido Comunista. Na outra ponta estavam os ativistas de direita, que se agruparam em torno do integralismo de Plínio Salgado, um movimento fascista que explorava a desconfiança e o temor da classe média quanto aos métodos radicais da esquerda. Vargas manipulava os dois extremos e, com isso, criava condições para se perpetuar no poder. Revoltas e movimentos esquerdistas tornaram-se razões para o endurecimento do regime, com decretações sucessivas do estado de sítio e ampliação dos poderes do presidente para reprimir e sufocar a oposição radical.

Numa dessas medidas, foi preso o major Aderbal de Oliveira, herói da Revolução de 1932 e cego devido a um acidente sofrido em 1934. Adhemar não perdoou o ato:

— Os jagunços do ex-ditador desrespeitam e violentam os heróis de Nove de Julho até mesmo quando vítimas da cegueira.

Na imprensa, o *Correio Paulistano*, órgão oficial do Partido Republicano Paulista, e *O Estado de S. Paulo*, apoiador do Partido Constitucionalista (Sales Oliveira era cunhado e sócio de Júlio de Mesquita Filho, dono do matutino), cumpriam o papel de vigiar o ditador, até que foram, também, vítimas da repressão e da censura.

Em São Paulo, Armando de Sales Oliveira, que terminava uma gestão bem-sucedida e pregava abertamente contra a ameaça "bolchevista", era um forte candidato à sucessão de Vargas, assim como o paraibano José Américo de Almeida. Já os integralistas indicaram Plínio Salgado. Mas Vargas, que não queria entregar o poder, tentou de todas as maneiras manobrar para afastar seus adversários e criar um motivo real para dar o golpe. Como a justificativa não vinha, forjou-se uma: o terrível Plano Cohen, documento fabricado que descrevia a estratégia de combate de uma revolução comunista. Assim como Getúlio, seu ministro da Guerra, Dutra, também achou que o documento era um bom pretexto para uma ação radical. Em 30 de setembro de 1937, Dutra denunciou a trama comunista ao Congresso, que, no dia seguinte, concedeu a Vargas o poder de agir como precisasse, suspendendo os direitos constitucionais. A ditadura estava de volta, e com garras ainda mais afiadas.

O primeiro passo foi neutralizar os estados em oposição, como São Paulo e Rio Grande do Sul. No dia 14 de outubro, a milícia estadual rio-grandense, então a maior do Brasil, foi federalizada. No dia 18, o governador gaúcho Flores da Cunha fugiu para o Uruguai. Mais uma vez,

São Paulo ficou sozinho contra Vargas. Na tribuna do Congresso, Sales Oliveira apelou para que as Forças Armadas mostrassem "guarda às urnas" e velassem para que o país obtivesse "um governo de autoridade". Seu pedido, ao final do discurso, era claro:

— A nação está voltada para os chefes militares. Suspensa, espera o gesto que mata ou a palavra que salva.

Mas seus apelos foram em vão. No dia seguinte, 10 de novembro, Getúlio inaugurou o Estado Novo: o Congresso foi fechado e outra constituição entrou em vigor, concedendo ao presidente poderes autocráticos. Era o quarto fechamento do Congresso Nacional até então e o segundo sob o tacão de Vargas. Menos de um mês depois, em 2 de dezembro, todos os partidos políticos foram extintos, inclusive a Ação Integralista Brasileira, para espanto geral. Armando de Sales Oliveira ficou detido na casa que possuía no Rio, sendo depois obrigado a mudar-se para Morro Velho, em Minas Gerais — o Estado Novo não queria que ele exercesse influência em São Paulo.

Com ações direcionadas, Vargas conseguiu neutralizar as lideranças políticas estaduais ao mesmo tempo que procurou expandir o predomínio do governo federal e aprofundar o combate aos regionalismos — no final de novembro, ele havia realizado uma impressionante cerimônia pública durante a qual queimou as bandeiras dos estados. Paralelamente, deu continuidade à nomeação de interventores, um cargo tão odiado quanto cobiçado.

Para quem ainda tinha esperanças na consolidação da abertura política, foi um banho de água fria. As únicas alternativas passaram a ser lutar contra a ditadura ou aderir ao novo regime. Os membros do velho Partido Republicano Paulista, que antes mesmo da decretação do Estado Novo vinham tentando negociar com Getúlio seu apoio ao golpe de estado, condicionando-o à substituição do então governador por um de seus correligionários, ficaram com a segunda opção. Viram aberta, assim, uma possibilidade de retomar o controle do estado de São Paulo, até então nas mãos do Partido Constitucionalista.

Inicialmente, Cardoso de Melo Neto, eleito governador, foi mantido no poder com o cargo convertido para o de interventor, por decreto do

Ministro da Justiça. Mas declarou que prosseguia "contra a vontade, por amor à minha terra". Na prática, ele agia como se nada o ameaçasse. Num evento em Itu, com a presença de Getúlio, derramou-se em elogios à Constituição de 1891, salientando o fato de que os homens públicos daquele tempo eram *cumpridores* da lei. Em outra ocasião, no discurso pronunciado durante o banquete com que a cidade de Marília o homenageou, por ocasião da comemoração do oitavo aniversário de sua elevação a município, em 4 de abril de 1938, ele demonstrou que o "amor à terra", responsável pela aceitação do cargo de interventor, era ainda mais forte do que as pessoas poderiam supor:

— Permaneci no governo de São Paulo recalcando sentimentos íntimos em benefício do estado.

Não apenas por essas atitudes, mas sobretudo em função da cobiça dos adversários pelo cargo que ocupava, Cardoso de Melo Neto já estava com os dois pés na porta. Quando resolveu substituí-lo, Getúlio pediu aos antigos líderes do PRP uma lista de dez nomes, por meio da qual escolheria o novo ocupante do cargo. Adhemar figurava como o último, e nada levava a crer que reunia condições de ser escolhido, pois a relação era encabeçada por gente de peso, como José Carlos de Macedo Soares, um dos favoritos; Henrique Vilaboim, Sílvio de Campos e outros.

Mas Adhemar corria por fora. Ele já havia conquistado a simpatia do secretário da Segurança Pública, tenente-coronel Dulcídio do Espírito Santo Cardoso, e com ele formou um grupo de gente do próprio governo que manobrava contra Cardoso de Melo Neto. O passo seguinte foi a aproximação com Filinto Müller, o poderoso e temido chefe da Polícia do Distrito Federal, de quem Adhemar logo ficou amigo. Daí para ser apresentado a Getúlio foi um pulo. Sem que a classe política soubesse, Adhemar passou a visitar Vargas assiduamente no palácio do Catete, levando notícias de São Paulo e detalhes sobre o progresso da indústria paulista. Quando a notícia vazou, começou a circular a versão de que ele era delator de conspiradores contra o Estado Novo, fato que nunca foi comprovado. Ao contrário, o que se soube é que, valendo-se de sua relação favorável com Getúlio, ele lutou pela libertação de mais de 500 presos políticos em São Paulo, quase todos acusados de comunistas, mas detidos sem o devido processo legal.

Além de Dulcídio Cardoso e Filinto Müller, a União dos Sindicatos dos Trabalhadores de São Paulo, órgão que em 1938 era presidido por Juvenal Lino de Matos, também intercedeu em favor de Adhemar perante Getúlio. Uma comissão de dirigentes sindicais foi encaminhada ao Catete exatamente com esse objetivo.

No final de março de 1938, Getúlio Vargas retirou-se para uma temporada nas estâncias hidrominerais de Minas Gerais, começando por Poços de Caldas, para alguns dias depois instalar-se em São Lourenço, no Hotel Brasil. Imediatamente o local virou ponto de parada de políticos e personalidades, tornando-se palco de importantes decisões de cunho político. Estavam presentes, entre outros, o general Dutra, Juscelino Kubitschek, Nero Moura, Arnon de Melo, Walther Moreira Salles, Francisco Melo e Epaminondas dos Santos, além de Getúlio e Adhemar. Os membros do PRP tinham certeza de que daquele encontro sairia o nome do novo interventor paulista, mas ninguém podia precisar quem seria o escolhido. No dia 22 de abril, data em que Adhemar completava trinta e sete anos, Vargas concedeu uma entrevista coletiva, na qual aproveitou para fazer a propaganda do Estado Novo, seus objetivos e realizações. À tarde, chamou a filha Alzira, que era a sua auxiliar de gabinete, e lhe passou uma importante incumbência. Anos depois, ela relataria em detalhes o episódio:

> [...] acabado o almoço, o patrão, desvencilhando-se dos acompanhantes, passou perto de mim e disse baixinho: — Vou escapar. Dentro de meia hora, suba, que vou precisar de você! Subi: encontrei-o no gabinete improvisado para ele no terceiro andar no Hotel Brasil. Com o olhar de quem está planejando uma travessura e sem maiores preâmbulos, deu-me as ordens: "Vá procurar o Adhemar de Barros e traga-o aqui, sem chamar a atenção de ninguém, discretamente!". Arregalei os olhos, espantada, nunca tinha ouvido falar nesse nome. Riu, mais para ele do que para mim, um riso malicioso, interior, e continuou:

"É um homem alto, forte, meio narigudo, que está aí em companhia de Filinto. A ele você pode perguntar onde encontrar, mas só a ele. Nada de espalhafato!". Já ia saindo, quando me explicou: "Talvez seja o novo interventor de São Paulo; portanto, nada de indiscrições".

Não tomei o elevador. Com medo de encontrar alguém, desci pelas escadas os três andares, repetindo baixo para não esquecer o nome do personagem e pensando como poderia localizar com tão poucas informações. [...] Passando pela portaria, pensei em perguntar o número de seu quarto. Fui interrompida por um grupo de veranistas que se despedia. Quando partiam, descobri, em pânico, que havia esquecido o sobrenome do ilustre desconhecido. Que fazer? Jamais voltaria a perguntar a papai; ele não gostava de repetir instruções. Se algum de nós falhava em qualquer missão, dificilmente recebia outra igual. Arriscando a sorte, entrei no salão. Somente as senhoras ainda estavam lá, conversando e ouvindo música. [...] Todos os outros homens haviam sumido. Deviam estar discutindo política em algum outro lugar. Mas onde? Feito uma legítima paspalhona, parei no meio do salão, com ares de quem procura alguém. A sra. Filinto Müller, Consuelo, que devia estar mais bem informada do assunto do que eu, chamou: "Alzira, quem é que você está procurando?" Consegui assumir uma atitude de indiferença para responder: "Estou à procura do Filinto. Quero que ele me apresente a um cidadão de São Paulo que está com ele, um tal de...". Consuelo me interrompeu e por seu tom constrangido e apressado percebi que havia pisado em falso: "Filinto está aí nessa sala à esquerda, com o dr. Adhemar de Barros. Não é esse? Aqui a meu lado, dona Leonor de Barros. Pensei que você a conhecia". Gaguejei um apressado "muito prazer" e desapareci.

Poucos minutos depois eu conduzia aos aposentos presidenciais o desconhecido sr. Adhemar de Barros. Fiquei na sala de espera aguardando novas instruções. Após demorada palestra, o substituto do dr. Cardoso de Melo Neto na interventoria de São Paulo saiu do gabinete. Vinha um pouco mais alto e um pouco menos humilde do que ao entrar.

Para muitos, a decisão de Vargas em colocar um desconhecido no posto deveu-se à ideia de dividir o partido e manter o controle sobre o estado por intermédio de um novato que ficaria lhe devendo um enorme favor. Adhemar parecia adequado à estratégia que Getúlio queria adotar com relação às oligarquias estaduais, de ter à disposição pessoas que, sem contrariar os interesses dessas mesmas oligarquias, fossem dóceis ao chefe do Estado Novo então instaurado. O fato de o novo interventor pertencer à fileira mais jovem do PRP e ser um elemento secundário do partido facilitava a Getúlio dividir os perrepistas.

A nomeação de Adhemar não somente atendia aos interesses do poder central, mas tinha condições de agradar, também, o povo. O novo interventor era um político pertencente ao partido mais próximo das camadas populares, ao contrário do antigo, ligado ao clã do jornal *O Estado de S. Paulo*. Por sua vez, a elite também não poderia se queixar. Embora pouco conhecesse sobre ele, sabia que se tratava de um autêntico paulista, civil, combatente na Revolução de 1932, egresso de uma família de tradição — sua mãe, dona Elisa de Morais Barros, era filha do senador da Primeira República dr. Manuel de Morais Barros, irmão do presidente Prudente de Morais e um dos que participaram da histórica Convenção de Itu —, cujo patrimônio pessoal tinha origem na riqueza proporcionada pelo café. Sua esposa, da mesma forma, estava ligada a alguns dos ramos mais tradicionais da sociedade paulista — além do pai, o eminente jurista Otávio Mendes, dona Leonor tivera como tio-avô Antonio Carlos Gomes. Aos olhos do orgulhoso povo de São Paulo, o perfil do novo governante não poderia ser mais atraente.

Nem por isso ele deixava de ser um novato. Ao determinar a Francisco Campos, o seu ministro da Justiça, que preparasse o decreto de nomeação de Adhemar como interventor, Getúlio teve de repetir o nome, desconhecido por Campos.

No final do dia 24 de abril, Adhemar chegou num avião do Exército ao Campo de Marte e, em companhia de Dulcídio Cardoso, dirigiu-se ao palácio dos Campos Elíseos munido de suas credenciais: a carta de Getúlio com o decreto de nomeação. Como era de se esperar, o ato gerou enorme constrangimento. Cardoso de Melo Neto se mantinha à margem do que ocorria nos bastidores e foi pego desavisado, tanto que atendeu Adhemar de imediato, sem atinar para o real motivo da visita. Quando leu a carta, saiu da sala desnorteado e foi procurar seu assessor, explicando-lhe o que estava acontecendo:

— Eu não vou passar o governo para aquele sujeito. Você me faça este último favor.

O posto acabou sendo entregue, de modo provisório, ao general Francisco José da Silva Júnior, então comandante da 2ª Região Militar. No dia seguinte, Adhemar tomou o mesmo avião que o trouxera a São Paulo e rumou para o Rio de Janeiro, onde desembarcou no Aeroporto Santos Dumont, dirigindo-se ao Ministério da Justiça com o general Francisco José Pinto, chefe da Casa Militar da Presidência da República. Lá, tomou posse do cargo em cerimônia simples, sendo saudado pelo ministro Francisco Campos. Poucas pessoas estavam presentes, além do ministro da Justiça, o da Agricultura, Fernando Costa, e Jaime Guedes, presidente do Departamento Nacional do Café. Filinto Müller não comparecera, mas enviara-lhe uma mensagem.

Adhemar retornou a São Lourenço, onde manteve longas palestras com Getúlio e deu novas declarações a jornalistas, curiosos em saber os nomes que iriam integrar seu secretariado. No dia 27, ao meio-dia, voltou a São Paulo, onde às cinco da tarde, nos Campos Elíseos, o general Silva Júnior lhe passou o cargo em rápida cerimônia. Começava então uma nova fase em sua carreira política, o que implicava não apenas tatear o terreno, mas também lidar com os profundos e conflitantes interesses em jogo.

Num primeiro momento, o PRP pareceu ajustar-se aos planos de Adhemar, cujo governo era formado quase que exclusivamente por elementos ilustres do antigo partido, sendo o principal Dulcídio Cardoso, o padrinho, para a Segurança. Dentre as exceções, a mais expressiva era Prestes Maia, nomeado para a prefeitura e que levou adiante uma grande administração.

Mas os conflitos logo começaram a surgir. Adhemar demitiu todos os prefeitos e colocou em seus lugares gente jovem, que não tinha ligação com as velhas lideranças. Nessa manobra, ele ia compondo as prefeituras guiando-se pela formação de um partido forte em São Paulo, que não seria nem o Partido Constitucionalista, nem o PRP. Os novos líderes, pessoas que surgiram no cenário político após 1932, vinham da luta contra Armando de Sales Oliveira. Mesmo fazendo parte das antigas agremiações, eles não obedeciam às lideranças tradicionais e se acomodaram rapidamente em nova orientação política, imposta pelo interventor de plantão. Agindo dessa maneira, Adhemar provocou ressentimentos entre as figuras preteridas, que passaram a qualificá-lo de arrivista e traidor. Mas, por outro lado, começou a cimentar o edifício do que seria o *seu* partido, por meio da fixação daqueles elementos distribuídos em cidades do interior do estado.

No decorrer da gestão, a oposição se agravou. Muitos oposicionistas foram presos, enquanto outros demonstraram decepção com o homem que diziam ter apoiado. Lino de Matos declarou-se arrependido por ter chefiado a comissão de dirigentes sindicais que pedira a Getúlio a nomeação de Adhemar para a interventoria. Alegou que Adhemar não cumprira nenhum dos compromissos assumidos com os trabalhadores e ainda teria perseguido Matos durante o governo.

Do mesmo modo que batia no cravo, porém, Adhemar batia na ferradura. Numa carta enviada a Getúlio, ele sugeriu "algumas providências que iriam cooperar, e muito, em favor da decisiva união dos paulistas". Uma dessas providências era a proposta de imediata libertação de Armando de Sales Oliveira, que continuava em residência forçada e sob vigilância policial como hóspede da Cia. Inglesa de Minas, em Morro Velho, na cidade mineira de Nova Lima. Apesar de atacado por aliados do ex-governador e ex-candidato à Presidência da República, que desferiram vários golpes na tentativa de enfraquecer o interventor, Adhemar não guardou ressentimentos. A iniciativa foi bem recebida por Getúlio, que, no início de maio, autorizou a Sales Oliveira deixar Minas e regressar a São Paulo, ou fixar residência em qualquer outra parte do país.

Nunca o assunto chegou ao conhecimento nem dos amigos, nem dos adversários de Adhemar. O escritor Cassiano Ricardo, que havia sido o autor da carta com o pedido, algum tempo depois encontrou ocasionalmente Sales Oliveira no Rio e falou sobre o rival paulista, para ver se extraía dele algum comentário. Não tocou no assunto da carta e nem ouviu nada a respeito da iniciativa. "Receei melindrá-lo", disse Cassiano Ricardo em suas memórias. "Temi que Armando não recebesse bem um favor que não pedira e resolvesse retornar a Morro Velho."

Outra pessoa beneficiada por Adhemar durante a interventoria foi o escritor Rubem Braga, que havia procurado o político paulista pela primeira vez em 1937, quando foi declarado o estado de guerra que precedeu o Estado Novo. Naquela ocasião, tomou a iniciativa em favor de um amigo que havia integrado a campanha de José Américo, no Rio, e acabara de chegar a São Paulo fugindo da polícia do seu estado, no desejo de encontrar algum político do PRP capaz de lhe dar proteção ou asilo. O escritor capixaba, então, pediu auxílio a Adhemar, que era deputado estadual pelo partido:

> Ele acabara de jantar e ia sair com sua senhora para um cinema quando cheguei à sua casa. Desistiu do cinema, com muita contrariedade da esposa, e saiu comigo de carro. Como eu estranhasse o fato de ele tomar a direção contrária àquela em que deveríamos seguir, mandou-me olhar a esquina: dois investigadores estavam ali para "acampaná-lo" por ordem do então interventor Cardoso de Melo Neto. Deu umas voltas para despistar e fomos ao encontro do meu amigo (hoje senador federal); embora não o conhecesse antes, Adhemar ofereceu-se para escondê-lo em sua fazenda em São Manuel; ele mesmo o levaria em seu carro se necessário.

O amigo foragido acabou não precisando sair de São Paulo. Por ironia do destino, cerca de um ano depois, era o próprio Rubem Braga quem precisava de ajuda. Fugido da polícia carioca, escondeu-se no sítio de Carlos Lacerda, no estado do Rio, onde ouviu pelo rádio que Adhemar tinha sido nomeado para a interventoria paulista. Dali a dois dias ele estava nos Campos Elíseos, onde o interventor prontamente lhe deu garantia de liberdade em São Paulo.

A estabilidade institucional era algo muito distante. Nos subterrâneos, os protestos e os movimentos mais radicais fermentavam, ainda que a vigilância fosse enorme. Plínio Salgado e seus adeptos, que acreditavam ter o caminho aberto para suas pretensões políticas, foram colhidos de surpresa. Em 11 de maio de 1938, eles atacaram o palácio presidencial, na famosa Intentona Integralista, uma ação mal planejada e sem coordenação, dando a Vargas, que já tinha abafado os movimentos de esquerda, o pretexto que faltava para reprimi-los. Após o golpe desferido no palácio do Catete, acreditou-se que a ação se repetiria em São Paulo. Diante das ameaças, Adhemar armou-se e se fechou com seus colaboradores mais próximos nos Campos Elíseos, durante quatro dias, à espera de um ataque que não aconteceu.

Fora isso, a política continuava. Na comemoração do cinquentenário da abolição da escravatura no Brasil, Adhemar fez um curioso discurso, abordando temas modernos que permaneceriam décadas sem sair do papel. Afirmava que iria propor ao governo federal a criação do Montepio dos Escravos, assim como bolsas de estudo para os estudantes negros. A ideia mostrou um político afinado e bem à frente de seu tempo.

Já na Associação Paulista de Medicina, onde falou alguns dias depois, ele revelou conhecer muito bem a situação precária dos hospitais de São Paulo, comparando-a com estatísticas de outros países:

— Enquanto Nova Iorque possui 7,5 leitos por mil habitantes, o estado de São Paulo conta apenas com 1,7, e a capital com 2,5 leitos na mesma proporção. As enfermarias de nossa assistência há muito perderam suas condições de higiene e conforto, transformando-se em verdadeiros albergues da boa vontade, com colchões espalhados pelo chão e corredores.

A visão progressista contrastava com a atitude hipócrita de elogiar o Estado Novo, que antes ele criticava e passou a defender em entrevistas e discursos. Como sua maior pretensão era a Presidência da República, Adhemar precisava formar uma boa base política com Getúlio e com as Forças Armadas, ainda que para tanto criasse situações estranhas, quando não beiravam o ridículo. Na posse do novo secretário de Segurança do Estado, capitão Sebastião Dalizio Menna Barreto, que entrou em substituição ao coronel Dulcídio do Espírito Santo Cardoso, ele fez questão de estar presente. Como não era praxe um chefe de governo comparecer à posse de um secretário, o interventor justificou a quebra de protocolo pelo fato de tratar-se de um "amigo fraterno", que vivia a colaborar com a alta administração do estado, e pela "simpatia que lhe despertavam as Forças Armadas".

Em julho, sua atenção seria redobrada. Vargas veio a São Paulo e visitou algumas cidades do interior, entre elas Ribeirão Preto. Encerrou a viagem participando de um banquete que lhe foi oferecido no Theatro Municipal de São Paulo, dia 27. Na saudação que lhe fez, Adhemar derramou-se em louvores. Um mês depois, retribuiu a visita e viajou ao Rio. Longe de passar despercebido, cercou sua estada de toda pompa e circunstância, rivalizando com o cerimonial do presidente e o culto que lhe era prestado.

Essa sua característica perturbava. Apesar de ser simples de trato, Adhemar sempre conferiu a suas viagens e às recepções que oferecia aos convidados o maior brilho possível. Quando se ausentava de São Paulo, os secretários o acompanhavam à estação ou ao aeroporto para se despedir, num verdadeiro espetáculo que não dispensava escolta com batedores de polícia, sirenes ligadas e a presença de um batalhão da Força Pública. Com frequência, uma banda de música também comparecia. Na semana que passou no Rio, não foi diferente.

A boa política e todos os esforços de sintonia com o governo federal faziam parte de uma estratégia de permanência no poder, a qual, no entanto, se subordinava a um objetivo muito maior, de longo prazo, cuja faceta mais visível era a forma que Adhemar imprimiu na administração do estado. Dono de enorme dinamismo e fascinado pelas grandes obras, ele se revelava um exímio empreendedor, participando de todas as fases dos projetos em andamento. Para tanto, buscava constantemente as informações, cobrava seus auxiliares diretos e, não raramente, passava por cima deles, a fim de recompor cronogramas e acelerar os resultados. Era, sem dúvida, um executor nato, ainda que sem preocupação com as limitações financeiras. Nesse ponto, ele governava como se não tivesse de prestar contas a ninguém.

O período ficou fortemente marcado pela realização de obras públicas de vulto e pela ampliação dos serviços na área da saúde. Adhemar retomou projetos de antigos governos, viabilizando a retificação do Tietê e a construção de túneis nas principais vias da capital. No campo da saúde, recuperou e ampliou o complexo hospitalar do Juqueri, retirando de todas as cadeias dos municípios os doentes mentais confinados, e lançou a pedra fundamental do hospital das Clínicas, vinculando a importante obra ao seu gabinete civil, de modo que não fosse parada por nenhum entrave burocrático. Também deu início à eletrificação da estrada de ferro Sorocabana. Em meados de 1939, nomeou o engenheiro Ariovaldo Viana para dirigir e reestruturar o DER, com a incumbência de executar propostas concretas para uma verdadeira política rodoviária. Imediatamente, o engenheiro cuidou de organizar uma equipe de técnicos de reconhecida competência e partiu para o maior projeto rodoviário que o país até então conhecera, a via Anchieta. Logo depois, vinha o da via Anhanguera.

O ritmo de trabalho do interventor revelou-se bastante acelerado. Adhemar estava consciente do crescimento veloz do estado que administrava e buscava acompanhar passo a passo o desenvolvimento de seus projetos. Sabia também que, para pavimentar o caminho de uma carreira política segura, deveria alargar seu prestígio para o interior. Por meio do departamento de Municipalidades, ele aumentou os créditos para expansão das redes de água e esgoto e reduziu os juros que os municípios deveriam pagar ao estado, facilitando o sistema de financiamento.

Com tanta pressa em executar as obras, viajava sempre para acompanhar de perto o cumprimento dos prazos, tendo sido o primeiro chefe de estado paulista a adquirir aviões e, mais tarde, helicópteros, para essa finalidade. Como utilizava o avião sem problemas, frequentemente obrigava os pilotos a fazer manobras e avanços que a prudência desaconselhava e os precavidos evitavam. Bem entendido, quando podiam.

Numa época em que os governantes raramente se afastavam da capital, Adhemar quis fazer um gesto marcante, com calculados dividendos para o seu projeto político, deslocando-se com uma comitiva em quatro aviões monomotores para a cidade de Bauru, que comemorava mais um aniversário com várias festividades em virtude da data. Na véspera do evento, o assessor Mario Beni, que não participaria da viagem, foi procurado por Cussy de Almeida Júnior, um dos integrantes da comitiva e seu companheiro de gabinete, que lhe levava um pedido insólito. Ele tinha pavor de avião, estava com um sentimento sinistro com relação à jornada e queria que Beni viajasse em seu lugar. Para reforçar a súplica, fez com que sua mulher telefonasse à esposa do colega e insistisse.

Beni sabia que Adhemar ficaria profundamente aborrecido, pois não admitia que suas ordens fossem contrariadas. Além disso, Cussy era de Bauru, o que criava um vínculo importante com o festejo. De todo modo, vendo o medo estampado no rosto do colega, Beni concordou. O trato foi seguirem juntos ao aeroporto de Congonhas, logo pela manhã, esperar Adhemar embarcar e então fazerem a troca. Quando chegaram ao aeroporto, o tenente Padilha, da Casa Militar, começou a designar os lugares reservados a cada um. Como combinado, Cussy, suando frio, ocupou o seu, aguardando que Beni o substituísse, o que alguns minutos depois aconteceu.

Tudo parecia ter se consumado conforme os dois colegas planejaram. Beni, com certeza, levaria uma descompostura ao chegar a Bauru, quando o chefe descobrisse o golpe. O mesmo aconteceria com Cussy no dia seguinte, mas era o preço da ousadia. Como se desconfiasse de algo, porém, Adhemar saiu da aeronave em que estava e foi verificar se todos haviam mesmo embarcado. Ao ver Beni, logo entendeu o que ocorrera e mandou-o sair imediatamente. Cussy, que por azar ainda estava por perto, não teve escapatória diante do chefe:

— Deixe de ser cagão e volte logo para o seu lugar.

Constrangido e sentindo o moral baixo, ele obedeceu à ordem pouco antes de finalmente decolarem. No decorrer da viagem, Adhemar notou que um dos aviões tinha se perdido dos demais, sem que fosse possível avistá-lo ou manter contato pelo rádio. Ainda assim, as outras três aeronaves prosseguiram e pousaram em Bauru, onde, depois de algum tempo de espera, os membros da comitiva se dirigiram ao local dos festejos, aguardando os demais. Mas os minutos iam passando e as informações não vinham. Ninguém sabia o que acontecera, e uma sensação de angústia começou a tomar conta. Finalmente, a tragédia foi anunciada: o avião perdido chocara-se com um cafezal, na cidade de Laranjal Paulista, matando seu piloto, o comandante Mota, Paulo de Faria, diretor da Vasp, o tenente Padilha e Cussy de Almeida Júnior. Ele tentara desesperadamente fugir da morte, mas o destino lhe foi implacável.

Ao receber o comunicado do acidente, a comitiva retornou imediatamente a São Paulo. Os corpos foram resgatados e trasladados num vagão especial da estrada de ferro Sorocabana.

Esse comportamento impetuoso e por vezes autoritário era conhecido não apenas dos mais próximos, mas também das pessoas que tinham a oportunidade de se encontrar com Adhemar ocasionalmente, como os funcionários públicos. Ele se intitulava patrono da classe, o que não o tolhia de combater os servidores acomodados ou preguiçosos. Durante o seu período como interventor, saía com frequência do gabinete de trabalho e aparecia de surpresa nas repartições públicas mais próximas do palácio. Quando metia a cara nos guichês, era um deus nos acuda. Deixava sempre desarmados os que perdiam o tempo com piadas ou a simples indolência. Também era inflexível com os funcionários de gabinete, assim como o era com os seus secretários. Substituía-os com frequência e por isso criava inimizades muitas vezes viscerais.

Mas não era só de broncas que os funcionários viviam: Adhemar teve notável iniciativa na ampliação do espaço físico destinado à administração pública. A burocracia, que até então se espremia em espaços limitados, passou a contar com prédios maiores e mais bem aparelhados. Essa política se baseou tanto na desapropriação de imóveis como na construção de edifícios, alguns inclusive de estrutura e aparência arrojadas, sendo o maior exemplo o do Banco do Estado (destinado a impulsionar a economia, a "namorada dos malucos"). Construído a partir de 1939 e inaugurado em 1947, tornou-se um dos maiores cartões-postais da cidade.

Se para Adhemar a economia era a namorada dos malucos, a diplomacia não deixava por menos. Durante o seu período como interventor, ele criou o hábito de convidar embaixadores, sediados no Rio de Janeiro, para visitar São Paulo. Recebia-os no antigo aeroporto de Congonhas, com honras de chefes de estado, o que incluía a revista de tropas e continências oficiais. Durante o dia, os convidados participavam de reuniões na Federação das Indústrias e na Associação Comercial. À noite, eram homenageados com um banquete, na presença do secretariado do interventor e dos principais empresários paulistas. A iniciativa provocou críticas e uma advertência do Itamaraty, por trás da qual estava o temor do Estado Novo de que Adhemar queria criar um país dentro do país. Mas rendeu frutos. São Paulo ganhou projeção nos países cujos diplomatas foram convidados e Adhemar tornou-se um embaixador natural do Brasil. A partir de então era comum, quando em visita à Inglaterra, à Itália, à Alemanha e à França, ser solicitado por seus hóspedes oficiais em São Paulo a comparecer a recepções em seus países de origem.

Quando sentiu que as ameaças de guerra eram reais, em 1939, e que as consequências seriam imprevisíveis, Adhemar reuniu pessoas de alto escalão que pudessem antecipar tendências e encontrar saídas para minorar os efeitos do conflito na economia. A preocupação maior era com o café, principal artigo destinado à exportação pelo estado de São Paulo. Dessas reuniões originou-se o Conselho de Expansão Econômica, composto de membros da indústria, do comércio, da agricultura e dos bancos.

O governo federal, ao contrário do que ocorrera diante do assédio aos embaixadores, quando advertiu Adhemar, desta vez não apenas não criou obstáculos à iniciativa como aproveitou as recomendações do órgão, tomando ações preventivas de interesses internos. O grande mérito do Conselho, como atestou Mario Beni, em seu livro, foi criar o esquema para uma disciplina econômica de guerra, muito antes que o governo federal o fizesse. Este, ao abraçar a ideia, criou posteriormente a Coordenação de Mobilização Econômica, nos mesmos moldes.

Uma das mais importantes diretrizes do Conselho foi incentivar projetos de produção de materiais até então importados dos países em guerra — foi nesse momento que se decidiu eletrificar a estrada de ferro Sorocabana, dependente, como outras, do carvão americano. Houve também estímulos para indústrias de motores elétricos, quando então se passou a ter dínamos, motores e transformadores fabricados no país, principalmente em São Paulo. Tudo era pensado para reduzir ao máximo as importações. Nesse sentido, verificaram-se as ações de incentivo ao reflorestamento e à expansão da pecuária, para que o país não ficasse dependente de alimentos.

No campo da saúde, com o início da construção do hospital das Clínicas, Adhemar marcaria definitivamente sua administração. Incompreendida e considerada superdimensionada no início, a obra acabou se mostrando muito significativa e de enorme alcance social. Concluído, o hospital tornou-se famoso em todo o mundo, não somente pela capacidade e qualidade de atendimento, mas por se revestir da condição de um dos maiores centros de pesquisas na área da saúde.

Ao lado das obras e de todas as iniciativas de desenvolvimento, Adhemar começava a divulgar sua figura e se tornar conhecido num meio em que as velhas elites mantinham sempre o mesmo discurso. Apoiado por um eficiente serviço de propaganda, ele se aproximou das classes populares falando a sua língua, parecendo ser um deles. Numa época em que não havia televisão, ele transmitia todas as noites pelo rádio, a partir das 7 horas, inclusive aos sábados e domingos, um programa chamado *Palestra ao pé do fogo*, nitidamente inspirado nos *Fireside chats* do presidente americano Franklin D. Roosevelt. Diante do microfone Adhemar falava manso, como se fosse um caboclo, cometendo erros de português propositais, misturando-se com o povo. Era uma novidade para a época, na qual despontavam, no discurso político, as mesóclises e os trejeitos de retórica (se bem que Jânio Quadros ainda ia fazer sucesso com esse estilo). O homem do povo se sentia amparado, acreditava que no governo estava um paizão com quem se podia contar. Um protetor que estendia a mão a quem não tinha acesso aos serviços públicos, oferecendo-lhes sua amizade e fidelidade.

Aos poucos, ficava claro que Getúlio tinha colocado um rival em São Paulo, quando imaginava ter feito um criado. Adhemar havia conseguido, sim, neutralizar as lideranças perrepistas tradicionais, objetivo principal do presidente. No entanto, realizara essa façanha em benefício próprio, conquistando um prestígio popular jamais suspeitado por Vargas. O que era para ser um porta-voz do getulismo acabou criando vida independente, com estilo e métodos próprios e a mesma força de liderança. A surpresa inicial deu lugar à desconfiança, e agora o presidente teria de decidir: continuar com o pupilo ou descartá-lo de uma vez.

4

COMO SE FAZ UM PARTIDO

O ciúme e a desconfiança de Vargas não foram as únicas ameaças que Adhemar encontrou aos seus projetos políticos durante a interventoria. Membros do PRP que se consideravam marginalizados do governo estadual formavam uma oposição cada vez maior a ele. Epitácio Pessoa Cavalcanti, o Epitacinho, Coriolano Góes, ex-secretário da Fazenda de Adhemar, César Costa e Marrey Júnior, todos antigos perrepistas, eram os integrantes da artilharia pesada que detonava violenta campanha ao interventor.

Por causa disso, Adhemar se deslocava ao Rio com frequência para visitar Getúlio. Além de obter a simpatia dos ministros e do presidente, queria manter-se afinado e afastar as intrigas a seu respeito que chegavam aos ouvidos do velho caudilho. Nessas visitas, jantava no palácio do Catete e se hospedava sempre no Copacabana Palace. Na maioria das vezes, contava com a colaboração de um amigo jornalista, Chagas Freitas, então repórter do *Correio da Manhã*, que se correspondia com ele e era seu intermediário na capital, fazendo as aproximações de Adhemar com toda a alta cúpula do Estado Novo. Não raro, o grupo terminava a noite no cassino da Urca.

Se o apoio que Adhemar buscava com as viagens e a colaboração dos auxiliares mais próximos fazia diminuir a pressão dos rivais, nem sempre amenizava as críticas vindas da imprensa. Jornais como *O Estado de S. Paulo* pareciam alinhados com os opositores mais agressivos do interventor e, acima de tudo, com os inimigos de Getúlio. As críticas do *Estado* a Vargas eram constantes e muitas vezes pesadas. O jornal não perdoava o caudilho por, segundo ele, haver traído os ideais da Revolução de 1930. Quando Armando de Sales Oliveira foi nomeado interventor, o *Estado* manifestou apoio discreto, o que não o poupou depois de retomar os ataques ao governo federal. A partir de 10 de novembro de 1937, quando o Estado Novo começou a impor censura prévia, o jornal passou a ser perseguido sistematicamente. Naquele período, os órgãos de imprensa estavam todos controlados pelo sinistro Departamento de Imprensa e Propaganda da ditadura, o DIP, e o periódico da família Mesquita era sempre visado em razão de seu perfil contestador e antigetulista. Tanto que, durante muito tempo, publicava trechos de *Os Lusíadas*, de Camões, em substituição a qualquer nota ou informação que o DIP julgasse imprópria. O tiroteio foi recrudescendo, até que Adhemar recebeu instruções de intervir no jornal e fechá-lo.

No dia 25 de março de 1940, uma segunda-feira, elementos da polícia civil com o apoio da Força Pública ocuparam o prédio da redação do *Estado*, na esquina da rua Boa Vista com a ladeira Porto Geral. Eles já haviam visitado o edifício na véspera, quando mandaram que se retirasse do local a pequena equipe que preparava a edição de quatro páginas das segundas-feiras, com notícias da Segunda Guerra Mundial, mas não ficaram muito tempo, indo embora sem mais explicações. Ao retornarem, no dia seguinte, chamaram o contínuo Álvaro Soares e lhe deram uma ordem surpreendente:

— Pegue uma escada e suba ao forro do prédio.

Receoso, Soares obedeceu, e para seu espanto encontrou armas embrulhadas em folhas de jornal, com certeza deixadas na visita anterior. De fato, os jornais que as escondiam eram do dia 24 de março. Junto do armamento, havia panfletos com uma suposta convocação dos militares para uma rebelião contra Getúlio Vargas.

Agora, o pretexto de uma ação mais radical existia. O DIP justificou a invasão dizendo que a sede do *Estado* era um centro de atividades subversivas, onde se realizavam reuniões com vistas a uma trama revolucionária contra o governo. Diretores e redatores foram presos e Júlio de Mesquita Filho exilou-se com a família em Portugal.

No dia 1º de abril, o Conselho Nacional de Imprensa designou Abner Mourão, redator-chefe do *Correio Paulistano*, para dirigir o *Estado*. Com a colaboração de Pelágio Lobo e Sud Mennucci, ele comandaria o órgão da imprensa paulista pelos cinco anos e sete meses seguintes. No dia 7 de abril, o *Estado* voltou a circular sem os nomes de Júlio de Mesquita Filho e Léo Vaz em seu cabeçalho, assim como o de Plínio Barreto, seu redator-chefe. O conteúdo era totalmente diferente, com elogios a Vargas e ao Estado Novo.

Júlio de Mesquita Neto, o herdeiro, permaneceu no Brasil, seguindo com seus estudos na faculdade de Direito do Largo de São Francisco. Destoando da turma animada e cheia de talentosos oradores, mantinha-se sempre recatado. Usava diariamente paletó, gravata, calças, meias e sapatos pretos e camisa branca, em sinal de luto pelo exílio do pai e pela intervenção imposta ao jornal. Algumas vezes os colegas tentaram puxá-lo para o grupo, mas ele impunha discreta resistência, jamais se integrando, sem deixar transparecer se era por ressentimentos ou alguma outra razão.

Não só o *Estado*, mas qualquer um que enfrentasse o governo ficava vulnerável, pois Getúlio tinha vários meios legais à disposição para intimidar os opositores. O artigo 180 da Constituição vigente dava ao presidente da República, enquanto não se reunisse o Congresso Nacional, o poder de expedir decretos-leis sobre todas as matérias. Um dos mais notórios diplomas legais do período era a chamada "Lei Malaia", que ganhou esse apelido por causa do seu criador, o ministro da Justiça Agamenon Magalhães, chamado de "China Gordo" pelos adversários. Draconiana e temerosa, a Malaia (na verdade, mais um decreto-lei) foi editada sob o pretexto de combater os abusos do poder econômico e os crimes contra a economia nacional, mas seu viés era outro. Graças a ela, Getúlio contava com poderes absolutos para intervir em empresas, inclusive jornais e rádios, podendo desapropriá-los se achasse necessário. Nesse caso, os bens eram avaliados e o pagamento feito em títulos do Tesouro Nacional, com resgate em quarenta anos. Não havia saída para quem fosse vítima do seu rigor. As empresas atingidas ficavam privadas de qualquer medida judicial, como o mandado de segurança.

Encerrado o episódio com *O Estado de S. Paulo*, Adhemar continuou a apoiar o Estado Novo e passou a investir pesado na propaganda, fazendo uso principalmente das comemorações de seu aniversário de governo. Na luta que travava com os opositores em busca de espaço, acabou conquistando um aliado inesperado, que, além de não lhe exigir nenhum apoio em troca, tinha uma imagem imune a ataques e enorme visibilidade: sua esposa. Em 1938, quando ele assumiu o cargo de interventor federal, ela deu início a uma ampla atividade de beneficência, abrangendo o combate à tuberculose, o amparo à maternidade e à criança pobre ou abandonada, bem como a proteção aos doentes em geral.

Dona Leonor, como ficaria mais conhecida, fazia o perfeito contraponto à figura do marido, impetuoso e centralizador. Ainda que fosse uma pessoa de atitudes firmes, sua candidez transparecia mais que tudo. Com a realização de ações bem direcionadas ela inaugurou, como primeira-dama, um trabalho social sem precedentes, numa época em que o papel da mulher de um governante era restrito, muitas vezes decorativo, e se limitava a comparecer a eventos e encontros públicos em geral, como jantares e inaugurações. Mesmo que não se recusasse a acompanhar o marido nessas ocasiões, ela procurava ter uma atuação mais ampla. Contudo, sabe-se lá por que, se por um lado incentivava, Adhemar não colaborava. Seu recado foi bem claro logo de início:

— Não conte comigo. Procure os recursos por aí, com os "tubarões".

Mas os recursos não faltavam. Nem para o Natal dos pobres, sua primeira iniciativa, nem para as inúmeras obras posteriores. Rapidamente a figura da primeira-dama conquistou a simpatia do público, servindo para Adhemar capitalizar inúmeros apoios. No palanque, bastava que dona Leonor estivesse a seu lado para que o discurso ganhasse um tom mais emocionado, ainda que por vezes descambasse para a pieguice.

Quando completou dois anos na interventoria, ele ofereceu um banquete e inaugurou o estádio do Pacaembu, com a presença de Getúlio. O estádio cheio e os aplausos recebidos faziam o público achar que tudo estava bem, visão reforçada pelo discurso de Vargas em elogio ao interventor. Mas, apesar das aparências, havia sérias desconfianças em relação a Adhemar.

Desde 1940, a polícia política o investigava, pois o considerava suspeito de relações com um movimento de conspiração contra o governo federal, formado por ex-integralistas e militares. Os relatórios dos policiais não eram conclusivos, e em alguns casos mostravam-se conflitantes, mas para eles não havia dúvidas: Adhemar conversava com militares favoráveis a uma intervenção federal, acreditando "que esta era a melhor opção para o país". Numa das declarações obtidas, ele teria dito que a situação interna era gravíssima, e as condições de ânimo do Exército, ameaçadoras e perigosas, "se bem que ótimas para a transformação que se operará em questão de dias".

Já a oposição crescia cada vez mais, fazendo-o andar com os nervos à flor da pele. Nesse clima, logo após a visita de Getúlio a São Paulo, ele foi se encontrar com o caudilho no Palácio Rio Negro, a belíssima residência de verão do presidente. Na ampla sala com piso de *parquet*, arejada por grandes janelas, jantaram mantendo a conversa informal, sem entrar em assuntos mais sérios. Depois, com Getúlio à frente, de charuto em punho, dirigiram-se ao salão de recepção do palácio, que o presidente percorria sem pressa, soltando grandes baforadas. Por causa do momento político difícil que enfrentava, Adhemar estava irrequieto, a ponto de se tornar inconveniente. Os que estavam ali, entre os quais Mario Beni, esperavam aflitos que ele se corrigisse dos excessos, mas isso estava longe de acontecer. Getúlio, mesmo com a sua fleuma enigmática, já demonstrava se irritar com o convidado incômodo, o que ficou bem claro quando Adhemar entrou no salão, alcançou-o e ouviu dele numa reação inesperada:

— Doutor Adhemar, não peça demissão que eu dou.

O encontro acabou ali. Desceram a serra de Petrópolis em silêncio fúnebre, ele, Mario Beni e o ajudante de ordens, indo direto para o hotel, sem parar no cassino da Urca, para decepção geral.

Mas as investidas estavam apenas começando. Em abril de 1941, Coriolano Góes apresentou a Getúlio um dossiê volumoso contendo uma série de acusações contra Adhemar. Dizia, entre outras coisas, que o interventor era influenciado pelos conselhos de médiuns e que teria ligações com o comunismo e a subversão, sendo inclusive membro de uma organização secreta de caráter marxista. As maiores críticas, contudo, estavam relacionadas aos aspectos financeiros da sua administração. Coriolano Góes afirmava que Adhemar estava fazendo negociatas com empresas privadas, encarregadas da execução de obras públicas, e, com isso levando o estado à falência. Também o acusava de amealhar verbas secretas da polícia, com origem no jogo do bicho. A entrega do dossiê coincidiu com o lançamento do livro *A administração calamitosa do Sr. Ademar de Barros em São Paulo*, assinado pelo desconhecido João Ramalho, que, para muitos, tratava-se do pseudônimo de Epitácio Pessoa Cavalcanti. A obra reforçava as acusações de Góes e destacava também as insinuações de que Adhemar teria relações com grupos integralistas e estava bem informado dos planos da intentona de 1938, além de afirmar, sem meias palavras, que ele era um pobretão quando assumiu a interventoria e teria enriquecido à custa de dinheiro desviado durante a administração.

As acusações eram realmente constrangedoras. No período anterior ao da interventoria, pela primeira vez na vida Adhemar havia enfrentado dificuldades financeiras, a ponto de precisar pedir dinheiro emprestado. João Ramalho mencionava um bilhete, datado de 28 de janeiro de 1936, no qual o político paulista pedia a um amigo de nome Parisi, com quem havia conversado no dia anterior, que entregasse determinada quantia a uma pessoa que iria procurá-lo. O bilhete, cujo fac-símile foi exibido no livro e que jamais foi contestado por Adhemar, explicava o motivo do empréstimo:

> Mandei fazer uma reforma em minha casa e, devido a incontáveis burradas em matéria de dinheiro, estou proibido de fazer mais saques contra Santos ou contra minha fazenda, não posso obter o dinheiro para pagar a primeira prestação, cujas obras já estão bem adiantadas.

Nessa época, o setor cafeeiro enfrentava uma crise sem precedentes que gerava falências e concordatas em larga escala entre os produtores. Antonio Emygdio de Barros, pai de Adhemar, também fora atingido pelo tufão, que parecia não poupar ninguém. De repente, todos eles, grandes ou pequenos, estavam vendo seus impérios desabarem.

O café respondia por três quartos da pauta de exportações brasileiras e, desde a década de 1920, vinha se valorizando de modo permanente, atingindo o pico em 1928. A produção no país ultrapassava 20 milhões de sacas por ano, quase o equivalente ao consumo mundial — São Paulo se orgulhava de contar com 1 bilhão de pés da rubiácea. Outros países, atraídos pelos lucros crescentes, acabaram entrando no mercado. Para manter o preço, o governo brasileiro estocava o produto em armazéns e estimulava a queima do excedente. Mas a situação ficou insustentável a partir de 1929, quando ocorreu a quebra da Bolsa de Nova Iorque. Em apenas cinco meses, o café perdeu mais da metade do seu valor. Com a recessão que se desenhava nos Estados Unidos, um dos principais compradores do grão, escoar tamanha produção mostrou-se impraticável, e os negócios se reduziram drasticamente. A crise determinou o fechamento da Bolsa de Café de Santos, em 1937, além de provocar mudanças profundas na economia brasileira durante os anos seguintes.

Antonio Emygdio de Barros acabou liquidando a casa exportadora de café que possuía e, segundo João Ramalho, ingressou como sócio em outra empresa, mas com participação menor no capital. Em 1941, pouco antes de Adhemar deixar o cargo de interventor, o pai estava construindo um edifício de dez andares na rua Visconde do Rio Branco, em São Paulo, além de adquirir 2 mil ações da fábrica de chocolates Lacta, da qual Adhemar era sócio majoritário desde 1940, com 4.500 ações. Ramalho creditava a recuperação financeira do cafeicultor à passagem do filho pela interventoria.

Adhemar entrou na luta com as armas que tinha. Após o dossiê de Coriolano Góes e o livro de João Ramalho, entregou ao presidente um relatório próprio, um documento extenso em que relacionava de forma minuciosa o conjunto de realizações na interventoria. Mas não enfrentava a questão da dívida pública, nem as demais.

Os ataques adversários acabaram fazendo efeito. Getúlio, que já estava descontente com a projeção política de Adhemar — muito mais ousada e ameaçadora do que poderia supor —, não quis servir de árbitro em uma disputa em que ele não tinha nenhum interesse de ver o seu pupilo ganhar. No dia 3 de junho, a Presidência da República distribuiu nota segundo a qual Adhemar havia solicitado exoneração do cargo de interventor, versão que foi aceita por parte da imprensa paulista. Mas depois ficou claro que a iniciativa realmente partira de Getúlio. Ao contrário de seu antecessor, Cardoso de Melo Neto, Adhemar transmitiu o posto formalmente a Fernando Costa, que havia acabado de deixar o ministério da Agricultura, dizendo-se "honrado" com o ato. Fez questão de frisar no discurso de despedida:

— Não me despeço de meu povo, porque, ao deixar a interventoria federal, a verdade é que volto para o seio dele. Volto, aliás, satisfeito e com a consciência tranquila.

Apesar das denúncias de irregularidades, Adhemar podia enaltecer inúmeros pontos positivos em seu governo como interventor. A administração que ele conduziu fez que São Paulo acertasse o passo com o século XX, não só no uso constante de novas tecnologias. Mesmo fora do poder, ele se encontrava em situação confortável no estado, uma vez que já tinha o nome fixado na mente dos eleitores como administrador arrojado e atento às necessidades da população. Além disso, grupos que se beneficiaram da sua administração tornaram-se aliados poderosos, que poderiam ser muito úteis no futuro. Após a exoneração, porém, ele continuou com seus negócios na iniciativa privada, acompanhando a política apenas como espectador.

Enquanto isso, o Estado Novo se encaminhava para o fim. Em 1943, quando viu que o regime autoritário não sobreviveria ao final da Guerra, Getúlio orientou o ministro do Trabalho, Marcondes Filho, a propor as bases de um movimento político com vistas à criação de um partido trabalhista. Vargas não ia entregar o poder de bandeja, mas, em razão de pressões crescentes, foi aos poucos afrouxando o controle sobre a censura política.

Em 28 de fevereiro de 1945, o governo emitiu um ato adicional emendando a constituição, prevendo-se que, em trinta dias, um decreto fixaria a data das eleições. Antes que isso ocorresse, foi lançado o primeiro candidato à presidência, o brigadeiro Eduardo Gomes, com apoio dos constitucionalistas liberais. Em março, Vargas anunciou que não se candidataria. Logo depois de anunciada sua recusa, iniciou-se um movimento de apoio ao ministro da Guerra, general Dutra, que em abril aceitou a indicação.

No final de maio, enfim, foi baixado o decreto marcando as eleições para o dia 2 de dezembro. A anistia geral e o novo Código Eleitoral permitiram a reorganização do Partido Comunista e a criação de novos partidos. Um grande espaço político se abria. As principais agremiações, o PSD e a UDN, formaram-se no rastro do regime de interventorias, acomodando-se em função das influências que ganharam ou perderam naquele período. Assim, o PSD, Partido Social Democrático, fundado pelos membros dos antigos PRP e PR, sustentava-se no controle das máquinas estaduais pelos grupos ligados a Getúlio Vargas, tendo as suas fileiras engrossadas pelos antigos interventores estaduais (com a notória exceção de Adhemar, que tinha sua base política própria).

Já a UDN, União Democrática Nacional, de cujo núcleo haviam sido escolhidos ministros como Antonio Sampaio Dória, da Justiça, e interventores como José Carlos de Macedo Soares, em São Paulo, trouxe elementos do Partido Democrático, assim como perrepistas anti-Vargas, todos agora unidos em torno da liderança do brigadeiro Eduardo Gomes. Basicamente, era o partido da classe média nos grandes centros urbanos, mas alcançava também os latifundiários e usineiros do Nordeste. A UDN, ao contrário do PSD, alinhava-se em torno das facções colocadas à margem do poder pela política getulista. Sales Oliveira, que seria um candidato natural desse partido, teve um fim melancólico. Depois que Getúlio o autorizou a deixar a casa que ocupava em Morro Velho, ele se exilou. Após mais de seis anos, voltou ao Brasil em abril de 1945. Mas já sofria de uma doença incurável e, pouco mais de um mês depois, veio a falecer.

A terceira força, o PTB, Partido Trabalhista Brasileiro, apareceu como uma alternativa às massas trabalhadoras, fixando sua estrutura no aparelho sindical e previdenciário que havia sido construído no Ministério do Trabalho. Em termos de organização nacional, o partido se mostrava menos arrojado que a UDN e o PSD, mas contava com a vantagem de se identificar com a imagem paternalista de Getúlio. Em São Paulo, ganhava proeminência na pessoa de Hugo Borghi.

Assim como a UDN aderiu à campanha de Eduardo Gomes, o PSD apoiou a candidatura de Dutra, junto com o PTB. Mas outros partidos surgiram: o PCB, que saiu da clandestinidade, o Partido Democrata Cristão (PDC), o Partido Agrário Nacional (PAN) e o Partido Popular Sindicalista (PPS). Todos formavam um leque abrangente de representações, no qual os programas e as orientações ideológicas se confundiam.

Era dentro desse universo que Adhemar tentava se locomover. À medida que a redemocratização ficava mais evidente, ele começava a se reaproximar dos velhos correligionários da época da interventoria, além de tentar uma integração com as correntes políticas que então se formavam, com a intenção de pleitear a candidatura para o governo do estado.

Depois de pesar as vantagens, optou pela UDN. Mas já no congresso de fundação do partido, cuja ata assinou, começou a sentir a oposição dos companheiros. João Sampaio e Waldemar Ferreira, numa manobra para deixar de lado o grupo do ex-interventor, opuseram-se à participação de algumas das correntes da agremiação em São Paulo, o que somente foi superado após a intervenção dos mineiros, quando então os demais delegados paulistas foram enviados. No fundo, como escreveria anos depois Miguel Reale, a União Democrática Nacional era "um conglomerado de ressentidos".

Adhemar deu o incidente inicial por superado e continuou a agir com entusiasmo, instalando com os amigos cerca de 150 diretórios do partido pelo interior paulista, os quais eram integrados por correligionários do período da interventoria. No entanto, as coisas para ele não melhoraram, nem mesmo pelo fato de a campanha para a Presidência da República, no interior de São Paulo, ter ocorrido quase que por seu exclusivo esforço. Ele e seu grupo eram marginalizados e quase não tinham voz ativa. Ainda que ele estivesse incompatibilizado com Vargas, os velhos adversários, agora seus companheiros de partido, não o engoliam. O ato que faltava para convencê-lo a sair aconteceu quando Eduardo Gomes esteve em São Paulo e os udenistas do estado tentaram impedir o seu encontro com ele.

Do lado do PSD, porém, onde velhos companheiros haviam se alistado, a sorte não se mostrava melhor. Havia a desconfiança e o ressentimento dos antigos perrepistas, que foram afastados da máquina governamental por Adhemar e agora estavam no comando dela, no momento em que o novo partido se consolidava. Quer dizer, ele não conseguia se afinar nem com getulistas, nem com antigetulistas.

Além disso, sua intuição já o avisava de que o PSD e a UDN não lhe dariam legenda para disputar o governo estadual, sentimento que ele compartilhava com os companheiros:

— É melhor pensar numa alternativa, porque dali não vai sair nada.

Foi então que lhe sugeriram fundar a própria legenda, coisa que no fundo ele desejava desde o início. Estava dado o pontapé inicial para a formação do Partido Republicano Progressista, que de cara saía com vantagem, aproveitando-se da sigla da tradicional agremiação (PRP).

Adhemar tinha obsessão por esse nome, que achava ter o poder de atrair os votos dos antigos perrepistas. Mas era preciso correr contra o tempo. O Código Eleitoral exigia 10 mil assinaturas, no mínimo, distribuídas em pelo menos cinco estados, para a formação de um novo partido. Em São Paulo, diante do fórum, havia mesinhas em que moças e rapazes pediam assinaturas das pessoas que vinham retirar seus títulos. Muitos eleitores, desavisados, acabavam assinando as atas de vários partidos, e em alguns casos de todos eles, situação que se repetiu em muitos estados. Como a tarefa não era fácil, Adhemar acabou se compondo com João Café Filho, que também encontrava dificuldades para obter o número de assinaturas para o registro de seu partido no Rio Grande do Norte. Paralelamente, continuou a dar sua contribuição para a campanha de Eduardo Gomes à presidência, mas já de olho em velhos companheiros do interior do estado que poderiam se interessar em aderir à agremiação que tinha em mente. Em São Paulo, buscou contatos políticos sem linha ideológica definida, dando a impressão de que estava mais interessado na quantidade do que na qualidade. Era o caso do "Movimento Libertador do Brasil", um grupo de centro-esquerda com orientação socialista e antigetulista, que acabou integrando o embrionário Partido Republicano Progressista.

Na convenção de fundação, mais de mil eleitores convencionais compareceram, aprovando o programa partidário e seus estatutos, escritos por Mario Beni e Paulo Lauro, que também coordenaram a lista de eleitores exigida por lei. O prestígio de Adhemar foi fundamental para o êxito da empreitada.

Enquanto isso, a agenda política ameaçava complicar. No dia 10 de outubro, Getúlio baixou um decreto antecipando as eleições estaduais e municipais para o mesmo dia das nacionais, 2 de dezembro. Os ocupantes de cargos que desejassem se candidatar deveriam se exonerar trinta dias antes das eleições. O mesmo diploma legal deu aos interventores e governadores em exercício o privilégio de outorgar as Constituições de seus respectivos estados. Na prática isso implicava que, num espaço de tempo pouco superior a um mês, haveria eleições gerais e vinte novas Constituições Estaduais. Um ambiente, sem dúvida, muito pouco propício para a difusão de ideias construtivas que pudessem fazer novos líderes florescerem. Além disso, com a exigência de exoneração dos candidatos ocupantes de cargos públicos, a oposição ficava com sérios motivos para temer que, com governantes nomeados por Vargas, este acabasse influindo em benefício próprio no resultado das eleições.

No dia 29, porém, terminava o longo período de Getúlio como ditador. Após entrar em conflito com as Forças Armadas em virtude da nomeação de seu irmão, Benjamin Vargas, para o cargo de chefe de polícia do Distrito Federal, o caudilho foi deposto. Tanques cercaram o palácio do Catete, e o presidente do Supremo Tribunal Federal, José Linhares, assumiu a presidência e anulou a decisão de antecipar as eleições estaduais. Numa verdadeira limpeza, substituiu os interventores e suspendeu os poderes dos prefeitos, além de nomear um gabinete para concluir a transição.

Assim, seriam realizadas primeiro as eleições para presidente e vice-presidente da República, junto com as de senadores e deputados federais. Após a aprovação da nova constituição ocorreriam as eleições de governadores e deputados estaduais.

Ainda na semana da destituição de Vargas, a movimentação nos partidos foi intensa, pois eles precisavam se reorganizar para o pleito. Figuras de atuação expressiva em lutas anteriores a 1930, outras vindas de 1932 e 1934, e mesmo as que tiveram seu caminho interceptado em 1937, ressurgiram naquele instante de liberdade.

Em novembro, o Partido Republicano Progressista foi registrado e ratificou o apoio ao brigadeiro Eduardo Gomes, que tinha grandes possibilidades de ganhar a disputa à Presidência da República. Já a candidatura de Dutra não empolgava, e seus aliados cogitaram até convencê-lo a retirá-la. O problema maior era que Vargas não se empenhava para apoiá-lo, sendo ele o candidato da situação. Além disso, o apoio era visto como uma verdadeira aberração, pois foi Dutra quem dera o impulso decisivo para a derrubada do que ainda restava do Estado Novo. No dia 28 de novembro, enfim, Getúlio emitiu uma declaração de apoio um tanto dúbia, na qual fazia a advertência:

— Estarei ainda ao lado do povo, contra o presidente, se não forem cumpridas as promessas do candidato.

A UDN parecia absolutamente confiante em Eduardo Gomes. Quando Vargas manifestou seu apoio a Dutra, Sampaio Dória, com certo menosprezo, comentou:

— Em São Borja ele não representa quase nada.

Aquela seria uma eleição barulhenta em que não faltariam ataques pessoais de parte a parte. Enquanto a imprensa divulgava uma declaração deturpada de Eduardo Gomes, afirmando que ele não precisava dos votos dos "marmiteiros" — na verdade, o que ele disse foi: "Não necessito dos votos dessa malta de desocupados que apoia o ditador para eleger-me presidente da República" —, o PTB aproveitava para usar o termo a seu favor, passando a chamar Dutra de "marmiteiro", o que o aproximaria das camadas populares. Era essa a mensagem da propaganda:

Um marmiteiro autêntico, como o general Gaspar Dutra, que já demonstrou que ama o Brasil acima de todas as coisas e estima os humildes de cujo seio saiu, deve ser seu candidato, trabalhador, porque ele, liberto de ódios e preconceitos, fará nossa pátria feliz e próspera nos anos futuros [...].

Deu certo. Dutra virou o jogo e faturou a vitória nas eleições de 2 de dezembro com margem confortável nos estados de São Paulo, Minas Gerais e Rio Grande do Sul. No Congresso, o PSD, partido do presidente, ficou com 42% dos votos, os quais, somados aos 10% do PTB, lhe davam condições de governabilidade. Por ironia do destino, Getúlio, que tentara impedir o pleito, foi eleito senador e deputado por vários estados — o que na época era permitido pela legislação.

O sopro de liberdade corrigia muitos erros do Estado Novo, e não apenas no âmbito da política partidária. Macedo Soares, que então ocupava o governo de São Paulo, atendeu às instruções de Sampaio Dória, ministro da Justiça, sob a presidência de José Linhares, e no dia 6 de dezembro assinou o decreto restituindo o jornal *O Estado de S. Paulo* a seus antigos donos. Em agosto de 1942, o governo havia promovido uma assembleia de acionistas do *Estado*, que não puderam comparecer por estarem exilados, quando então se deliberou a transferência das ações para a Secretaria da Fazenda paulista, por causa de dívidas não pagas. O jornal, que no momento da invasão operava com máquinas velhas e superadas, foi totalmente reformado à revelia dos proprietários, por iniciativa do governo, que, no entanto, não quis arcar com a despesa. Plínio Barreto e Júlio de Mesquita Filho retomaram as funções de diretores do jornal, encontrando instalações modernas e um maquinário diferente. Num primeiro momento, diante de dificuldades financeiras, Mesquita Filho pensou até em vender o *Estado*. Depois, com a ajuda de banqueiros e industriais paulistas, incentivados por Gastão Vidigal, resolveu permanecer com o matutino.

Adhemar não teve culpa direta na invasão do jornal, pois se limitou a cumprir as ordens de Getúlio. Mas o *Estado* nunca mais o poupou.

Sempre se referia a ele como "A. de Barros" (omitindo o prenome), voltando a atenção apenas para os aspectos negativos de seu governo e procurando elementos que pudessem incriminá-lo.

Além de enfrentar a imprensa adversária, Adhemar teria de lutar muito para criar uma base de influência. Como se não bastasse a derrota de Eduardo Gomes para Dutra, nas eleições para a Assembleia Constituinte o Partido Republicano Progressista havia elegido apenas dois deputados: Café Filho, por seu estado; e Romeu de Campos Vergal, por São Paulo, mas este apenas em função dos grupos espíritas que representava. Os resultados inexpressivos mostraram a Adhemar que a mera formação do partido não havia sido suficiente e que, se ele não fizesse algo para mudar esse quadro, não teria êxito na eleição para governador que se aproximava.

A solução deveria vir da união de forças. Descontente com os programas e as linhas dos partidos nascentes, Miguel Reale havia fundado com Marrey Júnior o Partido Popular Sindicalista — o primeiro partido político do futuro presidente Jânio Quadros, que inclusive integrou seu conselho consultivo. Nas eleições de 1946, o PPS elegeu um senador pelo Ceará, Olavo Oliveira, e seis deputados, um resultado, sem dúvida, bem mais expressivo que o do novo PRP. Os dois partidos iniciaram entendimentos (deixando de lado as rusgas entre Adhemar e Marrey Júnior) com a ideia de se aglutinar, convidando posteriormente o Partido Agrário Nacional, comandado por Mário Rolim Teles, que nas eleições tivera resultados ainda mais sofríveis que os do PRP.

No início, a resistência das partes envolvidas era grande, pois todos temiam a voracidade de Adhemar. Mas havia esperanças de que, diante da nova realidade democrática, ele contivesse os ímpetos. Tudo isso, somado à imensa popularidade do antigo interventor, acabou por convencer os membros dos outros dois partidos a cerrar fileiras com os do PRP. Assim, em junho de 1946, nascia o Partido Social Progressista, resultado da fusão dos três.

O manifesto de fundação do PSP se reportava ao momento que o país e o mundo viviam, "tão cheio de apreensões, quando se impõe às nações a árdua tarefa de ganhar a paz depois de terem vencido a guerra". Curiosamente, defendia o parlamentarismo, afirmando que a experiência presidencialista era cheia de malefícios, pois favorecia a hipertrofia do poder Executivo e se apoiava em forças regionais, "com prejuízo da política nacional e sacrifício dos interesses municipais, impedindo a verdadeira formação de partidos nacionais". No final, sintetizava afirmando que "o presidencialismo é a ditadura ou a revolução", enquanto que o "parlamentarismo é a renovação social na ordem e na paz".

A defesa do parlamentarismo não era a única disposição para inglês ver. Ao contrário, seguindo a genuína tradição brasileira de criar programas perfeitos no papel, mas completamente descolados da realidade, o manifesto era pródigo em dispositivos que jamais seriam cumpridos, como a "extinção das entidades autárquicas inúteis ou prejudiciais aos interesses econômicos do país" — algo impensável vindo de um partido que se mostraria paternalista. Para a maioria dos adeptos, os objetivos do manifesto não passavam de moldura para agrupamentos de clientela. No geral, tratava-se de aproveitar o prestígio pessoal de Adhemar, tendo em vista a realização de ideias que pareciam necessárias ao país.

O PSP estava constituído, mas nada seria fácil ou simples a partir disso. A luta para se estabelecer como o grande partido do estado de São Paulo se mostrava árdua e repleta de desafios. As eleições para governador — as primeiras após tão longo período de abstinência — se aproximavam, e o partido jogaria todas as fichas em seu nome principal: Adhemar de Barros.

Na escola militar, em 1916 (segundo a partir da direita). O gosto pelos exercícios de guerra ficaria mais evidente durante a Revolução Constitucionalista de 1932.

Janeiro de 1921: com os pais e irmãos (terceiro a partir da direita) em São Paulo.

Maio de 1926: na Universidade de Frankfurt, com o professor Von Metenheim (sentado), durante o aperfeiçoamento na área médica no exterior. Adhemar fez especialização em ginecologia e obstetrícia no Rio de Janeiro e, quando terminou o curso, em 1923, apresentou tese que foi aprovada com distinção e laureada com o prêmio Medalha de Ouro Visconde de Saboia, com viagem de estudos pela Europa.

O casamento com Leonor, dia 6 de abril de 1927. Ela era filha de Otávio Mendes, advogado e professor catedrático da Faculdade de Direito do Largo de São Francisco, e de Elisa de Moraes Mendes, ambos integrantes da tradicional sociedade paulistana.

Tomando parte na Revolução Constitucionalista (na primeira fileira, sentado, no meio). Adhemar se alistou como médico e foi deslocado para o Setor Norte, na região de Aparecida e Lorena. Diante dos acontecimentos conturbados de 1932, ele entrava na cena política para nunca mais sair.

Já como oficial médico, na Revolução Constitucionalista. Dada a escassez de oficiais, Adhemar logo foi promovido a 2º tenente-médico na 2ª Divisão de Infantaria, sob o comando do coronel Euclides Figueiredo. Ele sempre comentava a admiração pelos companheiros de batalha e pelo comandante, em especial: "Poucas criaturas tão valentes eu conheci na vida. Ele expunha os soldados ao perigo, mas com tal bravura que ninguém sequer sentia o que era medo".

Posando de lutador, numa academia, em 1934, quando era deputado estadual. A vítima da "gravata" foi um repórter.

Com a família no Guarujá, em 1936. A atividade parlamentar que ele exercia ainda não o havia roubado do convívio com a mulher e os filhos.

Como interventor, no gabinete de trabalho. Num primeiro momento, parecia que o PRP se ajustava aos planos de Adhemar, cujo governo era formado quase que exclusivamente por elementos ilustres do antigo partido. Mas os conflitos logo começaram a surgir. Adhemar demitiu todos os prefeitos e colocou em seus lugares gente jovem, que não tinha ligação com as velhas lideranças.

Em visita à Penitenciária Estadual, no período da interventoria.

Numa unidade do Exército com Vargas, durante a interventoria. A ocasião atendia bem a dois propósitos de Adhemar: as bases políticas com Getúlio e com as Forças Armadas, como parte da caminhada rumo à Presidência da República, sua maior pretensão.

Recebendo Getúlio Vargas, que chegava a São Paulo. Na saudação que lhe fez, Adhemar derramou-se em louvores. A visão progressista contrastava com a atitude de elogiar o Estado Novo, que antes ele criticava e passou a defender em entrevistas e discursos.

Falando ao rádio, do Palácio dos Campos Elíseos. Adhemar soube como ninguém projetar seu nome utilizando esse meio. Numa época em que não havia televisão, ele transmitia todas as noites, pelo rádio, inclusive aos sábados e domingos, um programa chamado "Palestra ao pé do fogo". Diante do microfone, falava manso, misturando-se com o povo.

Recepcionando, como interventor, o então ministro da Guerra, Eurico Gaspar Dutra. A relação entre os dois azedaria mais tarde, após Dutra assumir a Presidência da República, e Adhemar, o cargo de governador do Estado. Adhemar cometeu o erro de apoiar a candidatura de Novelli Júnior, genro de Dutra, para vice. Uma vez empossado, Novelli Júnior iniciou forte movimento pela deposição de Adhemar.

Em churrasco promovido por Oswaldo Aranha (segundo a partir da esquerda, ao lado de Adhemar) a americanos na Gávea, Rio de Janeiro, em 1939. Aranha tinha bom trânsito com Getúlio Vargas, fazendo parte de seu círculo próximo. Em 1953, ele substituiria Horácio Lafer no Ministério da Fazenda.

Durante a interventoria, inaugurando exposição em Sorocaba. Numa época em que os governantes raramente se afastavam da capital, Adhemar deslocava-se com frequência, fazendo aparições marcantes com calculados dividendos para o seu projeto político.

Com Getúlio Vargas, na chegada do presidente a São Paulo, em 1939. Na primeira foto, passando em revista a tropa no velho Aeroporto de Congonhas.

Testando a mira, em visita ao Clube Paulistano de Tiro, em 1939.

Com a filha Mariazinha. Adhemar era bonachão e tolerante como pai, mostrando uma conduta aberta e até mesmo bastante livre para a época. De certa forma, era uma maneira que ele encontrava de compensar a ausência em casa, imposta pela intensa vida política. Como ele não tinha muito tempo para os filhos, a esposa era obrigada a fazer o papel de pai e de mãe, mas o rigor que ela impunha aos pequenos acabava sendo amenizado por ele.

Descansando em Campos do Jordão. Sua relação com a cidade era antiga. No começo, ele ia para lá apenas a passeio. Tempos mais tarde, fez construir o Palácio da Boa Vista, que ficou conhecido como Palácio do Governo. Foi para Campos do Jordão que ele levou Getúlio após as eleições de 1950. Achava que na tranquilidade da serra, longe do burburinho da capital, ficava mais fácil obter concessões.

Um dos retratos que se tornaram icônicos. A imagem de Adhemar ficou grudada no imaginário coletivo.

A partir da esquerda: Tonico e os filhos Adhemar, Oswaldo, Antonio e Geraldo (sentados) e a filha Maria José.

Fazendo reverência ao bispo de Jacarezinho. Adhemar era católico fervoroso e devoto de Nossa Senhora Aparecida.

Pescando em Cachoeira dos Índios, Cajazeiras, Paraíba.

Saboreando uma laranja: um de seus prazeres prediletos.

Em contato com a natureza.

Elisa e Tonico, pais de Adhemar. Sociável e de conversa fácil, ele fazia o contraponto à esposa, mais severa. Quando estava em São Paulo, costumava acompanhar os filhos e, depois, os netos ao jockey club e ao estádio, pois gostava de jogos e corridas de cavalos.

5

DE VOLTA AO PALÁCIO

Adhemar era o azarão do pleito. Ninguém acreditava que ele e seu partido recém-formado pudessem enfrentar as forças mais bem estruturadas da UDN e do PSD. Os pessepistas, talvez por isso, eram chamados de "caras sujas", e circulavam como meros figurantes numa eleição que parecia ter sido feita para os "cartolas", e não para eles. Na verdade, o desprezo pelas possibilidades de Adhemar fez com que seus adversários baixassem a guarda de tal forma que lhes acabou sendo fatal. Em municípios controlados pelo PSD ou pela UDN, os diretórios pessepistas foram instalados sem oposições, pois não eram vistos como um perigo.

Do ponto de vista institucional, o caminho estava livre e pavimentado para as eleições. O Congresso, com os poderes de Assembleia Constituinte, havia debatido vários projetos de constituição, até aprovar uma nova Carta em setembro de 1946, dando a segurança que faltava para os partidos se estruturarem tendo em vista os pleitos estaduais.

Em São Paulo, o PSD despontava como a maior força, mas teria de lutar para enfrentar os getulistas e os comunistas, dois grupos com influência crescente no estado. A primeira alternativa para governador girou em torno do nome de Gabriel Monteiro da Silva, chefe da Casa Civil de Dutra. Adhemar, inicialmente, ofereceu apoio a Monteiro da Silva, numa composição em que ele sairia candidato a senador pela chapa da situação. O acordo incluía a adesão de uma ala da UDN, caracterizando uma verdadeira salada eleitoral. Esse fato, aliado à relutância da UDN em aceitar um nome saído dos quadros do PSD, abortava a candidatura. Mário Tavares, presidente do Banco do Estado e do PSD em São Paulo, acabou escolhido.

A rebeldia da UDN tinha razão de ser: ela também se decidiu por uma candidatura própria, optando pelo "quatrocentão" Antonio de Almeida Prado. Mas a maior movimentação vinha do PTB, que contava com Hugo Borghi, uma figura de forte apelo popular e, por isso mesmo, capaz de provocar a oposição de Getúlio. O caudilho reconhecia a habilidade e a projeção do rival e temia perder para ele o controle da agremiação no estado. Borghi havia sido o segundo deputado federal mais votado do partido em São Paulo, logo depois do próprio Vargas.

Adhemar formalizou sua candidatura pelo PSP. Ele tinha tanto entusiasmo pela campanha que acabava contagiando a todos, até aos mais céticos, mas mesmo assim não faltavam motivos para pessimismo. A sede do partido era a mais modesta. Havia poucos recursos, que mal davam para custear as viagens, a propaganda e a impressão de cédulas. Além disso, os jornais não apoiavam a sua candidatura, que era noticiada timidamente, sem nenhum destaque, situação bem diferente dos candidatos do PSD e da UDN, que tinham espaço de sobra não só nos jornais, mas também no rádio.

Para enfrentar essa situação, Mario Beni e o secretário-geral do partido, Paulo Lauro, levaram adiante a ideia de comprar, às quintas-feiras, duas páginas do *Diário de São Paulo*, em que informavam o andamento da campanha e o roteiro dos candidatos do PSP para os dias seguintes. O jornal, porém, exigia que antes da meia-noite, quando rodavam a edição, o pagamento da publicação estivesse feito, e com cheque visado. Mas a iniciativa deu certo: a partir de então, Adhemar passou a ser visto e comentado com a mesma frequência e intensidade que os demais candidatos.

Sua campanha começou a ser encarada realmente como ameaça pelos adversários a partir de uma aliança que para muitos parecia improvável: com o PCB. Os comunistas não podiam apresentar candidato próprio em razão da possibilidade de fechamento do partido, o que na época não era uma hipótese nada desprezível (um dispositivo da constituição vedava o funcionamento de partidos antidemocráticos), mas queriam barganhar o apoio em troca de garantias para sua atuação no estado, assim como de uma legenda para os candidatos ao legislativo.

O PSP não foi o primeiro aliado que o PCB buscou. Os comunistas também haviam conversado com o PTB e até com a UDN, com quem os entendimentos não prosseguiram por motivos mais que óbvios. Com o PTB não houve acordo em razão da oposição de Getúlio Vargas à candidatura de Borghi, que o caudilho não queria fortalecer, e também pelo receio de dirigentes petebistas de perder os votos dos católicos. Mas não apenas por isso: Hugo Borghi, que chegou a ficar tentado com o apoio do PCB, teve de abrir mão da proposta em atenção ao seu sogro, Ruy Vaccari, um integralista com destacada influência nas fileiras de Plínio Salgado.

Adhemar anunciava aos eleitores a aliança com os comunistas como algo construtivo e fortalecedor da democracia. Oficialmente, ele deveria assumir o compromisso "declarado" de defender a nova constituição, a existência legal dos partidos, inclusive do Partido Comunista, e de solucionar o "agudo" problema da carestia e da inflação. Porém, segundo se falava à boca pequena, havia um acordo secreto firmado entre os dois partidos com compromissos bem menos singelos. Pelos seus termos, o PSP se comprometia a nomear comunistas para certos cargos do governo eleito, incluindo algumas prefeituras e a chefia da polícia. Adhemar respondia seco quando tocavam no assunto:

— Isso não passa de invenção.

Ninguém podia negar: era uma aliança inteligente. O PSP liderava no interior, mas não na capital, onde a UDN contava com a preferência da classe média, ao passo que o PCB tinha o apoio maciço dos trabalhadores, com os votos dos quais elegera, em 1945, a quarta bancada da Assembleia Nacional Constituinte. Juntando-se a eles, Adhemar fechou as duas pontas. Quando os udenistas e os pessedistas acordaram, já era tarde. Enquanto isso, Getúlio tentava de todas as maneiras esvaziar a candidatura de Borghi, primeiro por meio de declarações públicas e depois partindo para a ofensiva, interpondo recurso perante o Tribunal Superior Eleitoral, pela Comissão Executiva do Partido. Borghi acabou tendo o registro cancelado, mas não se deu por vencido, concorrendo pelo Partido Trabalhista Nacional. Com isso, Adhemar também se beneficiou da adesão de parte do PTB paulista.

O apoio dos comunistas ao PSP foi oficializado pouco antes do encerramento do prazo de registro dos candidatos. No dia 5 de janeiro, num comício gigantesco que reuniu mais de 100 mil pessoas no Anhangabaú, o Partidão lançou a candidatura de Adhemar. A única dissidência dentro do PSP verificou-se no subdiretório da Mooca, que se manifestou publicamente contra o acordo e passou a apoiar Mário Tavares. Fora do partido, contudo, a aliança gerou desconforto e provocou manifestações de repúdio em vários setores. A Liga Eleitoral Católica, em nota oficial, vetou o nome de Adhemar e de todos os candidatos do partido. O cardeal arcebispo de São Paulo, dom Carlos Vasconcelos Mota, dirigiu mensagem no mesmo sentido:

— Quem for católico e brasileiro, que cumpra o seu dever eleitoral: os votos dos fiéis cristãos são para os cristãos fiéis.

Vendo que o acordo político poderia causar sérias oposições num segmento tão importante, Adhemar respondeu ao cardeal, tentando afastar possíveis temores:

> Eminentíssimo Revmo. Dom Carlos Carmelo de Vasconcelos Mota, cardeal arcebispo metropolitano de São Paulo.
>
> Com referência à decisão do Partido Comunista do Brasil de sufragar o meu nome nas próximas eleições, desejo esclarecer a vossa eminência que esse apoio está subordinado tão somente às três condições constantes das cartas trocadas no dia 4 de janeiro e já publicadas pela imprensa, ou seja:
>
> 1º) — defesa da constituição;

2º) — o reconhecimento da existência legal de todos os partidos, inclusive o Partido Comunista do Brasil;

3º) — o combate à carestia e à inflação.

Concordei com esses pontos porquanto todos eles se enquadram nos princípios da constituição e de minha plataforma eleitoral. Nada prometi quanto à administração do estado e, por dever à verdade, devo dizer, lealmente, que nada me foi exigido pelo Partido Comunista do Brasil com referência a secretarias, departamentos de estado ou prefeituras, na hipótese de ser eleito.

Aceitei votos de um partido que tem existência legal no país e posso afirmar, solenemente, pela minha fé católica, que nenhum acordo secreto, de qualquer natureza, foi firmado entre nós.

Outrossim, [...] [aqui ele passa a enumerar todos os estados cujos candidatos receberam apoio do PCB]. [...] não nos consta que os exmos. arcebispos destas províncias eclesiásticas hajam condenado os candidatos que publicamente aceitaram o apoio do PCB ou com ele fizeram "alianças".

[...]

Baseado nesses precedentes foi que o PSP aceitou o apoio desinteressado do PCB.

Fazendo esta declaração, sinto-me em paz perante Deus e perante os homens, inspirado que fui pelo desejo de realizar uma política em prol das causas fundamentais do povo e, assim sendo, posso renovar, serenamente, os meus protestos de fidelidade à Igreja Católica Apostólica Romana.

Muito respeitosamente,

Adhemar de Barros

Mas o tiroteio continuou. Expressões como "Adhemar, o candidato de Moscou", "Velho agente de Stalin no Brasil", "Comunista fichado há mais de dez anos", "Milionário do dia para a noite" e "De interventor pobre a candidato milionário" estamparam as páginas de todos os jornais nos dias que se seguiram. A aliança com os "vermelhos" conduzia a indignação. Carlos Lacerda, então vereador udenista no Distrito Federal, publicou carta aberta aos paulistas, na qual analisava a posição de seu partido nas eleições e referia-se a Adhemar de modo agressivo. Na verdade, isso era parte de um turbilhão muito maior, de forças provenientes de elementos que se sentiam afastados do poder e queriam conquistá-lo de qualquer maneira, ameaçando colher Adhemar antes mesmo da posse ou logo depois.

No final, os "caras sujas" derrotaram os "cartolas". Adhemar foi eleito com 35% dos votos nominais, seguido de Hugo Borghi, com 30%. Os candidatos do PSD e da UDN ficaram, respectivamente, com o terceiro e o quarto lugares. Para a Assembleia Legislativa de São Paulo a vitória foi bem mais acanhada, pois o PSP conquistou apenas nove das setenta e cinco cadeiras, mas não houve, nesse caso, aliança com o PCB. No geral, contudo, o acordo foi fundamental, pois rendeu 120 mil votos à legenda.

O encerramento das eleições não era sinônimo de moleza. Ao contrário. Em uma das primeiras entrevistas que concedeu como governador eleito, Adhemar, já imaginando a tempestade que se aproximava, falou do secretariado e fez um comentário sobre a data em que seria investido no cargo:

— Não tenho pressa, pois sei a cruz que vou carregar.

Ele tinha razão. Assim que foi anunciada a vitória nas urnas, iniciou-se um forte movimento para impedir a sua posse. O maior argumento dos opositores era a aliança com o Partido Comunista, ainda mais pelo fato de Luís Carlos Prestes ter declarado que, em caso de guerra entre o Brasil e a União Soviética, apoiaria esse país. Adhemar procurava, em vão, passar ao público a ideia de que a aliança com os comunistas tinha sido puramente eleitoral e que não havia compromissos mais sérios entre os dois partidos (ainda que Prestes o acompanhasse nos festejos depois das eleições). Mas os torpedos eram incessantes. A UDN e o PSD, em recursos perante a Justiça Eleitoral, questionavam a regularidade dos registros do PSP e levantavam até mesmo indícios de fraude no processo de apuração dos votos. Isso sem falar na existência de um processo, tendo como base os elementos do relatório apresentado em 1941 a Getúlio Vargas por Coriolano de Góes, sobre o emprego de verbas secretas da polícia. No dia 12 de março, antevéspera da posse, o procurador-geral do estado, José Edgard Pereira Barreto, protocolou o seu parecer. Mas a conclusão, não se sabe se por zelo ou matreirice, não vazou para a imprensa.

No âmbito político a oposição também era pesada, mas o PSP acabou selando com o PSD um acordo que garantiu a presidência da Assembleia a Valentim Gentil, cabendo a Mario Beni a primeira secretaria. Temporariamente, as condições de governo ficaram garantidas. Para a formação do secretariado também houve composições, sendo o PSD a primeira fera a ser amansada, com a indicação de Luís Novelli Júnior, genro de Dutra, para a secretaria da Educação. Já o PTB antiborghista participou do governo recebendo a secretaria do Trabalho. Apenas a UDN não aceitou entrar no jogo. Em comunicado oficial, o presidente do diretório paulista, Waldemar Ferreira, manifestou discordância em relação à colaboração com o novo governo.

Mas a lua de mel com o PSD durou pouco. No dia 25 de março, Adhemar exonerou todos os prefeitos nomeados pelo seu antecessor, Macedo Soares, substituindo-os pelos secretários ou, na ausência destes, pelos tesoureiros das prefeituras — essas pessoas permaneceriam no cargo até novembro, quando estavam marcadas eleições municipais. O protesto foi geral. Diariamente chegavam reclamações dos insatisfeitos, criando um clima político preocupante. O trauma da demissão foi maior pelo fato de Adhemar declarar que a maioria dos prefeitos pessedistas era formada por "comparsas de negócios do câmbio negro". A crise era tão evidente que o *Jornal do Comércio*, do Rio de Janeiro, um dos periódicos mais discretos da época, referiu-se a São Paulo como o "órgão enfermo da Federação" no título de uma crônica política.

O primeiro racha não tardou. Apesar dos esforços de alguns membros do PSD para encontrar fórmula capaz de evitar o rompimento de seu partido com o governador, Novelli Júnior pediu exoneração da pasta da Educação, em carta na qual se dirigia a Adhemar como "meu ilustre amigo". Adhemar respondeu recusando formalmente a exoneração solicitada e insistiu na permanência do secretário:

> Devendo amanhã ausentar-me do estado e julgando útil deixar "esfriar", como médicos que somos, o abscesso causado pelo noticiário dos matutinos de hoje, noticiário esse que reputo antipolítico e contrário aos interesses públicos de São Paulo, voltarei ao assunto assim que regressar da mencionada viagem. [...] Estou certo de que, dentro de poucos dias, terei o grande prazer de vê-lo participando de um governo que não é meu, e sim do povo.

Apesar do tom firme expresso na carta, não houve meios — nem maior esforço, diga-se — de contornar a demissão, oficializada no dia 22 de abril, aniversário de Adhemar e data de inauguração da via Anchieta. A partir de então, a oposição dura contra o governador se iniciou também na Câmara Federal, feita pelo bloco formado pelo PSD, a UDN, o PRP e o grupo borghista, do PTB. Edgard Batista Pereira, da bancada pessedista paulista, encabeçava os ataques. Os maiores pontos de acusação eram as ligações de Adhemar com o Partido Comunista desde 1935. Os membros do PSD alegavam que Adhemar tinha entregado várias prefeituras aos "vermelhos". Políticos de outros estados também ajudavam os membros de seus partidos. No final de abril, o general Flores da Cunha, deputado federal pela UDN gaúcha, fez um pronunciamento pedindo a intervenção em São Paulo.

Dia 7 de maio, após meses de luta dos adversários, cancelava-se o registro do PCB. Adhemar, agora livre do fardo dos comunistas, virou as costas aos antigos aliados e não tomou nenhuma posição contrária à medida.

No fundo, a cassação do partido não era novidade. Para muitos era, acima de tudo, um alívio. O PCB causava temor, pois crescia cada vez mais. No país, era o quarto partido em termos de representatividade, com dezessete deputados e um senador. Em São Paulo, figurava como o terceiro maior partido da Assembleia, ultrapassando a UDN. O seu crescimento assustou a classe política e o Exército e inquietou Dutra, que viu por bem acionar o seu aparato jurídico. Por decisão judicial, o PCB foi declarado ilegal, e seu registro, cancelado.

Dois dias depois, Benedito Costa Neto, ministro da Justiça, enviou a Adhemar uma mensagem por rádio, expedindo instruções detalhadas de como a polícia deveria cumprir a decisão judicial, o que incluía fechar e interditar as sedes do partido, apreender papéis, documentos e objetos. Embora tais determinações excedessem em muito o teor da sentença do TSE, Adhemar, que após a posse havia se mantido "neutro", desrespeitando o compromisso assumido com os comunistas de defender "a existência legal de todos os partidos", voltou-se contra os ex-aliados, aparentemente ordenando à polícia que cumprisse ao pé da letra a ordem federal. Várias batidas foram feitas às sedes do PCB durante o mês de maio, até que a polícia, por orientação do governador, atenuou a repressão. Mesmo com o cancelamento do registro do partido, porém, os membros do PSP na Câmara Federal e na Assembleia Legislativa não apoiaram a extinção dos mandatos dos comunistas. Temiam que, se isso acontecesse, a medida pudesse atingir Adhemar. Mas sabiam que era apenas uma questão de tempo.

Se havia um movimento em curso para tirar Adhemar do cargo não era menos verdade que, no seio da própria UDN, a contraofensiva já fermentava. Paulo Nogueira Filho, membro do diretório nacional do partido e chefe da sua Ala Renovadora, junto com um grupo mais liberal do qual fazia parte, entre outros, Paulo Ribeiro da Luz, era contrário ao último comunicado interno, que orientava os udenistas para a oposição. O diretório estadual não permitia a participação no governo, mas o grupo rebelde se insurgiu contra essa proibição.

Jornalistas próximos da UDN colocavam mensagens dúbias na imprensa, dando a entender que realmente não havia unidade interna. Mas a bomba estourou de fato quando Paulo Nogueira Filho foi aos Campos Elíseos, em visita ao governador. Os ânimos se acirraram entre correligionários de lado a lado, ainda mais porque ninguém teve acesso ao teor da conversa entre os dois líderes. Todos, no entanto, sabiam que aquele momento mudaria os rumos da situação política estadual. De fato, se Paulo Nogueira Filho se desentendesse com Adhemar, a oposição recrudesceria, talvez com resultados fatais para o governador.

Mas se, ao contrário, ambos entrassem em acordo, a UDN se veria seriamente enfraquecida.

Foi o que aconteceu. Depois do encontro entre os dois, lançou-se o manifesto da Ala Popular Renovadora da União Democrática Nacional de São Paulo, rompendo todos os laços que a prendiam ao partido. O documento, assinado por treze membros do diretório estadual e vinte e quatro candidatos a deputado pela agremiação, foi publicado em 26 de junho nos principais órgãos da imprensa paulistana, com exceção de *O Estado de S. Paulo*. Os rebeldes foram expulsos da UDN e, para a imensa satisfação de Adhemar, bandearam para o PSP, juntamente com um grande número de prefeitos e vereadores. Ainda assim, a bancada de deputados estaduais na oposição permanecia considerável.

Enquanto isso, Adhemar buscava respaldo político por meio do seu carisma, tentando se desvencilhar um pouco da pressão que sofria na Assembleia Estadual. Uma das iniciativas nesse sentido era o programa *Palestra ao pé do fogo*, que havia deixado de ser diário, mas continuava a ser transmitido às quintas-feiras, mantendo basicamente o mesmo formato.

A oposição atingiu níveis insustentáveis quando entrou em vigor a Constituição Estadual, em 9 de julho. A Carta Federal de 1946 já tinha cerceado bastante o poder do presidente da República, num sintoma claro de prevenção contra os abusos do Estado Novo, que os mais escaldados não queriam de jeito nenhum ver repetidos. A Constituição Paulista de 1947 conseguiu ser ainda pior para o governador de turno, pois continha dispositivos claramente incompatíveis com a Carta Magna, que deixavam o Executivo de mãos amarradas, tornando quase tudo dependente de aprovação do Legislativo. Na prática, o que era para ser um mecanismo de freio aos excessos do governador acabou se tornando um instrumento que os deputados de oposição utilizavam para embaraçar completamente a administração. Como se não bastasse, a Constituição Estadual facilitava o pedido de *impeachment* de Adhemar, que a oposição articulava com base na acusação de desvio de dinheiro público (da época da interventoria).

A aprovação da Constituição Paulista obrigou Adhemar a entrar em nova batalha, mas dessa vez podendo contar com o valoroso auxílio de Miguel Reale, seu secretário de Justiça.

Reale era uma figura proeminente em São Paulo, com destacada participação em movimentos políticos e intelectuais. Assim como Adhemar, havia lutado na Revolução de 1932, combatendo na região de Ourinhos, onde ganhou as divisas de 3º sargento. Em novembro daquele ano, aderiu ao integralismo de Plínio Salgado, engajando-se no movimento de modo cada vez mais ativo, até que, com a implantação do Estado Novo, que colocou todos os partidos na ilegalidade, recolheu-se em São Paulo. Mesmo sem ter tomado parte no ataque ao Palácio da Guanabara, em maio de 1938, viu-se obrigado a deixar o país, pois sabia que a perseguição aos integralistas seria feroz. Exilou-se na Itália, fugindo do Brasil a bordo do navio *Augustus*, em que alunos do Instituto Dante Alighieri viajavam em férias.

Foi uma aventura. Apesar de estar com vinte e oito anos na época, ele aproveitou o fato de aparentar menos idade para infiltrar-se entre os meninos, levando a carteira de identidade e uma ordem de pagamento de passagem para a segunda classe. Quando o navio saiu das águas territoriais brasileiras, apresentou-se ao comandante, que ficou furioso com a ousadia, mas acalmou-se ao saber que ao menos a passagem estava paga. Reale foi acomodado em um dos camarotes disponíveis, sob vigilância, e ao desembarcar em Gênova conseguiu asilo por um ano.

De volta ao Brasil, foi preso duas vezes pela polícia de Adhemar, sem maiores consequências. Passou depois a se dedicar à carreira acadêmica e, em 11 de maio de 1941, tomou posse como catedrático de Filosofia do Direito da Faculdade de Direito do Largo de São Francisco. Após a vitória de Adhemar para governador, foi convidado para a Secretaria da Justiça e Negócios Interiores, a "pasta política por excelência".

Com o apoio da Assessoria Técnico-legislativa (órgão criado em São Paulo, cuja experiência se repetiria em outros estados e também em âmbito federal), Reale ingressou com uma representação direta de inconstitucionalidade perante o Supremo Tribunal Federal, tendo por objetivo a declaração de nulidade de todos os dispositivos da Constituição Paulista que estivessem em desacordo com a Carta Magna e bloqueassem de forma ilegítima as prerrogativas do governador.

Apesar do seu empenho, Miguel Reale participou do governo por menos de cinco meses, pois partidários insinuavam a toda hora que o desejo do secretário de Justiça era assumir o comando do PSP. Adhemar o demitiu de forma sumária, por meio de um bilhete, e transferiu a Assessoria Técnico-legislativa para o gabinete civil, deixando a pasta da Justiça sem esse respaldo.

Em outubro, a ação de inconstitucionalidade que Reale havia proposto no Supremo Tribunal Federal foi acolhida. A decisão judicial liberou Adhemar, que ao mesmo tempo começou a ter crescente colaboração do PSD, oferecendo em troca cargos e outros benefícios dos quais a administração podia dispor. Num encontro com o governador, Cyrillo Júnior, líder do partido de oposição, resumiu as condições:

— Tudo se torna fácil, Adhemar. Basta apagar um pouco a perninha da última letra do PSP.

Feita a composição, Adhemar passou a contar com maioria na Assembleia Legislativa, inclusive graças a um acordo com o PSD prevendo o apoio a Cyrillo nas eleições para vice-governador, que ocorreriam em novembro de 1947, candidatura em que o pessedista saiu em aliança com o PTB e o apoio dos comunistas. Mas Adhemar acabou mudando de ideia e achou mais conveniente apoiar Novelli Júnior, quando houve um racha no PSD. A campanha foi violenta, com acentuado conflito com os comunistas, mas Novelli Júnior levou a melhor e saiu vencedor.

A maior vitória de Adhemar, contudo, veio nas eleições municipais, que ocorreram com as eleições para vice-governador. O PSP, que no final de 1947 contava com diretórios e subdiretórios em todos os distritos eleitorais, na capital e no interior do estado, elegeu sozinho cerca de um terço dos prefeitos, num total de quase 300 municípios. Além disso, muitos dos prefeitos exonerados por Adhemar após a sua posse acabaram retomando o cargo pela via eleitoral, desta vez afinados com o governador e com os deputados aliados. Na prática, isso correspondeu a uma vitória em cerca de 70% dos municípios, tanto nas prefeituras como nas câmaras de vereadores. Com o resultado, o PSP se estruturou em São Paulo e colocou seu líder como interlocutor natural na política do estado.

Em essência, o PSP apresentava sólida base trabalhista, o que explica o fato de o Partido Trabalhista Brasileiro nunca ter vingado em São Paulo. Era também um partido de larga aceitação pela classe média. Tinha organização complexa e abrangente, destinada a cobrir desde os grandes centros até os rincões. Ao mesmo tempo em que centralizava as grandes decisões nas mãos de um núcleo duro, formado por Adhemar e pessoas de sua confiança, atendia reivindicações de comunidades as mais diversas, tanto as dirigidas por correligionários como as comandadas por adversários. Claro que, neste caso, como barganha para fazê-los mudar de lado. Era um partido clientelista, sem dúvida: assim começou e se manteve por quase toda a sua existência.

Com o passar dos anos, o PSP se solidificou de tal forma em São Paulo que não havia mais quem pudesse superá-lo. Até 1964, nenhum outro partido se igualaria em termos de organização e hegemonia no estado. No entanto, sempre foi o partido de um homem só. Em razão do seu temperamento e das suas pretensões, o líder jamais permitia que alguém se colocasse em posição de destaque, ainda que, no final das contas, o respaldo da agremiação tivesse influência relativa, como bem resumiu Helena Quadros:

— Havia uma coisa no doutor Adhemar que não tinha nada a ver com sindicatos, nada a ver com o PSP, nada a ver com nada. Só tinha a ver com ele. Era a cara dele que os trabalhadores queriam ver. Eles não eram pessepistas. Eram adhemaristas.

Enfim, Adhemar saía fortalecido das eleições, o que não apenas impediu como também incentivou a oposição. O próximo teste seria conviver com Novelli Júnior, genro de Dutra, que ele quis eleger para agradar o presidente. Muita gente apostava que tinha sido um verdadeiro suicídio político, ainda mais para quem estava cercado de inimigos por todos os lados, mas não foi por falta de aviso. O risco já tinha sido antecipado, entre outros, por um ilustre colega do Rio, Amaral Peixoto, em recado mandado por Pedroso Horta:

— Diga ao Adhemar que ele não vai ter mais uma boa noite de sono depois de eleger o Novelli como vice-governador.

6

LUTANDO COM OS TIGRES

A paz entre Adhemar e Dutra durou pouco. Passado algum tempo após a eleição de Novelli Júnior, as intrigas voltaram e a desconfiança prevaleceu. De certa forma isso era previsível, pois a convivência dos dois sempre tinha sido tensa. Dutra não aceitava a aliança de Adhemar com os comunistas — achava que estes influenciavam na condução do governo. Além disso, os membros do PSD ajudavam a botar fogo no confronto entre os dois líderes, ao verem no horizonte a possibilidade de tomar o poder, bastando tirar do cargo Adhemar e dar posse a Novelli Júnior. Dois motivos fortes, portanto, para uma tentativa nova e muito mais feroz de intervenção federal. Era fácil perceber que o pesadelo de Adhemar estava recomeçando.

Suas relações com os comunistas permaneciam ambíguas. No início de 1948, ele fez algumas concessões aos ex-aliados, orientando a bancada federal do PSP a votar contrariamente à cassação dos mandatos dos parlamentares eleitos pelo PCB. Também libertou presos políticos, acenando com um gesto de relaxamento. Em compensação, já no dia 1º de janeiro, suas forças policiais, com a ajuda do DOPS e do Exército, haviam imposto um estado de sítio não declarado em Santo André, agindo com violência para impedir a posse do prefeito e de treze vereadores, todos eleitos pela legenda do Partido Social Trabalhista e já diplomados pelo Tribunal Regional Eleitoral. A medida servia para cumprir decisão superior, do TSE, mas era exageradamente severa.

Sem dúvida, aquele ano começou quente. No dia 5 de janeiro, policiais mascarados invadiram a redação do jornal *Hoje*, de orientação comunista, destruindo suas máquinas. Três dias depois era aprovado pelo Congresso Nacional o projeto de lei que considerou extinto o mandato dos representantes comunistas do Congresso, das Assembleias e das Câmaras Municipais. O apoio do PSP estava esvaziado em São Paulo. Era preciso começar tudo de novo.

A imprensa hostil ao governador dava munição para medidas radicais. Quase diariamente *O Estado de S. Paulo* fazia a sua parte, com referências nada brandas a Adhemar, como neste artigo, assinado por Mário da Luz:

> Então a Assembleia Legislativa abriu a nova caixa de Pandora. Pode-se compreender a mágica que o sr. governador do estado pratica para realizar a caixa dos cem milhões de cruzeiros. Manda majorar os contratos de empreitadas das várias secretarias do Estado, dá esses contratos a amigos do peito, sem concorrência pública, e o estado adianta a esses empreiteiros 20% do preço do contrato, que vão para a caixa eleitoral. Se um cidadão tem a receber do estado grossa maquia, o sr. governador manda chamá-lo e diz que o estado não pode pagar, que só aumentando de 30%, como foi o caso dos empreiteiros, e o aumento vai engrossar os cabedais eleitorais, ou pagar as campanhas do sr. Novelli.
>
> Só os amigos do governo fingem não acreditar na veracidade dessas afirmações. Cesteiro que faz um cesto faz um cento.

Enquanto isso, o governo federal criava obstáculos financeiros a torto e a direito para São Paulo. Naquele mesmo mês, o presidente do Banco do Brasil, Corrêa e Castro, suspendeu o redesconto para o Banco do Estado de São Paulo, além de apoiar abertamente a intervenção estadual por motivo de política financeira. O bloqueio ao banco contrariava a lei, que inclusive determinava o limite de capital que deveria ser ultrapassado para que a medida fosse tomada, o que não havia ocorrido. Mas a trama não era tão simples.

Quando assumiu o governo, Adhemar tinha a intenção de repetir o plano que havia sido sua marca registrada na interventoria, ou seja, realizar grandes obras públicas e ampliar os serviços oferecidos pelo estado. Queria aumentar o poder da máquina governamental e contar com recursos para atender à sua clientela política. Mas agora as dificuldades eram maiores. A Constituição de 1946 exigia a discriminação de custeio de todas as despesas e havia encargos deixados pela administração anterior que diminuíam o campo de manobra. Para contornar provisoriamente esse problema, ele lançou títulos de responsabilidade do estado, como os bônus rotativos, que passaram a funcionar como uma autêntica moeda, com utilização para pagamento tanto por parte do governo como pelos contribuintes. Não se ultrapassou o limite de 25% da receita estadual para emissão, como exigia a lei, mas a situação do estado se deteriorou a tal ponto que não haveria dinheiro para conversão dos bônus na data de vencimento. E o governo federal alegava que os títulos estavam prejudicando o curso normal da moeda circulante.

Assim, a instabilidade financeira acabou sendo o segundo alvo dos ataques ao governador de São Paulo, logo depois da acusação de colaborar com os comunistas. Esses ataques partiam tanto da Câmara Federal como da Assembleia Legislativa, seguindo uma lista nada modesta, ainda que já conhecida: acusavam Adhemar de cobrança de propinas para a concessão de obras públicas a empresas particulares; de envolvimento no câmbio negro de gêneros alimentícios; de exploração do jogo do bicho. Num extremo, até a sanidade mental do governador chegou a ser contestada. A opinião pública se alvoroçou. Na entrevista coletiva seguinte, no palácio dos Campos Elíseos, um jornalista provocou Adhemar:

— Governador, o senhor vai combater o jogo do bicho?

Sem titubear, ele respondeu:

— Sim, vou. Estou cansado de ter a polícia como sócia.

Se a marcha dos opositores afetava Adhemar, não era menos verdade que atingia também a eles próprios, ainda que de modo diferente. A campanha intervencionista trouxe a São Paulo uma relação política estranha para os outros estados e para os observadores da época: uma aproximação entre o PSD e a UDN, a única maneira que os dois partidos, antagônicos até a medula, encontraram para fazer frente à força que se erguia em São Paulo. Claro que o mais beneficiado com um possível afastamento de Adhemar do governo paulista seria o PSD, diante da presença de Novelli como vice-governador, mas era necessário contar com os demais partidos de oposição, inclusive com a parcela antiborghista do PTB. Isso porque a outra parcela fazia parte do governo: Adhemar, interessado em ampliar a base de apoio, havia nomeado Hugo Borghi secretário da Agricultura. Foi ele quem levou ao governador uma ideia temerosa que no início, contudo, foi vista com muita simpatia: a realização do congresso rural.

A preocupação de Adhemar com o trabalhador rural vinha da época da interventoria. Tanto quanto Borghi, ele encarava a iniciativa como a possibilidade de ocupar um espaço político enorme, pois nem o PTB nem o PSD tinham ações nessa área. Pensou-se, então, num evento marcante, que se realizaria em duas etapas. Na primeira, os trabalhadores se reuniriam no estádio do Pacaembu, numa manifestação popular grandiosa que daria ímpeto para a fase seguinte, de instalação dos trabalhos do congresso. Na ocasião, seriam discutidos temas como crédito e assistência técnica à lavoura, distribuição, armazenamento e até mesmo a questão da sindicalização do trabalhador rural. O congresso seria constituído por representantes eleitos em cada município do interior, num total de mil e quinhentos lavradores. Parecia vir a calhar numa época de agitação no campo, fermentada por uma pobreza aguda e pelas tentativas da esquerda de criar sindicatos de trabalhadores rurais, com a finalidade de reivindicar os direitos elementares garantidos ao proletariado urbano.

O projeto mexeu com interesses nada desprezíveis, encabeçados por associações de classes produtoras e entidades de proprietários rurais.

Novelli Júnior abraçou a causa em favor dos contrários e enfrentou Adhemar. A UDN também se colocou imediatamente contra o evento, afirmando que aquilo não passava de um movimento subversivo. Adhemar sentiu as pressões e concluiu que o apoio lhe traria mais problemas do que prestígio. No final de fevereiro, adiou sem data marcada a realização do congresso, justificando-se como pôde:

— O movimento rural está infiltrado de comunistas, e é preciso primeiro afastar essa gente daí.

Com a ideia liquidada, seu autor se distanciou: Borghi foi afastado da secretaria da Agricultura. Mas Adhemar, que esperava acalmar os ânimos pessedistas, perdeu o apoio destes também. Novelli Júnior, sentindo-se fortalecido com a iniciativa de impedir a realização do congresso rural e acompanhando o coro do seu partido, rompeu com o governador, alegando conduta temerária na política financeira. Adhemar se enfureceu e classificou o ato como o "delito de uma traição". Revelou que em outubro, quando Novelli se candidatou ao cargo de vice-governador — cujas eleições, uma verdadeira aberração, eram posteriores às de governador e ocorriam quando o eleito para o cargo principal já estava exercendo o mandato —, firmou compromisso de fidelidade com ele. Não se conformava com o golpe:

— Eu ajudei esse sujeito na campanha, subi aos palanques, fiz 250 comícios. Ele fez apenas dezenove, e sempre lendo o mesmo discurso.

Estava claro que o desejo de Novelli Júnior, assim como de toda a bancada paulista do PSD, era tomar o cargo de Adhemar. Ligações com os comunistas, desvarios na condução da política financeira, desordens administrativas, tudo isso não passava de pretexto para uma ação de caráter exclusivamente político. A cobiça pela cadeira de governador era a verdadeira motivação de uma intervenção em São Paulo.

Adhemar precisava reunir forças para conter desde o início o avanço de mais uma manobra golpista dos adversários. Como na Assembleia o seu raio de ação era limitado, a saída foi agitar as massas. Diante das ameaças de intervenção, ele organizava comícios para se fortalecer diante do povo, desafiando os adversários:

— Querem me depor? É fácil. Bastam cinco homens: um para atirar e quatro para transportar o corpo.

Mas isso não adiantava muito. Mesmo sem a bancada comunista, cassada, ele sentiu que o apoio dos militantes poderia ser útil naquele momento de dificuldades, pois os antigos aliados eram capazes de ganhar a simpatia popular como ninguém. Nesse sentido, Adhemar aproximou-se deles e lhes fez algumas concessões em troca de novo apoio. A proposta incluía a libertação de presos políticos e a possibilidade de circulação de jornais do partido proscrito, além de garantias pessoais a Luís Carlos Prestes. Os comunistas aceitaram a brecha e, no final de março, lançaram um violento manifesto anti-intervencionista.

O tiro saiu pela culatra e o que parecia ser uma solução virou um problema. Dutra resolveu mandar a São Paulo o ministro da Guerra, o general Canrobert Pereira da Costa, para acuar o governador rebelde. O general desembarcou no final de março com um ultimato: ou Adhemar continha as manifestações comunistas ou o governo federal interviria em São Paulo. Antes disso, porém, Adhemar, com esperteza, já tinha tomado medidas repressivas contra as atividades dos ex-aliados, criando condições que pudessem sensibilizar a ala militar. No palácio, o encontro entre os dois foi cordial e marcado pela descontração do governador:

— Não sei por que tanta confusão, general. Ainda recentemente disse aos jornais que, para me tirar do governo, bastam quatro homens para segurar as alças do meu caixão. Agora, pensando bem, quatro homens não. São seis homens, pois sou bem grande e peso muito.

Com muita habilidade, Adhemar tocou o ponto fraco do visitante ao afirmar que Canrobert seria o candidato perfeito à sucessão de Dutra e que, nesse caso, contaria com o apoio do governo de São Paulo nas eleições presidenciais, em 1950. Nunca se soube o desfecho da conversa, mas o fato é que o general retornou ao Rio de Janeiro inteiramente contra a intervenção.

O acordo com Canrobert deu fôlego a Adhemar contra as investidas do PSD e da UDN, mas por pouco tempo. Em abril, líderes dos principais partidos na Assembleia Legislativa encaminharam a Dutra um ofício solicitando providências dos poderes federais contra Adhemar, alegando que ele havia coagido o Legislativo na eleição da nova mesa. Ao mesmo tempo, deputados federais e estaduais de São Paulo pediam a intervenção com base na Constituição Estadual, sob o argumento de ameaça à integridade nacional. A fundamentação para tanto era um relatório com a situação financeira do estado. Enquanto isso, Novelli Júnior se afinava com os líderes estaduais, com promessas em troca de apoio à intervenção.

A batalha produzia escaramuças dos dois lados e um clima francamente ameaçador, em meio ao qual Adhemar não podia abrir mão da segurança pessoal. Mesmo sem ter a proteção de um Gregório Fortunato, contava com alguns "tiras" particulares, como Verde-amarelo, Karan, Pernambuco e Rondon. Os aliados também ajudavam na luta. Sem saber, ele tinha recebido apoio de uma fantasiosa Bandeira dos Prefeitos, entidade inventada por um amigo seu, Osório Ribeiro de Barros Neves, que enviou um telegrama ao presidente e ao ministro da Guerra na tentativa de evitar a intervenção. O texto dizia:

> Se o governo decretar intervenção federal em São Paulo, fatalmente haverá guerra civil. A Bandeira dos Prefeitos já alistou, só no interior do estado, 80 mil homens que, ao lado dos 40 mil soldados da Força Pública, estão dispostos a defender, mediante uso das armas, os brios dos paulistas.

No geral, Adhemar procurava manter o controle da situação sem perder a veia sarcástica. Aos mais íntimos, chamava os adversários de "cara de bunda", especialmente o vice-governador Novelli Júnior. Numa reunião com políticos do PSP e colaboradores próximos, cansado de ouvir o nome do presidente da República, perguntou ao grupo, mal-humorado:

— Sabem como se escreve Eurico Dutra em japonês?

Diante da resposta negativa, pegou um papel, anotou e virou-o para os presentes: "Konku Nakara". E caiu na gargalhada.

Enquanto o governador se divertia, Dutra mandava a comissão interpartidária se pronunciar sobre o caso paulista, e logo depois ceifou as esperanças dos opositores ao afirmar que a intervenção não dependia de solicitação do governo federal, competindo à própria Assembleia sua decretação, nos termos do artigo 9º da Constituição Federal. Virou folclore, a propósito da medida, o seu diálogo com o ministro da Justiça, Adroaldo Mesquita da Costa:

— Está no livrinho?

O ministro respondeu:

— Não, não está no livrinho. Adhemar, por enquanto, não praticou nenhum crime que justifique a intervenção.

— Então, se não está no livrinho, não intervenha.

O "livrinho" era a Constituição. No dia 27, Mesquita da Costa encerrava a novela no Executivo a favor de Adhemar, indicando, para coibir os supostos excessos do governador, "o Código Penal ou a Assembleia Legislativa". Os deputados estaduais não desistiram e tentaram mover um processo de *impeachment* contra Adhemar, que não vingou por falta de maioria absoluta a favor da medida, como exigia a Constituição Paulista. Na verdade, não havia unidade nem mesmo dentro dos partidos com relação ao tema da intervenção. As lideranças políticas mais inteligentes opunham-se à solução radical, pois sabiam que intervir em São Paulo abriria um precedente sério, a partir do qual todos os governadores estariam sem estabilidade garantida. Seria a guerra de todos contra todos.

Nesse sentido, a direção nacional da UDN divergiu do diretório de São Paulo, assumindo posição anti-intervencionista, no que foi acompanhada pela maioria das seções estaduais, inclusive pelo diretório mineiro, que se sustentava com a autoridade política do governador Milton Campos. O senador Hamilton Nogueira, presidente da UDN do Rio de Janeiro, chegou a vir a São Paulo acompanhado do general Euclides Figueiredo para prestar solidariedade a Adhemar. Como era de se esperar, a seção paulista do partido não gostou da atitude, protestando formalmente, mas nem mesmo no núcleo estadual havia unanimidade. Romeu de Andrade Lourenção foi acusado pelos companheiros de encabeçar um movimento de prefeitos udenistas contra a intervenção e acabou expulso do partido.

No PSD, também, vários elementos ilustres ficaram ao lado de Adhemar, como o ministro Adroaldo Mesquita da Costa, em meio a rumores de um acerto entre ambos visando à sucessão de Dutra. Em São Paulo, o governador fez acordo com a chamada "ala velha" do partido, que se retirou da campanha pela intervenção, recebendo em troca as pastas da Fazenda, do Trabalho e da Justiça. Havia, além disso, outro fator, que na ocasião não veio à tona e que nunca ficou bem esclarecido. Numa manobra financeira complicada (provavelmente envolvendo uma terceira instituição), o banco de Gastão Vidigal, o principal articulador da intervenção em São Paulo, foi obrigado a contrair uma dívida com o Banco do Estado que o deixou à mercê das pressões do governador. Banqueiro astuto e com notória influência entre os representantes da indústria e do comércio de São Paulo, Vidigal ficou sem ação.

O acordo com a ala velha provocou novas fissuras internas no PSD. Por causa disso, vários deputados deixaram o partido e acabaram ingressando no PSP. Subitamente, o PTB também começou a apoiar o governador. Adhemar procurou Wladimir de Toledo Piza e lhe ofereceu vantagens para o grupo pessedista aliado do PTB em São Paulo. Piza, então, começou a articular a campanha contra a intervenção. Por fim, acabou convencendo alguns companheiros do diretório regional de que era inconveniente, naquele momento, o PSD assumir o governo do estado. Foi mais além ao obter um número expressivo de assinaturas em uma carta enviada a Getúlio Vargas, pedindo orientação com relação à conduta a ser seguida. Getúlio imediatamente determinou a derrubada da direção petebista e mudou a política quanto à campanha intervencionista.

A imprensa refletia o antagonismo existente no meio político de São Paulo, mostrando uma curiosa tendência de ambos os lados de ganhar a simpatia de eleitores de outros estados para a causa que defendiam, decerto na expectativa de Adhemar se candidatar para cargos federais. No dia 8 de maio, *O Estado de S. Paulo* transcreveu artigo publicado na véspera pelo *Diário Carioca*, de autoria do antigo interventor paulista Macedo Soares, que não se conformava com o impasse a respeito da intervenção:

> De tanta inexperiência e ineficácia política resultou o que era fatal e inevitável. Enquanto em São Paulo a produção, o comércio, o transporte, as finanças paralisam-se, na terrível incerteza e insegurança dos tempos [...], o garroteamento de um governo infame bloqueia a vida econômica de um povo inocente. Eis aí o fruto de uma situação absurda diante de pessoas e grupos de interesses irresponsáveis.

Uma semana depois, o jornal *A União*, de Curitiba, publicou artigo dando outra interpretação ao impasse condenado por Macedo Soares:

> Pretendiam os quadrilheiros da política bandeirante tomar de assalto o poder, ultrajando e vilipendiando um mandato que a vontade soberana do paulista impôs pelo reconhecimento a uma das figuras mais expressivas da atualidade: dr. Ademar de Barros.
>
> [...]
>
> Felizmente, a ponderação dos que se acautelaram contra a insídia, a prudência de quantos se imunizaram contra a baba que espumejava das bocas enraivecidas e o isolamento devotado aos que nunca souberam merecer a consideração da sociedade a que pertencem, serviram como barreira intransponível às pretensões do bando organizado [...].

Em São Paulo, Adhemar recebeu solidariedade dos estudantes da Faculdade de Direito, do Clube Piratininga, da Associação dos Ex-Combatentes de 1932 e outras entidades que, mesmo sem se identificar com o governador, mobilizavam a opinião pública em defesa da autonomia estadual. Mas o povo não entendia direito o que estava acontecendo. Sabia, por ouvir falar, que o governador era alvo de uma oposição rigorosa, e acompanhava a luta até certo ponto de forma passiva. Às vezes, porém, os ânimos se exaltavam. Numa oportunidade, quando Adhemar autorizou o prefeito da capital a aumentar as tarifas dos ônibus urbanos em vinte centavos, grupos incentivados por opositores incendiaram vários veículos da frota, num protesto que em outras circunstâncias não teria ocorrido de forma tão radical.

Em junho, o agora ministro Corrêa e Castro enviou ao presidente seu relatório sobre a situação paulista, concluindo pela procedência das denúncias e ressaltando que a preservação da unidade interna estava ameaçada pela "desordem financeira e econômica" e pelos bônus rotativos, lançados pelo governo do estado. Dutra remeteu o documento ao Senado, onde ele foi apreciado pelas comissões de Justiça e de Finanças. No final de julho, o Senado aprovou os pareceres contrários à determinação da intervenção pelo Legislativo, acatando a posição das duas comissões, o que, na prática, encerrava a campanha intervencionista. Adhemar saía vencedor da briga, conseguindo ao mesmo tempo neutralizar o PSD e consolidar sua posição política em São Paulo.

A partir de então, a ordem era recuperar o tempo perdido. Mais de um ano havia se passado desde a posse e havia muito o que fazer. Para contornar os efeitos da inflação e atender a necessidades inadiáveis, como os reajustes ao funcionalismo público, Adhemar foi obrigado a aumentar os tributos. O imposto sobre vendas e consignações, que representava 80% da arrecadação de São Paulo, teve a alíquota majorada em seu governo de 1,5% para 3%. Mas os deputados, sempre de olho nos dividendos políticos, colocavam-se contra. Até aí nenhuma novidade, não fosse o fato de que nessa época o Legislativo também podia apresentar emendas orçamentárias. A mesma Assembleia que alegava descontrole financeiro por parte do governador era pródiga em agravar essa situação. Todas as vezes em que o orçamento público era levado a votação, a peça terminava aprovada com déficits enormes. Os deputados incluíam despesas — pois a constituição vigente o autorizava — sem indicar a contrapartida dos recursos para tanto, colocando o governo em sérias dificuldades.

Aquela seria, no entanto, uma assembleia especial em relação a nomes que marcaram época e que viriam a disseminar ideias no terreno político, apresentando um conjunto de alto nível — se é que se pode chamar de conjunto um parlamento que, em termos partidários, apresentava-se como autêntica colcha de retalhos. As figuras individuais, de fato, se destacavam. Loureiro Júnior, Salles Filho, Caio Prado, Narciso Pieroni, Cunha Bueno, Rubens do Amaral, Valentim Gentil e Cunha Lima eram alguns dos parlamentares que honravam a tribuna com a sua presença. Possuíam inteligência e conhecimentos nos mais variados campos da atividade humana. Admirados pelo governador, apesar das críticas, travavam debates em que a fina ironia, a cortesia e o respeito eram a tônica. Alguns, jovens ainda, tinham desenvoltura tal que prenunciava uma promissora carreira política, como era o caso de Ulysses Guimarães e Auro de Moura Andrade. Este, fleumático e habilidoso, era capaz de fazer frente a figuras experientes como Salomão Jorge, líder do governo, como demonstra certa passagem narrada por Mario Beni.

Era tarde da noite e o prazo final para a aprovação do orçamento estava se esgotando. Todos colocavam alguma dificuldade, na esperança de conseguir arrancar um pedaço em favor do seu eleitorado. Mas Auro exagerou, prolongando um discurso que parecia não mais ter fim. Já sem paciência e um tanto exaltado, Salomão Jorge o interpelou:

— Vossa Excelência vai terminar ou não?

Sem perder um milímetro a calma, o jovem tribuno, recitando poema do próprio Salomão Jorge, respondeu:

— Se vou terminar?

Relógio — Ela virá? — Pergunto em vão

O ponteiro seguindo diz que sim

E o pêndulo chorando diz que não!

Salomão Jorge, sorrindo e abanando a cabeça, recitou junto o último verso pouco antes de Auro encerrar seu discurso e, com as outras ovelhas desgarradas da coligação, obter as concessões desejadas. Entre versos e gritos, o orçamento estava aprovado.

Havia então dois tipos de partido. O primeiro era caracterizado por decisões colegiadas, provenientes de cúpula, em que não havia um líder definido. Era o caso da UDN, do PSD e do PDC, entre outros. Os do segundo, menos comuns, se assentavam na figura de um chefe, carismático e centralizador, para quem convergiam todas as forças. Encaixavam-se nessa categoria, além do PSP de Adhemar, também o PTB de Getúlio Vargas e, posteriormente, o PTN, de Hugo Borghi. Mas as legendas eram numerosas, praticamente sem feição e, principalmente, destituídas de uma norma que vinculasse seus membros e consagrasse a fidelidade partidária. O trânsito entre agremiações era corriqueiro, ao sabor das conveniências pessoais e sem nenhum compromisso com o eleitor. Perdia-se, com isso, a coesão do sistema, dentro do qual era quase impossível compor uma base ampla para governar.

Nesse contexto, Adhemar enfrentou os desfalques de homens que haviam se formado politicamente no PSP e debandaram para outras legendas. Mas, em compensação, viu as fileiras de seu partido engrossarem com elementos que faziam o caminho inverso e que reforçavam sua posição nas câmaras municipais, nas Assembleias e no Congresso Nacional. Isso não era novidade, pois o cacique paulista era hábil em granjear aliados. Atendia aos pedidos dos prefeitos e vencia resistências com favores e concessões, quase sempre em consonância com os deputados da região beneficiada, de modo que as ações não ficassem isoladas. Quando chegava a época de eleições, era comum que líderes políticos procurassem antigos aliados no interior esperando receber um apoio que julgavam garantido, e voltarem decepcionados ao constatar que aquelas pessoas tinham se aliado a Adhemar.

Com a política menos ameaçadora, as obras continuaram e marcaram o governo de maneira expressiva. Houve realizações notáveis nos campos da saúde, da energia e dos transportes — como o Instituto do Coração (Incor), a Usina de Salto Grande, o Aeroporto de Congonhas e muitas outras.

E assim, ao inaugurar obras, fazer discursos e se defender dos ataques, Adhemar seguia uma rotina inevitável em busca do sonho maior: a Presidência da República. Com a aproximação das eleições, em 1950, o coro da oposição aumentaria ainda mais, assim como as dificuldades do jogo político, todo ele tecido com alianças, conchavos, apoios. O cacique tinha de se equilibrar entre esses planos, o que, até então, estava conseguindo com tranquilidade. Os desafios seguintes, no entanto, seriam mais difíceis, e o obrigariam a tomar uma das decisões mais dolorosas da sua vida.

7

UM SONHO ADIADO

Adhemar não queria perder tempo. Mesmo faltando ainda mais de um ano para as eleições presidenciais, ele começou a articular a organização do PSP nos diversos estados e a realizar várias viagens por todo o país com a finalidade de projetar sua imagem e fixar seu nome. De início, tentou lançar a candidatura no esquema da situação, que envolvia PSD, UDN e PR, mas a ideia não deu certo. Além de ele ser uma força com pouca expressão política fora de São Paulo, os conflitos entre as seções estaduais do PSD e a dificuldade de ser aceito pela UDN bloqueavam os avanços nessas legendas. Então, ele mudou de estratégia, apresentando-se como o candidato da oposição, identificado com as forças progressistas e que atacava o conservadorismo das elites.

O passo seguinte foi se aproximar dos trabalhistas na tentativa de obter o apoio de Getúlio Vargas, que havia algum tempo vinha ensaiando a sua volta ao poder. Eleito senador por São Paulo e Rio Grande do Sul, o caudilho sentia-se à vontade para permanecer no PSD, agremiação pela qual se elegera, e prestigiar o PTB, que ajudara a fundar. Mantinha contato com políticos e, ao mesmo tempo, procurava o apoio dos militares.

Estava na expectativa das negociações entre a UDN e o PSD, sem assumir compromisso com nenhuma das correntes que o procuravam. No fundo, o que ele queria era dividir os dois partidos. Mas sabia que o apoio do governo de São Paulo era muito importante para suas pretensões — o PTB ainda estava em formação e não tinha condições de lançar a candidatura no estado sozinho. Além disso, tendo os paulistas a seu lado, as resistências militares diminuiriam, uma vez que, nesse caso, as possibilidades de conflito ficariam bastante reduzidas.

No início do ano foram mantidos os primeiros entendimentos com Vargas, cercados do maior sigilo. Da parte do PSP, foram enviados Erlindo Salzano, um dos assessores mais próximos e com destacada influência sobre Adhemar, e Caio Dias Baptista. Do PTB, vinha o major Newton Santos, substituído depois pelo político gaúcho Danton Coelho (que Getúlio chamava de "o amigo certo das horas incertas"), mas as conversas não evoluíram quase nada.

Adhemar sabia que, mesmo se Getúlio não saísse candidato, o PTB se recusaria a apoiar o governador paulista, preferindo fazer um acordo com o PSD. Mas estava disposto a lutar. Nesse sentido, além de se tornar uma figura conhecida país afora, ele teria de reverter a opinião terrível que a imprensa dominante havia construído sobre sua pessoa. Uma série de viagens que atraíssem a atenção dos jornalistas parecia ser uma saída, mas poderia também não fazer muito efeito. Era preciso pensar em algo de impacto. Foi assim que ele propôs ao empresário das comunicações Assis Chateaubriand que um de seus mais destacados repórteres, Samuel Wainer, o entrevistasse a bordo de um avião. Wainer deixou anotado:

> Ele achava que, a 3.000 m de altura e registradas por mim, suas declarações alcançariam enorme efeito. Esperto, Chatô respondeu-lhe que a entrevista seria feita desde que Adhemar pagasse 300 contos de réis — uma fortuna para a época. Adhemar concordou. Chateaubriand chamou-me, revelou-me o acerto e informou que eu receberia uma comissão de 20%. Era tanto dinheiro que, com essa comissão, comprei um apartamento para minha primeira mulher na

Avenida Nossa Senhora de Copacabana, no Rio. [...] Chateaubriand, que detestava dar dinheiro a seus repórteres, fez-me uma profecia:

— O senhor vai ficar rico.

Na entrevista que realizou com o governador de São Paulo, Samuel Wainer embarcou no bimotor Beechcraft, de propriedade de Adhemar, que pilotou o avião. Wainer foi no lugar reservado ao copiloto. Viajando pelo interior paulista durante dois dias, não só de avião, mas também de automóvel e a cavalo, dormindo de quatro a cinco horas por dia, Adhemar percorreu 2 mil quilômetros e compareceu a quinze comícios e três banquetes. Wainer registrou que, mesmo enfrentando toda essa jornada, o político não demonstrou cansaço nem perdeu o bom humor. A reportagem foi publicada na revista *O Cruzeiro* no dia 9 de abril de 1949 e, como era de se esperar, rendeu muitos dividendos políticos ao entrevistado.

Ainda naquele ano, Adhemar se veria às voltas pelo menos mais duas vezes com Assis Chateaubriand. O jornalista e empresário tinha arrematado num leilão da Christie's o *Blue sitting room*, quadro pintado a óleo por ninguém menos que *sir* Winston Churchill, e tentava a todo custo trazer o primeiro-ministro inglês para o Brasil. Em artigos, Chateaubriand exaltava as qualidades do líder conservador britânico, dizendo querer vê-lo proferindo discursos proclamando as vantagens da livre empresa. A propósito, a embaixada da Grã-Bretanha no Brasil e o Foreign Office trocaram correspondência discutindo as intenções de Chateaubriand. Como narra Fernando Morais em *Chatô, o rei do Brasil*, apesar dos motivos declinados pelo jornalista, a conclusão dos diplomatas britânicos no país era a de que a visita serviria para Chateaubriand "usar o sr. Churchill como uma vara para cutucar e bater no sr. Adhemar de Barros, suposto candidato a presidente da República, cuja proposta de ganhar o apoio dos descamisados o levou a ser tachado de socialista por seus opositores". O argumento parece ter sido convincente, pois o primeiro-ministro inglês decidiu não visitar o Brasil.

Outro episódio se deu em virtude de mais uma reportagem relacionada ao governo paulista, dessa vez na contramão do caminho tomado por

Samuel Wainer. O jogo estava proibido no Brasil desde 1946, por força de decreto do presidente Dutra, mas em São Paulo era praticado sem que as autoridades fizessem muita força para impedir. Jorge Ferreira, jovem jornalista que chegara com prestígio à sucursal paulista de *O Cruzeiro*, vindo do *Diário de Notícias*, resolveu fazer uma reportagem sobre a jogatina na cidade. Terminado o trabalho, soube, na sede da revista, no Rio de Janeiro, que a matéria seria publicada na abertura da edição seguinte e ocuparia nada menos que catorze páginas. Mas a revista acabou saindo sem a reportagem, para imensa frustração da sucursal. Assis Chateaubriand esclareceu a Ferreira o que acontecera:

— Meu filho, você é um bom repórter, mas escolha um lugar em que você queira passar uns seis meses, porque eu passei a sua reportagem nos cobres.

Além de exigir rigor no combate ao jogo, a imprensa paulista ainda lamentava, mesmo após o afastamento do risco de intervenção, a arriscada emissão de papéis com os quais Adhemar captava dinheiro para bancar as obras, reclamando da situação financeira estadual. Em junho de 1949, *O Estado de S. Paulo* publicou a informação de que o governo federal, por intermédio do Banco do Brasil, precisou resgatar um título do Tesouro de São Paulo protestado em Nova Iorque. Adhemar desmentiu a notícia, que foi confirmada pela carteira de câmbio do banco. O governo estadual, devendo pagar 798.474,52 dólares, fizera remessa de apenas 250 mil dólares. O jornal, então, declarou a "bancarrota do estado" em seu editorial.

A ascensão política de Adhemar e sua possível candidatura à Presidência da República acenderam os ânimos tanto das pessoas que o admiravam como das que o temiam. Esse parece ter sido o caso de Augusto Frederico Schmidt, o célebre poeta e empreendedor carioca, que em artigo publicado na imprensa fez uma advertência séria com relação ao governador de São Paulo:

> Procurei ouvir muita gente sobre o fenômeno ademarista em São Paulo e tive a surpresa de verificar que o irrequieto, o agitado, o demoníaco

> Ademar já vai alargando o círculo de suas simpatias e conseguindo adeptos mesmo fora do que se chama massa, e que é apenas povo, esse povo tão necessitado de esperança para poder viver.
>
> [...]
>
> Nem mesmo com os adversários paulistas de Ademar de Barros realiza o presidente Dutra uma política. São Paulo está abandonado à sua própria experiência e isso terá consequências.
>
> Ou se dá um milagre na vida política e estalos de Vieira nas cabeças e almas dos homens do demo-liberalismo e deixam eles as sobrecasacas, as combinações, as fórmulas, as subtilezas e se decidem a caminhar para o meio da rua, ou acordam derrotados, vencidos e entregam o país ao ademarismo, porque não é possível corrigir pelas armas a escolha das urnas, como esperam e desejam os que supõem que é essa a missão das forças armadas.
>
> [...]
>
> É preciso enfrentar, pois, o governador de São Paulo com as armas da inteligência, fazendo alguma coisa mais do que essa pura e lívida política tão fora de tempo.

Um dos exemplos dessa "pura e lívida política tão fora de tempo" era uma nova aproximação com os comunistas, banidos desde o ano anterior. Mas Adhemar parecia não pensar assim. Em meados de 1949, ao voltar de viagem aos estados do Norte e do Nordeste, ele ordenou à Secretaria de Segurança Pública o afrouxamento da repressão aos antigos aliados, o que levou o titular da pasta a deixar o cargo. Nos meios políticos de São Paulo circulavam rumores de que o governador estava fazendo algumas concessões, sendo a principal delas a permissão para que o PCB pudesse se rearticular no estado sob as vistas complacentes das autoridades. Foi assim que o coronel Nelson de Aquino, secretário de Segurança Pública, recebeu instruções a serem enviadas ao DOPS, de modo que o órgão paralisasse a vigilância e a ação preventiva contra os comunistas. Como Aquino era oficial do Exército e sabia da responsabilidade que uma medida daquelas implicava, recusou-se a acatar as instruções e enviou seu pedido de demissão ao governador. O jornal sensacionalista *A Noite* identificou imediatamente a crise: "Desencadeia-se em São Paulo agitação subversiva. Onda de greves comunistas. Santos seria o próximo foco".

Com ou sem um novo apoio dos comunistas, poucos acreditavam no êxito da candidatura, pois o PSP era bem estruturado apenas em São Paulo e não tinha o apoio de mais ninguém. As pessoas não se lembravam de que seu líder, quando disputou o governo do estado, em 1947, também era um azarão. Ciente disso, Adhemar procurava de todas as formas incentivar e convencer os companheiros de partido. De qualquer maneira, estava fora de cogitação sair candidato sozinho, sem nenhum apoio. Era preciso tentar algo mais arrojado. A opção prevaleceu sobre o velho caudilho.

Em março de 1950, Adhemar pousou com seu DC-3 na fazenda de Getúlio Vargas, em São Borja, levando consigo Erlindo Salzano, o general Estilac Leal, comandante da 2ª Região Militar, e Danton Coelho, além de outros assessores. Adhemar viajara ao Rio Grande do Sul para discutir os termos de um eventual acordo que lhe permitisse apoiar a candidatura de Vargas. Samuel Wainer, que por acaso estava no local, narrou detalhes:

> Não presenciei as discussões, mas não me foi difícil descobrir o que ali se passara. Fiz a viagem de volta no avião de Adhemar. O governador paulista, nem bem se acomodara numa poltrona, ajeitando com dificuldade a barriga imensa, e as queixas já começaram:
>
> — Teu amigo me corneou — disse Adhemar com sua legendária sem-cerimônia. — É um filho da puta, mas não há alternativa: teremos que sair juntos.
>
> Adhemar contou-me, então, um detalhe da reunião, que depois se incorporaria ao folclore de espertezas de Vargas. Ao longo das discussões, decidiu-se que o vice-presidente seria indicado pelo Partido Social Progressista, o PSP, controlado por Adhemar. O vice de Getúlio, Café Filho, efetivamente sairia dos quadros do PSP. Decidiu-se, também,

que Getúlio e Adhemar estariam juntos na campanha de 1955. Terminadas as conversas, manifestou-se o estilo de Vargas. Depois de assinar o documento que continha os termos do acordo, o governador de São Paulo passou a caneta a Getúlio. Então, Getúlio ponderou que, em função dos esforços que desenvolvera para a consumação do acordo, Danton Coelho merecia assinar o documento em nome do candidato. Adhemar ficou atônito, mas Vargas tratou de passar a caneta a Danton. Depois, todos os presentes assinaram o documento histórico. Entre os signatários, faltava um único nome: Getúlio Vargas.

Anos mais tarde, numa entrevista, o jornalista definiu os termos do entendimento de modo categórico:

— Quem iria ditar o destino dos dois eram muito mais os fatos do que a simples assinatura de um papel, que não tinha outra força senão a liderança popular que eles representavam. Era um pacote em que ninguém concordava com ninguém.

Além da falta de apoio, havia outro complicador na candidatura de Adhemar. Ele teria de se desincompatibilizar do governo estadual caso desejasse concorrer à Presidência da República, passando o cargo para Novelli Júnior. Na prática, isso significava entregar o poder ao PSD e a Dutra e abrir a porta para uma nova enxurrada de inquéritos administrativos. Por outro lado, dentro do PSP não havia unanimidade com relação à sua candidatura. É certo que muitos núcleos se posicionaram a favor, como foi o caso do diretório do Rio de Janeiro. Alguns companheiros de partido também o incentivavam a seguir em frente, afirmando que a campanha teria um viés popular e que, nesse caso, a firmeza do líder diante dos golpes adversários venceria qualquer obstáculo. Mas havia uma resistência muito grande também. Novelli Júnior provavelmente apoiaria Cristiano Machado, candidato do PSD sem nenhuma base popular. Com isso, além da inevitável devassa no governo anterior, ele colocaria a máquina paulista a favor do colega.

A coordenação dos entendimentos com o PTB tinha ficado apenas com Erlindo Salzano, que não era favorável à candidatura de Adhemar pelos mesmos motivos que os companheiros de partido também eram contrários a ela. No final de março, ele foi conversar com o chefe pessepista e pedir instruções para se entender definitivamente com Getúlio, ao mesmo tempo em que tentava dissuadi-lo da campanha. A conversa não foi fácil, principalmente porque Adhemar não queria abrir mão de seu grande sonho, ainda que reconhecesse fundamentos na posição de Salzano, o que lhe tirava a força de argumentação. Salzano relacionou as razões que então sensibilizavam a maioria dos membros do partido, observando, enquanto falava, que a fisionomia do chefe tornava-se cada vez mais grave. Adhemar, como se estivesse vendo o paraíso desabar, limitou-se a responder:

— Faça como você quiser.

Salzano seguiu para a Estância dos Santos Reis, no Rio Grande do Sul, onde se encontrou com Vargas e ouviu do caudilho que, realmente, o PTB não apoiaria a candidatura de Adhemar. Desse modo, com os termos praticamente definidos e sem alternativas, selaram o acordo, que ficou conhecido como o "Protocolo dos Santos Reis". Segundo o documento, o PSP deveria indicar o candidato à vice-presidência, sendo que a composição do ministério seria feita em conjunto com Adhemar. No caso de ser eleito, Vargas comprometia-se a apoiar a candidatura do cacique pessepista à presidência em 1955.

Adhemar manteve o mais absoluto suspense até o prazo final da desincompatibilização. Dias antes, providenciou a retirada dos móveis e dos arquivos e, para espanto geral, exonerou o pessoal do gabinete. Mas era tudo jogo de cena a alimentar a incrível teia de boatos que se expandia descontroladamente. Segundo um dos mais graves, ele teria oferecido 35 mil contos a Novelli Júnior para que este se mantivesse neutro durante o governo, caso viesse a exercê-lo. Porém, como assinalou Mario Beni, além de se referir a uma quantia fabulosa para a época, era difícil acreditar que o suborno aplacasse uma inimizade que ultrapassava os limites do razoável.

A aliança entre o PSP e o PTB ficou garantida pelo general Estilac Leal, que se encarregaria de abafar todas as manifestações da parte dos militares contrários à candidatura getulista. Além disso, caso houvesse qualquer movimento armado, Getúlio cruzaria a fronteira e Adhemar assumiria o comando político da campanha. No dia 2 de abril, após receber o "Protocolo dos Santos Reis", Adhemar anunciou sua decisão num discurso duro, em que indiretamente atacava Novelli Júnior e Dutra:

> Dirijo-me, hoje, ao Brasil, para anunciar minha decisão de não ser candidato nas próximas eleições, à Presidência da República [...]. Meu gesto tem uma explicação e o povo precisa conhecê-la inteiramente.
>
> [...] Alimentei, repito-o, o sonho de candidatar-me ao cargo que me possibilitaria dar ao país essa consciência de si mesmo, e ao povo brasileiro a satisfação justa e imediata de suas reivindicações, sempre esquecidas. Mas, entre mim e o Brasil, interpôs-se um conluio sinistro. Contra o governo e o estado de São Paulo aliaram-se traficantes reincidentes do brio paulista a todos quantos, fora de nossa terra, deles só se servem para amesquinhar São Paulo na Federação [...].
>
> A princípio, quiseram furtar-me o direito de posse no cargo para o qual fora eleito [...]. Ocorreu, depois, a batalha legislativa contra a minha administração [...].
>
> A manobra contra a posse do candidato legitimamente eleito, os ataques sistemáticos da oposição no parlamento revelaram-se, todavia, ineficazes. Era preciso, portanto, inventar outra torpeza de ação mais rápida. Foi aí que surgiu a conspirata intervencionista [...]. Derrotados politicamente, os intervencionistas recorreram ao emprego dessa arma desesperada que é a de tentarem reduzir-me ao silêncio mediante o bloqueio econômico do estado. Todos sabem que as forças propulsoras da riqueza brasileira de São Paulo acham-se agora submetidas à coação e ao controle [...].
>
> Para mim, a situação tornou-se, portanto, presa nas pontas de um dilema. Ou eu renunciaria ao cargo de governador e me candidataria à presidência da República, abandonando São Paulo à sanha dos que

o querem explorar, apenas para satisfazer meu desejo; ou teria de renunciar a esse propósito legítimo, ficando ao lado de minha terra e do povo brasileiro que, generosamente, confia em mim. Não hesitei; renuncio à minha aspiração para ter a glória de continuar trabalhando, lutando e sofrendo por São Paulo e pelo Brasil [...].

No dia 7 de junho, Getúlio aceitou as indicações do PTB e do PSP para sua candidatura à presidência. Já o PSD e a UDN acabaram optando por nomes de seus próprios quadros: Cristiano Machado concorreria pelo PSD e o brigadeiro Eduardo Gomes, mais uma vez, pela UDN. Quando ficou claro que apoiaria Getúlio, Adhemar recebeu dele uma carta de incentivo:

Meu prezado amigo: depois de um longo exame da situação do Brasil e da minha posição na política nacional, resolvi aceitar o lançamento da minha candidatura. Está o meu prezado amigo autorizado a lançar o meu nome onde e como julgar mais conveniente. Estou disposto à luta. Ela será árdua, mas espero que se desenvolva dentro de um campo elevado de patriotismo. Estamos unidos para a redenção do Brasil.

A candidatura de Getúlio foi lançada oficialmente no dia 15, num comício gigantesco em frente ao Museu do Ipiranga. Adhemar aproveitou o ato para dar demonstração de força política, apresentando-se como o "general da vitória".

Em paralelo à campanha presidencial, corria a disputa para governador do estado, outra grande preocupação do líder do PSP, que tinha dificuldade de encontrar um candidato que conciliasse as forças dentro do partido em meio ao número considerável de interessados. O preferido de Adhemar era Erlindo Salzano, mas ele carecia de liderança dentro da agremiação. Barone Mercadante, o segundo nome na ordem, também não tinha aceitação pela maioria. Outro forte interessado era Miguel Reale, que já vinha desenvolvendo articulações nesse sentido. O movimento de apoio à sua candidatura ao governo do estado surgiu em razão da sua contribuição ao partido, ocorrida desde a fundação do PSP. Mas Adhemar não via esse movimento de maneira favorável, não apenas pelas divergências de pensamento com o jurista e professor, como também pelo temor de que, com a eleição, Reale esvaziasse o "adhemarismo" e fortalecesse o "social-progressismo". No fundo, Adhemar tinha medo de perder o seu cavalo de batalha, que era como via o partido.

Além desses nomes, havia o grupo ligado a Caio Dias Baptista, que tinha sido secretário de Viação e Obras Públicas e guardião do dinheiro da "caixinha". Era um homem com temperamento bastante parecido com o de Adhemar, assim como o mesmo modo de agir com relação aos negócios públicos. Adhemar estimulava a sua candidatura dentro da tática de dividir para governar, com a qual ele evitava o surgimento de lideranças que viessem a superá-lo no comando do PSP. Mas nesse caso a coisa tomou rumos inesperados. Baptista acreditava no apoio irrestrito do chefe, e, uma vez configurado de forma clara que isso não iria se concretizar para a escolha do seu sucessor no governo, ele se desligou da Secretaria e rompeu com o partido, sendo acusado pelos companheiros de se apossar da "caixinha". Para o seu lugar, Adhemar nomeou Lucas Nogueira Garcez, um professor sem qualquer vinculação com o PSP, cujo nome havia sido indicado pelo genro do governador, Manuel de Figueiredo Ferraz, e pela irmã deste, Esther. Garcez hesitou em aceitar o convite, apenas decidindo quando lhe foi permitido cumular a função de secretário com o magistério. Logo ele caiu nas graças de Adhemar, não apenas pela sua capacidade de trabalho, mas sobretudo pelo temperamento, dócil.

Em meio a tantas figuras, pareceu a Adhemar o nome ideal para sucedê-lo. O professor não fazia parte dos quadros do partido e, por esse motivo, possibilitava a conciliação das diversas correntes envolvidas, além de, aparentemente, não ameaçar a liderança do chefe. Às vésperas da convenção que escolheria o candidato às eleições, pessoas mais próximas de Adhemar, como Mario Beni, davam como certa sua preferência pelo professor Garcez. O cacique desconversava:

— Será o candidato quem reunir a maioria dos votos. A convenção é democrática.

Mas a maioria dos votos evidentemente já estava assegurada. O que incomodava Adhemar de fato era o crescimento progressivo da candidatura de Miguel Reale. Simpatizantes do jurista fizeram publicar um manifesto de página inteira nos jornais e promoveram, no ginásio do Pacaembu, o maior banquete até então oferecido em homenagem a um político. Tudo à revelia do líder, que ainda não tinha definido oficialmente a posição que iria tomar. Em suas memórias, Reale comentou como o fato foi recebido por ele:

> Na véspera da homenagem, ao despachar com Adhemar de Barros, percebi-o irritado, como se a sua autoridade estivesse sendo afrontada, até o ponto de se abrir, revelando o fundo de seu pensamento:
>
> — Você, com sua atitude, está estragando o meu plano de uma convenção democrática, destinada à escolha de meu sucessor!

Reale conhecia bem o feitio autoritário de Adhemar, mas se surpreendeu com a declaração, pois no seu entender o caráter democrático da convenção era exatamente a possibilidade de que os candidatos fossem lançados diretamente e sem surpresas, com o apoio comum tanto do governador como do partido. Talvez por isso não estivesse preparado para enfrentar o golpe que o aguardava.

Nos dias que antecederam a convenção, centenas de convencionais viajaram a São Paulo, mantendo reuniões políticas constantes no escritório de Reale. Todos ouviam que o voto secreto ia ser exigido, a fim de impedir "naturais vinditas". A atitude irritou o governador, que, em parceria com o coronel Flodoardo Gonçalves Maia, secretário da Segurança Pública, e o delegado do DOPS em São Paulo, armou um plano para minar a possível escolha do ex-secretário. Na véspera da convenção, dia 23 de junho, os auxiliares imediatos de Reale foram presos, sob a alegação de estarem preparando um golpe integralista, e o candidato foi apresentado por parte da imprensa como um "extremista" que tentava assumir o comando do estado. Reale dirigiu-se à convenção, no teatro Colombo, com a intenção de deixar registrado o seu protesto. Logo no início, contudo, Adhemar declarou que o partido ia apoiar Getúlio Vargas e Lucas Garcez, esvaziando de antemão o sentido do encontro. Reale se retirou imediatamente, acompanhado de amigos e apoiadores.

No dia seguinte, os jornais noticiaram o evento como "a convenção caricata", dizendo que Adhemar tinha tirado o candidato "do bolso do colete". Reale, à época reitor da Universidade de São Paulo, renunciou ao mandato e, mesmo ressentido, não se deu por derrotado, aceitando o convite feito por Hugo Borghi para disputar o Senado, numa coligação entre o PTN (Partido Trabalhista Nacional), o PST (Partido Social Trabalhista) e o PRT (Partido Republicano Trabalhista). Ambos foram vencidos, mas Reale encontrou uma alternativa política no trabalhismo, no que o seguiram seus antigos aliados no PSP.

Enquanto isso, a campanha para a Presidência da República seguia tensa. Adhemar não se conformava com o fato de ter desistido da candidatura e ainda alimentava esperanças de uma articulação militar contra Getúlio. Secretamente, segundo se dizia, ele próprio planejava assumir o comando de um movimento armado de resistência, como líder das forças populares. Nessa misteriosa empreitada, servia-lhe de guia o italiano G. Cambareli, astrólogo e ocultista que afirmava ser antigo conselheiro privado de Benito Mussolini e participante da Marcha Sobre Roma. Ainda que não tivesse conhecimento da trama, Getúlio, por cautela, dispensou o avião que lhe fora oferecido pela Aerovias, empresa de Adhemar, para a campanha no estado de São Paulo, e preferiu se deslocar numa aeronave da Varig.

Adhemar participava dos comícios com entusiasmo, como se ele fosse o candidato. Numa dessas oportunidades, desembarcou em São Luís, no Maranhão, onde teve de enfrentar as artimanhas do governador Sebastião Archer, que apoiava o brigadeiro Eduardo Gomes e se recusou a liberar a praça João Lisboa, a principal da cidade, obrigando Adhemar e os demais políticos a realizar a solenidade em uma praça marginal. Terminado o comício, já de noite, os manifestantes se retiraram e seguiram marchando para o hotel Central, que ficava próximo à praça interditada. O local continuava vigiado pela polícia, escondida num canto, mas a massa, empolgada com os discursos que acabara de ouvir, quis invadir o espaço de qualquer maneira. A polícia, então, disparou. Na confusão enorme que se seguiu, a maioria saiu correndo em desespero, outros se jogaram no chão, e um operário morreu atingido pelos tiros. No meio da multidão, por acaso, estava um jovem poeta de vinte anos que começava a se apaixonar pelo ideário de esquerda e pela luta de classes: Ferreira Gullar. Ele ia para a rádio Timbira, onde trabalhava como locutor, e tinha acabado de descer do bonde com seu pai quando começou o corre-corre.

No dia seguinte, recebeu para colocar no ar uma nota do governador do estado que o deixou indignado: "Comunistas mataram ontem um operário na praça João Lisboa". Ao ver o texto, ele soltou:

— *Sabonete Regina é uma maravilha, experimente. Vamos ouvir agora mais uma música da nossa programação.*

Irritado e sem entender o que estava acontecendo, o diretor da rádio perguntou:

— Você leu a nota?

— Não.

— Por quê?

— Porque é mentira.

— Mas você não tem nada a ver com isso.

— Tenho a ver com isso, sim.

— Então sou obrigado a demiti-lo.

O diretor cumpriu a promessa e Gullar, demitido, acabou se metendo na campanha política, cada vez mais desafiadora para os observadores. As coligações variavam muito, mesmo no caso de lugares próximos entre si. Em cada região havia uma composição diferente de partidos, o que tornava impossível aos candidatos adotar um discurso único. Para contornar essa dificuldade, partidários do PSP aguardavam os membros dos diretórios municipais na entrada das cidades e ali mesmo ajustavam o tom dos seus discursos. Num arco de poucos quilômetros, os elogios feitos à UDN, por exemplo, transformavam-se em duras críticas. As figuras de Getúlio Vargas ou do brigadeiro Eduardo Gomes assumiam um colorido diverso, segundo as contingências do desenho traçado em cada comuna — eram bandidos ou heróis, conforme o caso. No fim das contas, tudo se resolvia em função das coligações locais.

Na disputa presidencial, as tensões aumentaram quando Adhemar anunciou Café Filho candidato à vice-presidência, à revelia de Vargas. Getúlio temia que sua candidatura fosse recebida como um ato de revanchismo contra o Exército, por tê-lo deposto em 1945, e pretendia oferecer o cargo ao general Góes Monteiro, com a intenção de neutralizar a oposição militar. Além disso, como observou Samuel Wainer, "Getúlio não confiava em Café; tinha-lhe horror físico". Mas Adhemar era terminantemente contra a opção de Vargas. Ele sabia que, se Monteiro fosse vice, seriam deste as maiores possibilidades de se eleger presidente em 1955.

Havia outra razão para Getúlio recusar o nome do pessepista: Café Filho era malvisto por parte considerável do setor católico em razão de, no início de sua carreira política, ter apoiado movimentos sindicais, e durante a Constituinte ter se oposto às emendas religiosas. Adhemar colocou duas alternativas de São Paulo para o cargo de vice: Erlindo Salzano e Mario Beni. Mas Vargas ainda preferia um nome forte oriundo do Norte ou do Nordeste, e nesse caso a melhor opção seria mesmo Café Filho. Como o tempo passava e o caudilho não se decidia, recebeu em Vitória um recado direto de Adhemar:

— Sem Café Filho não haverá apoio do governador de São Paulo.

Erlindo Salzano ficou preocupado com a possibilidade de rompimento dos dois líderes, pois a candidatura de Getúlio crescia e vencia as resistências militares. Vargas precisava cada vez menos da ajuda de Adhemar e, para complicar, havia anunciado seu apoio à candidatura de Hugo Borghi ao governo de São Paulo. Em mais um esforço de conciliação, Salzano acertou a suspensão das hostilidades. Getúlio, então, cedeu. Num comício em Curitiba, pela primeira vez chamou Café Filho ao seu lado e disse aos presentes:

— Este é o meu candidato.

Vendo a porta da Presidência da República temporariamente fechada e o seu mandato estadual chegar ao fim, Adhemar pensou em se candidatar ao Senado pelo Rio de Janeiro, no lugar de Mozart Lago. Mas suas intenções foram em vão. No dia 25 de setembro, o Tribunal Superior Eleitoral acolheu impugnação apresentada por Adauto Lúcio Cardoso e decidiu, por quatro votos contra dois, considerar Adhemar inelegível para o posto, em face do artigo 139, IV da Constituição, que nesse caso obrigava o governador de estado a deixar o cargo três meses antes do pleito.

O episódio teve alguns aspectos nebulosos. Em 1º de outubro, o *Diário de S. Paulo*, de Assis Chateaubriand, noticiava manobra do líder do PSP em sua malfadada candidatura e exibia fac-símile de um estranho documento com o timbre do gabinete do governador do estado de São Paulo, endereçado a Chagas Freitas, que o auxiliava no Rio. Sua mensagem era dúbia e falava numa quantia a ser paga a Mozart Lago — que, segundo a reportagem, receberia o dinheiro em troca de se retirar da chapa para o Senado — e do interesse de Adhemar em agraciar a classe dos motoristas e as escolas de samba. O mistério ficava na afirmação de que o Tribunal Eleitoral deveria custar-lhe "os olhos da cara". Ainda que o documento desse margem a dupla interpretação (a de que o dinheiro poderia ser destinado aos honorários dos advogados), o jornal foi para o lado mais radical, afirmando sem meias palavras que Adhemar desejava subornar a corte. A manobra, se de fato existiu, não deu certo. Mozart Lago foi mantido na chapa e venceu com facilidade.

Getúlio continuava a superar os obstáculos na campanha, inclusive os colocados pela imprensa — o jornal *Última Hora*, de Samuel Wainer, era o único a apoiá-lo. A partir de determinado ponto ele se tornou imbatível. Na área social, prometia fortalecer as leis de previdência. Nos estados mais industrializados, buscava a adesão do operariado. Em Minas discursava para a classe média e no Nordeste prometia acabar com o flagelo da seca. Tinha promessas para todos, de todos os rincões. Não foi à toa que o povo cantou a marchinha de Haroldo Lobo e Marino Pinto, originalmente gravada por Francisco Alves, embalando a campanha triunfal:

Bota o retrato do velho outra vez,
Bota no mesmo lugar.

O sorriso do velhinho
Faz a gente trabalhar.

E o velhinho venceu, terminando a eleição com quase a maioria absoluta de votos. Já o PSP conquistou, além da vice-presidência, a cadeira do Senado, com César Vergueiro, e um terço das cadeiras reservadas a São Paulo na Câmara Federal.

A disputa para o posto de governador também foi acirrada. Ao contrário do PTB, que contava com a estrutura sindical e previdenciária controlada pelo Ministério do Trabalho, Adhemar não tinha à disposição os recursos da burocracia, sendo obrigado a conquistar o apoio das massas urbanas exclusivamente mediante seu carisma pessoal. Mesmo assim, ele conseguiu estabelecer uma base própria que, em muitos momentos, serviu como barganha eleitoral com o PTB. Além disso, inovou de modo surpreendente ao criar a Propago Publicidade, a primeira agência especializada em propaganda política do Brasil, cuja infraestrutura permitia o transporte, pelo interior, de caravanas com palanques desmontáveis e equipamentos de som. Os comícios deixavam de acontecer de modo rudimentar para assumir uma forma mais padronizada, dentro de um plano que permitia ganhar tempo e aumentar a exposição dos candidatos. A estratégia incluía pela primeira vez a televisão, mesmo levando-se em conta o pequeno número de aparelhos existentes à época.

Se, por um lado, perdeu a presidência com que tanto sonhava, Adhemar fez o seu sucessor no estado, ao eleger Lucas Nogueira Garcez, com 47% dos votos, e conquistar a maior bancada na Assembleia Legislativa, triunfos que lhe proporcionavam conforto, assim como a sensação de se perpetuar no poder. Pelo menos era o que ele achava naquele momento. Com a cabeça cheia de planos, preocupado com a formação do ministério de Vargas e do secretariado de Garcez e com as eleições presidenciais de 1955 na mira, ele provavelmente não daria muita importância ao comentário feito anos antes por um de seus antecessores:

— Aquela cadeira de governador, nos Campos Elíseos, dá uma comichão de independência que nem é bom pensar.

8

A CRIATURA REBELDE

Passadas as eleições, começava a corrida por cargos. O apetite dos que haviam apoiado os candidatos vencedores parecia não ter fim. Adhemar, que se considerava credor de Vargas por causa da aliança que ambos haviam feito em 1950, adotou uma tática para tirar o caudilho do meio da pressão dos outros partidos, antes de iniciar as negociações para a composição do ministério: levou-o para Campos do Jordão. Achava que, na tranquilidade da serra, longe do burburinho da capital, seria mais fácil obter concessões. Mas não foi tão simples. Getúlio havia assumido vários compromissos, principalmente com o PSD, e estava com as indicações comprometidas em grande parte.

Refletindo os acordos feitos ao longo da campanha, o PSD levou cinco pastas; o PTB, apenas uma, a do Trabalho; e o PSP, ainda que tivesse prestado apoio maciço ao velho político, teve de se contentar com o Ministério da Viação e Obras Públicas. No entanto, se Adhemar achou ter tirado pouco do encontro em Campos do Jordão, o mesmo não se passava na cabeça de Getúlio, como Samuel Wainer comentaria mais tarde:

> Numa noite, depois de alguns dias de conversas, Getúlio chamou-me a seu quarto e fez-me um pedido: seria possível publicar uma notícia nos jornais do dia seguinte? Perguntei-lhe do que se tratava. Ele pediu-me que divulgasse a informação de que, convidado a descansar em Campos do Jordão pelo governador de São Paulo, o presidente eleito tivera a surpresa de ver o anfitrião apresentar-lhe a conta — e pagara. Publiquei a notícia. Adhemar ficou irritadíssimo. Ele compreendera o recado: por vias sinuosas, Getúlio estava avisando a Adhemar que, com as concessões feitas em Campos do Jordão, estavam quitadas as contas abertas quando do Pacto da Frente Popular Brasileira. Rompendo-se, assim, a aliança que facilitara a volta de Getúlio ao poder.

Para compensar a premiação acanhada, foi dada a Adhemar a opção de escolha do presidente do Banco do Brasil, que prevaleceu sobre Ricardo Jafet. Como ele havia influenciado também na indicação de Horácio Lafer para o Ministério da Fazenda, os interesses econômicos de São Paulo, de certa forma, estavam assegurados. Mas Adhemar tinha motivos de sobra para continuar insatisfeito.

A indicação de Horácio Lafer era atribuída, na verdade, ao PSD paulista, contando apenas com a simpatia do cacique pessepista. Por outro lado, era voz corrente que a nomeação de Ricardo Jafet para a presidência do Banco do Brasil tinha sido de iniciativa do próprio Vargas, em retribuição ao apoio financeiro durante a campanha. No fundo, os únicos trunfos que Adhemar poderia exibir, além da presença de Sousa Lima no Ministério da Viação e Obras Públicas, eram a presidência do Iapetec e a prefeitura do Distrito Federal.

Mesmo assim, ele sabia que os nomeados comporiam um ministério provisório, o qual teria como papel dar lugar ao chamado governo de coalizão após a consolidação das posições nos governos estaduais e no Congresso. Dessa forma, estava preparado para trabalhar naquela hora e depois.

Em 31 de janeiro de 1951, no mesmo dia em que Getúlio foi empossado, Lucas Nogueira Garcez assumia o governo paulista. Para a surpresa de muitos, a dificuldade encontrada na distribuição de cargos no governo federal repetiu-se em São Paulo. Adhemar queria que o governo fosse exclusivamente pessepista, mesmo diante da necessidade de atender as correntes que apoiaram a candidatura de Garcez e de amenizar resistências na Assembleia Legislativa. No fim, diante do risco de instabilidade, acabou cedendo. O PTB recebeu as Secretarias do Governo e do Trabalho, além de algumas autarquias. O PRP foi agraciado com a Secretaria da Justiça.

Feita a partilha com os aliados, sobrava a parte do PSP. As pastas da Fazenda e da Educação foram ocupadas por Mario Beni e Juvenal Lino de Matos. A Secretaria da Agricultura também foi entregue ao partido, e para ela foi nomeado o ex-deputado Antonio de Oliveira Costa, que no mandato anterior havia liderado a dissidência do PSD na Assembleia Legislativa — o chamado "grupo dos nove" — e passado a apoiar o então governador Adhemar de Barros. Mas Garcez não queria a mão de Adhemar pesando forte sobre o seu governo, mesmo porque havia necessidade de colocar ordem na casa, especialmente por causa da precária situação financeira deixada pela gestão do cacique (o rombo nas contas era quase do tamanho da receita do exercício seguinte). Para fazer frente a esse e outros compromissos e evitar a repetição dos erros passados, a saída foi emitir títulos e privilegiar gente de reconhecida capacidade técnica, sem vínculos com a corrente adhemarista. Dentro dessa proposta, Garcez entregou a prefeitura de São Paulo a Armando de Arruda Pereira, que havia sido presidente da Fiesp, e colocou nas Secretarias da Saúde e da Viação elementos da sua confiança.

Adhemar não tardou a perceber que o pupilo ganhava autonomia. De fato, tão logo se viu investido no cargo, o governador passou a comandar não só a administração, mas a própria política dentro do estado, desvinculando-se do antigo chefe, que viu assim suas pretensões duplamente ameaçadas: além de desejar exercer influência sobre o governo estadual, ele também disputava ferozmente com o PTB a estrutura trabalhista.

Já fazia um tempo que Adhemar queria desbancar o domínio do partido adversário nesse campo. Além do carisma pessoal e da máquina do PSP, de estrutura sem paralelo no estado de São Paulo, Adhemar tinha a seu favor o fato de a maior parte do operariado brasileiro ser paulista — Vargas se preocupava com isso e temia perder o controle do PTB para a seção estadual do partido. Com planos ambiciosos, Adhemar chegou inclusive a propor a fusão do PTB com o PSP, batendo de frente, logo no início, com Danton Coelho, então ministro do Trabalho, que alegava que tudo não passava de uma manobra para desagregar o PTB.

A tática dos petebistas para neutralizar o assédio do PSP foi quase suicida. A direção nacional do partido destituiu o diretório estadual e nomeou uma comissão de reestruturação. Para afastar Hugo Borghi da influência de Adhemar, promoveram sua reintegração ao PTB. O efeito prático das medidas, contudo, revelou-se inútil: mesmo com a ação radical, seus executores não conseguiram extinguir o PTN, onde Borghi estava, nem muito menos as bancadas federal e estadual do partido. Mas Adhemar saiu chamuscado e viu suas pretensões caírem por terra.

Paralelamente, o governo federal, que tinha interesse direto no fortalecimento do PTB, extinguiu um convênio que havia celebrado com o governo paulista para a fiscalização da legislação trabalhista em São Paulo. Diante da medida, cuja consequência imediata foi tornar sem função a Secretaria do Trabalho, membros pessepistas reagiram de modo violento, inclusive na Câmara Federal. O fato é que as duas iniciativas, de reestruturação do diretório petebista em São Paulo e extinção do convênio, geraram uma crise sem precedentes entre os membros dos dois partidos, especialmente entre Vargas e Adhemar, algo que poderia ter sido evitado. A partir de então, a relação entre os dois líderes jamais seria a mesma.

Se o PTB permanecia uma fortaleza a ser derrotada, o mesmo não podia ser dito do PSD, que nas eleições legislativas de 1950 perdeu espaço para o PSP na Câmara Federal e na Assembleia Legislativa. Ainda assim, Garcez permanecia sem base partidária suficiente para governar, o que o levou a articular uma coligação que reuniu praticamente todos os partidos, à exceção do PSB e da UDN (esta em termos, pois alguns udenistas mais jovens subscreveram o acordo, contrariando a orientação de seu partido). Na prática, a coligação dividiu o estado em feudos eleitorais, cujas consequências desastrosas já se fizeram sentir nas eleições municipais de outubro de 1951. Segundo os entendimentos mantidos, em cada município deveria ser apoiado o candidato escolhido pelo deputado mais votado da região. Assim, os secretários estaduais, mesmo que fossem membros do PSP, não poderiam falar em nome do governo nas áreas que não fossem reservadas a eles.

Adhemar logo se rebelou contra esse acordo, que contrariava fortemente os seus interesses. Lino de Matos, desconsiderando a decisão de Garcez, percorreu todo o estado fazendo campanha pelo PSP e reafirmando a liderança do velho líder, visando estimular a disputa por todos os partidos, sem limitação de regiões. Nos municípios em que, pelos termos do acerto, o PSP estava proibido de apoiar candidato, os adhemaristas partiam para a guerra aberta. Quando os discursos dos outros candidatos começavam, punham bandas de música para tocar. Em muitos casos, valiam-se da força bruta. Não raro, os comícios terminavam em pancadaria.

Os conflitos chegaram a tal ponto que Garcez foi pressionado pelo partido a deixar o vice-governador, Erlindo Salzano, na coordenação da campanha eleitoral, afastando-se dessa função. Adhemar, contudo, não queria romper com Garcez. Ele sabia que um fato como esse comprometeria as suas pretensões com relação às eleições estaduais de 1954, principalmente em razão do seu afastamento da máquina do estado. Por esse motivo, houve um esforço no sentido de caracterizar os embates como um problema entre o governador e seu secretário Lino de Matos, que acabou exonerado — para a pasta foi nomeado o então secretário da Agricultura, Oliveira Costa, e no lugar deste entrou o agricultor João Pacheco Chaves, indicado pelo PSD e muito ligado ao então deputado Ulysses Guimarães.

Mesmo com todos os trancos, as eleições municipais de 1951 foram um sucesso para o PSP, que elegeu quase a metade dos prefeitos, contra apenas 2,4% do PSD.

Enquanto batalhava para manter o controle do partido, Adhemar cultivava a sua imagem, cuja fama já transpunha fronteiras. Na seção dedicada ao continente americano, a revista *Time* publicou, em sua edição de 21 de janeiro de 1952, uma extensa reportagem sobre São Paulo, exaltando o progresso da cidade ("É o centro econômico de maior dinamismo na América Latina, o empório e ponto de convergência das finanças brasileiras") e destacando a figura de Adhemar de Barros, apontado como o "realizador político número um de São Paulo":

> Homem avantajado, física e intelectualmente. Foi o estadista que introduziu no país métodos modernos de administração, dotando, durante seu governo, valiosas realizações ao seu estado. É o político que pode dizer, referindo-se a Getúlio Vargas: "Elegi o presidente". E pode desde já considerar-se seu herdeiro à curul presidencial. Depois de ter governado seu estado durante oito anos [sic], retirou-se temporariamente em 1950. É um dos homens mais ricos e poderosos do Brasil, proprietário de várias indústrias, aerovias, fábricas de bombons, com uma fortuna superior a 50 milhões de dólares.

No Brasil, contudo, as coisas estavam longe de ser simples como a reportagem sugeria. Em março de 1952, Oscar Stevenson, um dos seus indicados ao governo federal, foi demitido da presidência do Iapetec. O fato gerou mal-estar dentro do PSP, mas Adhemar, que não queria partir para o confronto com Getúlio, repetiu a tática utilizada em São Paulo com Garcez, fazendo declarações nas quais dizia acatar a decisão, procurando caracterizar a medida como um problema puramente administrativo, que não atrapalhava as relações entre seu partido e o governo federal.

Em setembro, Adhemar viajou pela Europa e visitou Adenauer, Pinay e Churchill, entre outros chefes de estado. Na Inglaterra, foi descrito como "um homem que sabe o que quer e por que quer", que "conhece os problemas de seu país e a situação internacional" e que "leva a vantagem de falar bem o idioma inglês e de fazê-lo com senso de humor, o que é grato ao coração britânico". Numa carta endereçada a Churchill, ele se derramou em elogios ao primeiro-ministro britânico:

> O reinado de Elizabeth I deu à Inglaterra a supremacia naval; o de Elizabeth II dá-lhe, agora, a liderança aérea, do mundo. As demonstrações em Farnborough dos *Comets* ingleses a jato provam a

incrível vitalidade do gênio britânico. Parabéns, mr. Churchill, por tudo quanto essa extraordinária renascença deve ao seu indomável espírito de luta.

Quando Adhemar retornou, os jornais deram destaque a um aspecto mais prosaico da viagem, dizendo que ele trouxera um grande carregamento de bebidas. Sem desmentir, ele justificou:

— Estão dizendo que eu trouxe apenas uísque e champanhe. Mas se esquecem de que na minha bagagem vieram trinta quilos de catálogos industriais. Estive lá fora estudando e trabalhando para o Brasil.

Politicamente, o seu maior erro não foi ter trazido bebidas, mas viajar quando já estavam em curso as negociações com vistas às eleições municipais que se realizariam em março de 1953. Aproveitando a ausência do cacique, Garcez trabalhou arduamente para que o PSP indicasse como candidato à prefeitura de São Paulo seu secretário da Saúde, Francisco Antonio Cardoso, apoiando também a candidatura de Nobre Filho, do PTB, para vice. Ao retornar ao Brasil, Adhemar nada pôde fazer para mudar a escolha e foi obrigado a engolir a composição.

Em âmbito federal, ele assistia impassível a dois indicados seus, Horácio Lafer e Ricardo Jafet, simplesmente não se entenderem, a ponto de Getúlio ter de intervir várias vezes para arbitrar o conflito. Numa delas, o presidente tentou colocar Oswaldo Aranha como pacificador:

— Aranha, tu vais me fazer um favor. Vê se tu consegues reconciliar administrativamente o Lafer com o Jafet.

Oswaldo Aranha, lembrando a origem dos dois rivais (um era judeu e o outro árabe, de ascendência libanesa), mas ignorando o fato de que Jafet era cristão, suspirou:

— Getúlio, não contes comigo. Essa luta entre a sinagoga e a mesquita é muito antiga e ninguém resolveu até hoje.

O que deu origem à briga foi o esforço de contenção inflacionária. Lafer tinha o controle da política fiscal e monetária, mas não da política de crédito. E Jafet viu-se de repente com um Banco do Brasil inundado de dinheiro. Duas razões contribuíram para tanto. De um lado, em virtude das medidas restritivas tomadas por Lafer, o banco foi obrigado a reduzir os empréstimos ao Tesouro Nacional. Com isso, sobraram recursos para a expansão do crédito às atividades econômicas. De outro, um aumento nos depósitos em moeda nacional, correspondentes aos débitos cambiais dos importadores, também aportou ao banco recursos adicionais, que, no início de 1953, ultrapassavam seiscentos milhões de dólares. Enquanto não entrasse um volume igual de receita de exportação, o valor correspondente em moeda nacional deveria ficar retido no Banco do Brasil — e a instituição financeira poderia fazer com esse montante o que bem entendesse. Com tanto dinheiro na mão, era natural que Ricardo Jafet abrisse as torneiras para atender ao apetite dos apaniguados.

Sem poder resolver o conflito entre os dois, Getúlio teve de sacrificar uma posição. Como o controle da inflação era uma necessidade urgente e Jafet estava remando contra os esforços nesse sentido, era natural que fosse ele o atingido. Contudo, outro fator também pesou na decisão. O Banco do Brasil havia aprovado, durante a gestão de Jafet, um empréstimo a Samuel Wainer para o jornal *Última Hora*. Wainer pagou o valor emprestado, mas os membros da oposição a Vargas jamais aprovaram o negócio, que para eles não passava de utilização do dinheiro público em proveito próprio. Ainda que a transação tivesse contado não apenas com a concordância, mas com o incentivo de Getúlio, este não ia arriscar a própria pele em defesa de Jafet, cuja saída acabou se consumando em janeiro de 1953. Para o seu lugar, o presidente nomeou Souza Dantas. Adhemar perdeu mais um indicado.

Com Garcez, ele não tinha menos decepções. Os conflitos que ambos enfrentaram em 1951 voltariam em dobro durante a campanha para a prefeitura de São Paulo, que o governador encarava com enorme importância. Uma vitória na capital lhe consolidaria o prestígio e aumentaria as condições de eleger seu sucessor, além de colocá-lo em condições de vantagem, em 1955, para disputar a Presidência da República, desbancando o cacique. Foi com essas ideias em mente que ele articulou, durante a viagem de Adhemar pela Europa, a candidatura de Francisco Cardoso. Nessa época, ele já manifestava clara independência com relação ao antigo padrinho político e podia governar sem maiores oposições, desfrutando estabilidade graças ao acordo costurado na Assembleia.

Mas eis que, no meio da disputa, aparece um personagem novo, que se tornaria uma das figuras mais marcantes da história do Brasil: Jânio Quadros. Professor de português em uma escola da elite paulistana, ele começara a carreira política em 1947, encorajado por seus alunos. Vinha de dois mandatos não concluídos, um de vereador e outro de deputado estadual, e agora, mais uma vez movido pelo ímpeto e pela ambição, desejava candidatar-se à prefeitura paulistana, sob a promessa de uma administração severa.

Com olhos inquietos, cabelos revoltos, caspa no paletó, o novo personagem chegava de forma vertiginosa, marcando sua presença com um discurso arrevesado, cheio de palavras desconhecidas pelo grande público, algumas até já caídas em desuso. De vassoura em punho, dizia vir para varrer a sujeira deixada pelos políticos tradicionais. Tinha um programa com poucos pontos concretos, mas era dono de uma retórica hipnotizante. A carestia, os movimentos sindicais, as reivindicações dos trabalhadores, as denúncias de corrupção e a briga entre o governador e o líder do PSP — que para ele não poderia ter ocorrido em hora melhor — seriam o cenário perfeito para a fixação da sua plataforma. Seus eleitores eram conquistados no crescente proletariado, como os moradores da Vila Maria, que se tornou o seu reduto. Basicamente, pessoas que tinham a consciência de estar construindo a riqueza de São Paulo, mas desconfiavam dos "chefões" e percebiam não ter poder algum sobre as decisões estaduais. Jânio buscava também a classe média, que se sentia sufocada pela crise econômica.

Para os dois lados, prometia mudanças. Aos operários, mostrava ser possível participar do processo político e levar uma vida decente. Para a classe média, acenava com o castigo dos corruptos e de todos os responsáveis pela crise. Nem mesmo Vargas desprezaria o vulto que crescia. Ao contrário, estimulava sua candidatura, a fim de dividir o poderio político de São Paulo.

Adhemar não estava nem um pouco contente com a candidatura de Francisco Cardoso, que, mesmo sendo membro do PSP, era um elemento que se afinava com Garcez e, se fosse eleito, daria continuidade ao projeto político do governador, do qual o seu antigo padrinho não fazia parte. Ainda que não admitisse em público, ele manobrava para derrotá-lo, retomando assim o controle do partido. Nessa perspectiva, eleger o novato Jânio poderia ser uma boa solução, pois a prefeitura estava sem verba e não lhe permitiria realizar nada que encantasse o eleitorado. Se Jânio resolvesse disputar o governo, em 1954, não seria páreo para Adhemar — pelo menos era nisso que o chefe do PSP acreditava. A decisão estava tomada. Na calada da noite, Cantídio Sampaio, membro do partido, encontrou-se com companheiros de campanha de Jânio e lhes entregou dinheiro.

Francisco Cardoso recebeu o apoio não apenas do PTB, que indicou o candidato a vice, mas até mesmo da UDN, que não participava do governo. Nem assim conseguiu bons resultados. Com o partido dividido e sem o empenho de Adhemar, sua derrota podia ser considerada algo previsível. De fato, Jânio ficou com impressionantes 65,8% dos votos válidos. A campanha janista — cujo lema era "Revolução do tostão contra o milhão", uma ironia diante do apoio financeiro de Adhemar — foi memorável, contando com quase dez comícios diários. Ele parecia investido de um poder fabuloso. No dia 8 de abril tomou posse, solidarizando-se com a greve geral que havia começado logo após a sua eleição — fato que jamais se repetiria em sua carreira de homem público.

Mesmo com a derrota para a prefeitura, o PSP manteve a maioria na Câmara Municipal. Adhemar, diante da derrota do candidato do partido, disse com ironia:

— Até um poste venceria. Bastava ser oposição.

Mais do que qualquer outra coisa, porém, a vassoura janista funcionou para varrer da máquina pública municipal os membros do PSP que ocupavam cargos comissionados e, ao mesmo tempo, incentivar a apuração de denúncias contra Adhemar. O risco que ele antes temia em Novelli Júnior vinha agora do novo prefeito. Paralelamente, os conflitos com Garcez se acirraram. No início de maio, o governador exigiu a presidência do PSP, de modo que pudesse conduzir a sucessão no estado. Adhemar, é claro, recusou-se a entregar o posto, e no dia 11 rompeu com Garcez. Aos jornalistas, lamentou:

— Dessa criatura que está nos Campos Elíseos eu disse, de boa-fé, que era mais fácil uma galinha criar dentes do que ele trair seus compromissos. Sua atitude foi o grande choque da minha vida. Não porque eu previsse a hipótese de perder um partido, mas porque senti ter perdido aquilo que mais prezo na vida: um amigo.

Tampouco do governo federal Adhemar continuava a alimentar ilusões, ainda mais porque Getúlio enfrentava enormes dificuldades com o coro político orquestrado pela oposição, que tinha em Carlos Lacerda sua principal voz. Lacerda havia fundado o jornal *Tribuna da Imprensa*, logo transformado em veículo de propaganda contra Getúlio, que também era mantido pelo jornal *O Estado de S. Paulo*, pelo *O Globo* e pelos *Diários Associados*, de Assis Chateaubriand. Em 1953, os adversários se concentraram em atacar o jornal *Última Hora*, de Samuel Wainer, cujo empréstimo aprovado pelo Banco do Brasil já tinha custado o cargo de Ricardo Jafet — em junho, a transação foi objeto de uma comissão parlamentar de inquérito. Além disso, Vargas estava enfrentando dificuldades com sua política econômica. A capacidade de compra dos salários vinha caindo desde março e a necessidade de reajuste do salário mínimo se mostrava inevitável. Ele relutava, mas já admitia a hipótese de substituir o seu ministro da Fazenda. Seria um sacrifício e tanto, pois Horácio Lafer, um dos fundadores do PSD, afinava-se com o presidente, adotando uma política que até então vinha contando com a concordância de Getúlio.

Lafer era uma personalidade singular. Madrugador, costumava chegar cedo ao Ministério, quando já estavam à sua espera um funcionário mais próximo e o barbeiro. Dono de uma barba cerrada, ele se recusava a escanhoar-se sozinho, exigindo que a operação fosse feita com atenção aos detalhes. Enquanto o barbeiro executava a tarefa ele conversava com o auxiliar direto, adiantando-se ao expediente e resolvendo pendências, de modo que, quando os primeiros funcionários começavam a chegar, às 11 horas, ele já estava barbeado e com as principais tarefas delegadas. Uma vez acertados os pontos sobre determinado assunto, ele se irritava quando alguém ousava contestá-lo.

Criterioso nos gastos públicos, Lafer contrastava vivamente com Ricardo Jafet. Para ele, o crédito tinha funções importantes, que não deveriam ser vulgarizadas. Adotava por metas a estabilidade da moeda, o equilíbrio das contas públicas e o desenvolvimento. Sonhava realizar uma gestão que reunisse as qualidades de equilíbrio orçamentário e melhoria da arrecadação, na linha Campos Sales, e ao mesmo tempo de empreendimentos de vulto para solucionar problemas relacionados com o gargalo da infraestrutura, no estilo Rodrigues Alves.

O presidente acabou endossando o projeto do seu ministro da Fazenda, na esperança de que a fase "Campos Sales" passasse logo, dando condições ao início do período "Rodrigues Alves". O fato é que, em sua atuação à frente do Ministério da Fazenda, Lafer se destacou mais pelos esforços em prol da estabilidade, ainda que lançasse as sementes para o desenvolvimento. Um de seus maiores trunfos foi a criação do BNDE (Banco Nacional de Desenvolvimento Econômico), que teria os seus recursos formados pela cobrança de um adicional do imposto de renda, sendo anos depois convertido no BNDES. Contudo, teve problemas para levar adiante o crescimento no nível desejado, e no dia 15 de junho deixou o Ministério. No discurso de transmissão do cargo a Oswaldo Aranha, ele resumiu a essência do conflito com Ricardo Jafet: "Inimigo do excesso de créditos de caráter inflacionário, sem ter controle direto sobre as suas concessões e mesmo as desconhecendo, o volume total deles impressionou-me e deu-me forças para lutar, quase sozinho, contra o que eu reputava malsão". Não poderia haver recado mais bem dado que esse.

A substituição de Lafer por Oswaldo Aranha não foi a única mudança que Getúlio empreendeu no ministério. Para a pasta do Trabalho, nomeou João Goulart, um jovem conterrâneo de apenas trinta e cinco anos de idade, cuja presença significava um reatar de laços com a classe trabalhadora — algo importante para Vargas, preocupado em não perder o controle sobre a sua sucessão, em 1955, na qual já pensava. Adhemar, por sua vez, tinha lançado a candidatura e se via no direito de cobrar o apoio dado em 1950. Desde a saída de Ricardo Jafet, em janeiro, ele vinha acionando sua artilharia contra o presidente. Utilizando a imprensa que lhe era a favor, especialmente o jornal *O Dia*, de sua propriedade, acusava Vargas de tramar um novo golpe de estado, para o que estaria incentivando a desunião dos paulistas. Paralelamente, atacava o novo ministro do Trabalho, que para ele era o provável candidato de Getúlio à sucessão presidencial, chamando Jango de "demagogo e explorador da classe operária".

Em setembro, ele se viu ameaçado pela CPI que investigava os negócios do jornal *Última Hora*. Depondo na comissão, Carlos Lacerda alegou ter informações de que o político paulista emprestara a Samuel Wainer 38 milhões de cruzeiros, evitando a execução do contrato celebrado com o Banco do Brasil, cujas obrigações financeiras não haviam sido cumpridas. Adhemar não se pronunciou. Enquanto isso, em São Paulo, Garcez dava a cartada final como integrante do PSP. Em maio, quando ele havia exigido e Adhemar negado a presidência do partido, sua atitude foi a de assumir a condução da campanha à sucessão no governo estadual, na qualidade de chefe da coligação que o apoiava. Numa manobra cautelosa, enviou correspondência a todos os partidos, consultando-lhes a respeito das bases que teria caso se desligasse do PSP. As respostas devem ter sido satisfatórias, pois em setembro Garcez acabou por deixar a agremiação pela qual se elegera. Rompia-se, assim, o último cordão que ainda o prendia ao antigo padrinho.

Nessa época, um fato novo ocorreu na vida particular de Adhemar, inicialmente desvinculado de sua carreira política. Até então, ele havia tido presenças marcantes de mulheres que não só participaram de sua intimidade, mas também, em alguns casos, chegaram a ter influência na política do estado — como bem lembrou Miguel Reale, a Adhemar "jamais faltou uma notória Marquesa de Santos, sempre cercada de áulicos e senhora de muitos poderes". Climene Gonçalves de Carvalho foi uma dessas figuras. Eminência parda no governo iniciado em 1947, tinha o poder de forçar a demissão de funcionários e exigir a nomeação de protegidos e parentes para altos cargos na administração. Outras apareceram antes e depois dela, ainda que não fossem dignas de nota.

Em 1953, porém, Adhemar conheceu aquela que se tornaria a mais notória figura entre seus relacionamentos extraconjugais: Ana Guimol Benchimol Capriglione, viúva de Luís Amadeu Capriglione, um médico cardiologista que tinha sido colega dele na Universidade do Brasil, onde se formaram na mesma turma — bem posto, o casal circulava com desembaraço na sociedade carioca e, nos anos 1950, chegou a receber em sua casa o presidente americano Dwight Eisenhower. Ela se envolveu com o político paulista logo depois da morte do marido e ficou conhecida não só nos bastidores, mas pelo público geral, pelo pseudônimo "dr. Rui". Era sob esse codinome que Adhemar atendia aos seus telefonemas no palácio do governo.

Com o passar do tempo, Ana Capriglione adquiriu uma força política contra a qual não havia concorrência à altura, influenciando o então governador Adhemar de Barros em decisões que iam da composição de seu secretariado à participação em conchavos e alianças. Para que pudessem viver juntos, Adhemar chegou a propor o desquite à esposa, mas Leonor, fortemente ligada à fé católica e às tradições, não aceitou. O romance se estenderia até a morte dele.

No final do ano, aproveitando a instabilidade política e as agitações de elementos que queriam depor o governo Vargas, Adhemar deu sua contribuição para a iniciativa golpista. Lançou um manifesto nos jornais, acusando a administração de realizar transações ilícitas e responsabilizando o presidente pela falta de energia e deficiência no transporte. Já de olho nas eleições estaduais que se avizinhavam declarou que, em 1954, o povo voltaria a governar por seu intermédio.

Aquele, no entanto, ainda não era o rompimento definitivo com Getúlio, que veio a ocorrer somente em janeiro de 1954. Adhemar então afirmou que os compromissos da frente que elegera o presidente em 1950 foram desrespeitados por Vargas, e que não havia mais motivo para apoiá-lo. Paralelamente, a bancada pessepista desligou-se do bloco governista na Câmara Federal, passando a barganhar com o governo.

Adhemar preparava-se para uma nova eleição sem saber que a guerra a ser enfrentada não estava restrita aos embates da campanha política. Havia um jogo surdo sendo tramado contra ele, envolvendo ataques vindos da imprensa, acusações e processos judiciais. Se as coisas já eram difíceis antes, agora, com o abandono dos políticos aliados e o enfraquecimento de sua base eleitoral, a tendência era piorar. Sem dúvida, o ano de 1954 não lhe passaria em branco.

9

UMA CAMPANHA DRAMÁTICA

Aquela foi a semana mais quente que o Moa (Moacir) viveu na puta da vida. Nós, do ponto, é que sabíamos. Quente, digo, em toda a parte. No táxi, na rua, na sede do partido, na Lila e em casa. O homem estava envenenado, com fé em Deus e pé na tábua, dormindo só umas três horas por noite. Foi também a semana do papo, da lábia, da saliva, dia e noite em campanha, amarrando votos, aliciando indecisos. Nunca vi na *life* um cabo eleitoral com tanta corda, tanta garra, tanto embalo. No último dia, lá no ponto da Barão, até deu e recebeu sopapos. Partiu para a ignorância quando um diabo de janista provocou ele com aquela surrada anedota da calça nova, manjam ela, não? "Nesta calça nunca entrou dinheiro público!" Temi pelo Moa, achei que a coisa ia engrossar. Com seus cinquenta e poucos quilogramas, ele não podia fazer muito num corpo a corpo, mas fez, como vi com meus olhos. Para leão, o Moa só faltava a juba.

[...]

— Enfie a vassoura no rabo! Ignorante!

— Ninguém vai passar a mão em mais nada neste país!

— Ele rouba, mas faz!

Começaram então os palavrões, que Deus me livre de colocar aqui. Precisaram mais dois, de tutano, para conter o Moa dentro do bar. O janista, enfurecido, mas imobilizado pela gravata, ia sendo arrastado pra esquina, e só deu o pirulito quando a justa compareceu.

O fanatismo demonstrado pelo taxista Moa a Adhemar de Barros, seu candidato, deixava certas pessoas admiradas, mas não era nenhuma novidade. É que a campanha para governador do estado, em 1954, realmente conquistava corações e arrebatava almas, como se fosse uma disputa entre Corinthians e Palmeiras pelo campeonato estadual de futebol, não apenas por parte dos eleitores imaginários, mas principalmente daqueles feitos de carne e osso — distinção necessária, visto que Moa era um personagem de ficção, criado pelo escritor paulistano Marcos Rey.

A candidatura do líder não foi uma coisa decidida ao acaso. Pelo contrário. Com a intenção de disputar a Presidência da República no ano seguinte, Adhemar vinha relutando em se lançar candidato a governador, sem, no entanto, excluir essa possibilidade, coisa que os companheiros bem sabiam. Em 1953, Mario Beni recebeu um telefonema aflito do deputado federal Paulo Lauro, secretário-geral da executiva nacional do PSP, que depois apareceu em sua casa já tarde da noite, levando-lhe uma lista com um total de sete nomes de possíveis candidatos à sucessão de Garcez, sendo Beni o primeiro. A lista era manuscrita e, pelo que demonstrava a caligrafia, do punho de Adhemar. No entanto, constava o número oito ao lado de um espaço em branco, o qual, segundo Adhemar, estava reservado a um nome que naquele momento ele ainda estava estudando. Beni sorriu ao ver o papel e não teve nenhuma dúvida sobre o tal oitavo candidato:

— É ele mesmo.

Mas Adhemar e os velhos companheiros navegavam à deriva, desanimados com as perspectivas do PSP e sem o ímpeto da campanha anterior. O partido perdera o controle do governo do estado em razão dos conflitos entre Adhemar e Garcez, e viu frustradas as suas intenções de controlar a máquina trabalhista, por causa das investidas do PTB e do governo Vargas.

Após o rompimento com o PSP, Garcez recompôs a sua base política ao costurar um acordo com PSD, PTB, PR, PDC, PRP e partidos menores, conseguindo com isso manter a estabilidade que, até então, lhe tinha permitido governar sem maiores problemas. O PSD, em especial, havia deixado de ser um entrave, uma vez que o distanciamento entre o governador e o PSP acalmava a "ala velha" pessedista. Também a UDN, mesmo mantendo uma posição de independência, mostrou-se mais receptiva a conversar. Foi dentro desse quadro, reunindo os partidos da base aliada, que Garcez iniciou os entendimentos para o lançamento de uma candidatura.

As maiores divergências vinham do PTB, cujo quadro estava dividido. Havia uma parcela interessada em se aproximar do PSD; outra, em apoiar Jânio Quadros; e havia ainda quem considerasse o lançamento de uma candidatura própria a melhor hipótese, como era o caso de Hugo Borghi.

Já o PSD havia lançado a candidatura de Cunha Bueno, mas o esquema governista não o considerava um nome forte o bastante para disputar a eleição e, após entendimentos, a opção recaiu sobre Prestes Maia, o candidato preferido, que havia sido indicado pela UDN. Cunha Bueno permaneceu na chapa como vice, numa composição que uniu, além de PSD e UDN, também o PR, o PRP, o PDC e partidos pequenos, na frente lançada pelo esquema da situação. Garcez ficou garantido na disputa.

As negociações dentro do PTB também evoluíram. O partido convenceu Hugo Borghi a disputar o Senado e lançou a candidatura de Toledo Piza.

Já o PDC experimentava a rebeldia de Jânio Quadros. No começo de 1954, o partido lançou o nome do prefeito como candidato a governador, indicando Queiroz Filho para companheiro de chapa, mas Jânio não concordou, pois Queiroz Filho também era do PDC, o que restringiria as possibilidades de aliança. Como o partido insistisse no nome do vice, Jânio tomou uma decisão bem aos moldes do seu temperamento: retirou a candidatura e iniciou conversas com o PTN, que acabou lançando-o candidato.

A esta altura, maio de 1954, os jornais noticiavam a intenção de Adhemar concorrer aos Campos Elíseos e ao Catete. Ele deixava claro, no entanto, que uma coisa não dependia da outra, pois a sua participação no governo estadual já havia ocorrido duas vezes. A justificativa pelos Campos Elíseos era especial:

— Passarei por lá para satisfazer imperativo de ordem moral. Sinto que os brasileiros de São Paulo e os do resto do país escolheram-me para governar a nação.

Suas aspirações, contudo, estavam seriamente comprometidas, não apenas em virtude da oposição, cuja ferocidade se mantinha inalterável, e da base eleitoral, dispersa, mas também da imprensa, que se preparava para barrar-lhe os avanços com uma trama nada sutil. Paulo Duarte, jornalista de *O Estado de S. Paulo*, seria o expoente dessa tarefa, convertendo-se num dos maiores estorvos de Adhemar ao longo de sua trajetória política.

Duarte foi deputado estadual de 1935 a 1937, o mesmo período em que Adhemar exerceu a legislatura. Mas vinham de agremiações diferentes: ele, do Partido Constitucionalista; e Adhemar, do Partido Republicano Paulista. Com a implantação do Estado Novo, ele se afastou de Getúlio, ao contrário de Adhemar, e começou a participar de movimentos para derrubar o governo, até que foi notificado pelo Ministério da Justiça a deixar o país.

Nessa fase ocorreu um episódio curioso. Os presos políticos da Aliança Nacional Libertadora vinham recebendo tratamento cruel do Estado Novo, o que motivou a intelectualidade da época a enviar cartas ao então interventor Adhemar de Barros, pedindo que intercedesse no governo federal para que houvesse uma conduta mais humanitária no caso. O historiador Caio Prado Júnior foi o escolhido para encaminhar tais pedidos. Paulo Duarte, comunista e amigo de Caio Prado, ficou profundamente ressentido, pois achava que ele deveria ser o interlocutor nessa iniciativa. Como resultado, rompeu com o amigo e elegeu Adhemar o alvo predileto dos ataques a partir de então.

No *Estado* e na revista *Anhembi*, que fundou em 1950, Duarte iniciou artilharia pesada para afastar definitivamente Adhemar da cena pública nacional. No jornal a carga foi maior. Em uma série de dezessete artigos publicados entre os dias 22 de junho e 17 de julho de 1954, intitulada *Meu destino é o Catete* — uma ironia a certa frase dita por Adhemar, referindo-se ao palácio presidencial como seu grande sonho —, o jornalista acusava o ex-governador de ter usado a máquina do estado como se fosse propriedade sua e de ter feito fortuna a partir dos mais diversos tipos de negociatas. Entre outras acusações, afirmava que Adhemar tomara empréstimos em condições extremamente vantajosas na Caixa Econômica do Estado, não apenas para o próprio benefício, mas também para socorrer aliados políticos, como o governador de Goiás, Hosannah Campos Guimarães. Do mesmo modo, ressaltava a lesão causada aos cofres estaduais pelo lançamento sem critério de apólices e bônus, que segundo o jornalista beneficiariam um esquema fraudulento, do qual fazia parte, entre outros, o Banco Cruzeiro do Sul, da família Jafet. Duarte questionava até mesmo a participação de Adhemar de Barros na Revolução de 1932: "Essa coisa de ele andar ostentando glórias em 32 está na mesma categoria das suas afirmativas como administrador e político honesto: igual a zero".

A imprensa adhemarista revidava acusando o governador Lucas Nogueira Garcez, que estava por trás da campanha, de "presidente do Sindicato da Calúnia" e chamando Paulo Duarte de "mercenário da pena de *O Estado de S. Paulo*".

No final da série de artigos, Duarte afirmou que considerava cumprido seu papel e que aguardava que as autoridades competentes tomassem as medidas necessárias. O resultado nesse sentido, contudo, mostrou-se nulo, pois nenhuma investigação foi levada a efeito com base nas suas denúncias.

Paulo Duarte não atuava por idealismo ou espírito de luta, mas por interesse. Vindo do grupo político de Armando de Sales Oliveira, ele se aliou aos proprietários do *Estado* e, mais tarde, a Garcez e Jânio Quadros. Além disso, para quem se dizia defensor da verdade, sua visão do eleitorado de Adhemar se mostrava um tanto preconceituosa:

> Um pobre negro de favela, analfabeto, recalcado, segregado da sociedade, para este o ideal máximo não vai evidentemente além do

> Carnaval ou de seu clube de futebol. Assim, não poderá haver, para ele, ato de mais alto civismo do que a pequena subvenção e o apoio dados ao seu cordão ou ao seu clube. Adhemar sabe disso e não se envergonha de explorar o obscurecimento. Dá a sua espórtula corrupta e conquista pelo reconhecimento fácil dos humildes, da amizade sincera, honesta, a admiração incondicional desses infelizes, que, votando nele, decidem sobre a permanência da sua própria miséria física e moral. O esclarecido não, este se vota em Adhemar ou o apoia é porque não tem mesmo noção de dignidade cívica, e com frequência, nem de dignidade pessoal. Porque seu apoio é malicioso e interessado, interessado sempre em coisa ilícita.

Enquanto Paulo Duarte atirava sem tréguas em Adhemar, a política nacional corria instável. Em junho de 1954, Vargas estava numa posição difícil. Seu plano de estabilização tinha apresentado alguns resultados, mas a classe trabalhadora, deixada de lado durante tanto tempo, não cedeu aos seus apelos. No campo político ele vinha trabalhando para amenizar as críticas, tendo inclusive substituído em fevereiro seu controvertido ministro do Trabalho, João Goulart, sem sucesso. Os mais próximos de Getúlio queixavam-se de sua decadência, acentuada pelo fato de ele estar com setenta e dois anos. A oposição engrossava. A UDN, que nunca poupava o presidente, estava obtendo a adesão de vários militares.

Cansados de apanhar, seus aliados resolveram reagir. O general Mendes de Morais e o deputado federal Euvaldo Lodi, sem que Getúlio soubesse, procuraram seu fiel escudeiro, Gregório Fortunato, e o incentivaram a eliminar Carlos Lacerda, o maior porta-voz dos ataques da oposição. Fortunato, que tinha pelo chefe uma lealdade acima do comum, aceitou o desafio.

Lacerda sabia dos riscos que corria e vinha sendo escoltado de forma permanente por jovens oficiais da Aeronáutica, o que não tolheu o ataque contra ele. Na madrugada de 5 de agosto, um pistoleiro mandado por Fortunato atirou no jornalista quando ele entrava no seu prédio na rua Toneleros, em Copacabana. Lacerda ficou apenas ferido, mas o seu acompanhante, major Rubens Florentino Vaz, faleceu.

Sentindo-se ofendidos, os militares engrossaram a oposição, agora de forma incisiva. O assassino foi capturado e confessou suas ligações indiretas com os membros do palácio presidencial. A partir de então, os ataques contra Getúlio recrudesceram ainda mais.

No dia 21 de agosto, o vice-presidente Café Filho propôs a Getúlio que ambos renunciassem. Vargas recusou a sugestão, dizendo que somente morto abandonaria o palácio. No dia 23, Café Filho revelou no Congresso a proposta feita e rompeu publicamente com Getúlio. Acuado por denúncias de corrupção em seu governo (descrito pela oposição como "mar de lama"), pressionado pelos militares e com apoio cada vez mais fraco, Getúlio praticou um gesto extremo. Na manhã do dia 24 de agosto, após receber um ultimato dos militares endossado pelo ministro da Guerra, no qual era comunicado de que seria definitivamente afastado da presidência, Getúlio deu um tiro no próprio peito. Em meio à tragédia, os jornais receberam uma carta que teria sido escrita pelo próprio Vargas, na qual ele falava de uma "campanha subterrânea" para bloquear suas iniciativas e concluía com a frase que se tornou famosa: "Serenamente dou o primeiro passo no caminho da eternidade e saio da vida para entrar na história".

A morte de Getúlio alterou radicalmente o clima político, afetando os rumos da campanha para governador. Em São Paulo, o PTB passou a apoiar Jânio Quadros, indicando Porfírio da Paz como vice — ao fazê-lo, resistiu aos apelos de Toledo Piza, que não queria abrir mão da candidatura, pois acreditava que a comoção causada pelo gesto de Vargas iria influenciá-la positivamente.

Desde o início da campanha, Jânio e Adhemar foram os candidatos mais evidentes. Jânio tinha a prefeitura a seu favor, mas, da mesma forma que o rival, apresentava-se como o candidato de oposição à máquina oficial. Ele aproveitava como podia a pecha de ladrão que havia sido impingida a Adhemar e, em discursos sempre carregados de dramaticidade, dizia ao público que havia convidado o adversário a participar do comício. Diante da enorme expectativa que se criava, mostrava uma gaiola com um rato e dizia:

— Ei-lo, senhores, o rato Adhemar.

A multidão ficava em êxtase. Adhemar não deixava por menos e também levava a sua gaiola, mas com um gambá: era o adversário. Nas declarações aos jornalistas, não poupava ironia:

— Em todo caso, não preciso dizer quem é o segundo e o terceiro candidato. O terceiro é o candidato do Garcez. É o homem que jurou continuar a obra deste governo. Qual é a obra? Traição, ingratidão, buraco nas estradas públicas, buraco no Tesouro. Tudo parado. Pois esse vai chegar em terceiro lugar.

Descrevendo Prestes Maia, negava a fama de competência atribuída ao antigo administrador da cidade:

— Esse homem foi meu prefeito por três anos. Vocês sabem qual é a mentalidade dele? Dura demais. Só eu aguentava. Eu tinha que diariamente telefonar e tomar a lição do bicho. É um sujeito indeciso. No meu último mandato, eu tive que afastá-lo da Diretoria de Obras Públicas. E sabem por quê? Porque é um amarrado. É a natureza dele. Ele tem horror a responsabilidade. Foi aí que ele se afastou.

Sobre Jânio Quadros falou pouco, mas foi ao ponto:

— O homem das vassouras e dos ratos? Eu nunca vi coisa tão medonha assim. Será que não existe aí uma crise moral, uma crise psicológica?

Como se não bastassem as vassouras, os ratos e os gambás, a campanha de 1954 acabaria marcando o folclore político nacional com outro aspecto bastante significativo, ao incorporar definitivamente à figura de Adhemar a frase "rouba, mas faz". O bordão, na verdade, resumia o pensamento de seus defensores desde 1950, no final do seu mandato. Agora, ao serem provocados pelos janistas com acusações de irregularidades que teriam sido praticadas pelo cacique do PSP no decorrer do governo, os adhemaristas respondiam ingenuamente com a desculpa de que ele havia roubado, mas feito, ao contrário de Jânio, que não tinha grandes obras para exibir. Com isso, a frase se disseminou rapidamente. Mas o jornalista Paulo Duarte, a quem atribuíam a autoria, negou o apoio à fórmula. Para ele, o bordão mais adequado seria: "roubou e nada fez". Durante a campanha, Duarte sugeriu a Jânio Quadros que enfatizasse o "roubar" diante do "fazer". Num comício, um trovador anônimo foi mais além:

Essa história do "rouba, mas faz"
Nem precisa ser explicada,
Na verdade, ele rouba e não faz,
E, se fez ou faz, rouba,
Ele rouba, até demais.

A grande imprensa assimilou a citação. Em editorial publicado em junho de 1955, o *Correio da Manhã* afirmaria em termos diretos: "A frase 'rouba, mas faz' não é uma sugestão vã. É um *slogan* sugestivo, é uma legenda, é a bandeira do ademarismo".

Os ataques não cessavam. Furtivamente, apareceu na praça o livro *Um homem ameaça o Brasil — A história secreta e espantosa da "caixinha" de Adhemar de Barros*, de autoria de Francisco Rodrigues Alves Filho. Ele havia sido editor do jornal *A Época*, de propriedade de Adhemar, tendo recebido logo no primeiro dia a incumbência de mandar o prefeito Asdrúbal da Cunha se demitir por meio de uma manchete fabricada. O livro baseava-se em uma obra anterior, *A administração calamitosa do Sr. Adhemar de Barros em São Paulo*, que Epitácio Pessoa Cavalcanti lançara em 1941, sob o pseudônimo de João Ramalho, e que provocou a saída de Adhemar da interventoria. Alves Filho também trazia acusações relativas a fatos posteriores, a maior parte envolvendo o período de Adhemar como governador do estado de São Paulo, mas tão embaraçosas quanto as que Cavalcanti fizera em 1941. Entre outras coisas, apontava supostos casos de enriquecimento ilícito; sabotagem contra a campanha de Hugo Borghi em janeiro de 1947; negociatas com a venda de farinha de trigo, produto racionado no pós-guerra; e a famigerada participação no jogo do bicho.

Na campanha de 1947, Adhemar havia nomeado Alves Filho para chefiar o comitê eleitoral do PSP, que então funcionava na avenida Ipiranga. Pouco antes das eleições, Alves Filho abandonou o comitê e se afastou definitivamente do partido. Cinco anos depois, dia 18 de janeiro de 1952, às 6 da tarde, quando saía de sua casa, o jornalista foi vítima de um atentado: dois indivíduos, postados na calçada em frente, dispararam seis tiros contra ele e acertaram de raspão. A polícia identificou os autores do crime como Mario Napoli e Antônio Pais da Silva, antigos policiais expulsos da corporação. Eles não foram presos. Nunca se soube a mando de quem e nem sob que interesses essas pessoas agiram.

Segundo o autor, o objetivo imediato do livro, que ele considerava "um imperativo de consciência", era fazer frente à candidatura de Adhemar de Barros à Presidência da República, conclamando as Forças Armadas "a uma tomada de posição diante do perigo representado pela candidatura".

Nessa guerra de palavras, porém, os aliados de Adhemar não ficavam de braços cruzados. No final de 1953, logo após o rompimento entre Garcez e o líder do PSP, Erlindo Salzano publicou *O "crime perfeito" do prof. Lucas Nogueira Garcez*, obra em que apresentava suposta artimanha preparada pelo governador paulista contra seu antigo padrinho. Ao longo de um texto bem articulado, ainda que por vezes tedioso, Salzano argumentava que Garcez, levado "por má-formação espiritual ingênita, tomou-se de inveja e ódio pelo seu benfeitor", procurando "destruí-lo e auferir, dessa destruição, a recompensa de lhe ser o sucessor também na candidatura à Presidência da República". O plano de Garcez, ou o "crime perfeito", como sugeria Salzano, seria concretizado em dois pontos: colocar Adhemar de Barros em choque contra Getúlio Vargas e, então, minar o seu prestígio político e a sua reputação pessoal.

No ano seguinte foi lançado *Adhemar de Barros perante a nação*, de Lopes Rodrigues, outro livro que vinha em defesa do cacique pessepista, porém de maneira bem mais ostensiva. Escrito numa linguagem rebuscada de fazer inveja a Euclides da Cunha, era todo laudatório e repleto de pérolas, como estas:

> A lenda da caixinha nasceu de sisos galfos, em ideações fimícolas, desmancho cerebral de chove-petas, alucinados das travancas da

consciência, em crise de rancor amonturado, estradeirice a soldo, ou relamboias de prejerebas. Só os caracteres brutalizados nos alarves da calúnia descaroável se encravilham nos estultilóquios desta primazia aos inventores de mechinflórios.

[...]

Corrupção é isto; moralões labaceiros, jagodes marrufos, chincafóes estoira-vergas, que deveriam, a esta hora, estar chumbados à banqueta dos réus, porejando, na prestação de contas à nação; réus da ladripagem, réus da vilania, réus da carapeta; réus da inércia, réus da peta, réus da sedição das consciências; réus do ódio ouriçado, réus da mascarilha arlequineira, réus das molecadas austeras, apontando para Adhemar de Barros, a gritarem: pega... o réu.

Entre jagodes marrufos e relamboias de prejerebas, Adhemar se safava como podia. Em setembro, menos de dois meses depois de encerrar a primeira série de ataques, Paulo Duarte voltou à carga com um artigo que mudaria o rumo de tudo. Intitulado *O seu destino não será o Catete*, fazia acusações mais específicas contra Adhemar, dando inclusive detalhes do que dizia ser um crime de peculato. Segundo o jornalista, Adhemar havia se apropriado de um total de trinta e seis veículos, sendo um Oldsmobile de luxo, dez carros tipo Sedan e vinte caminhões, todos comprados da General Motors pelo governo estadual, no último trimestre de 1949.

Segundo Paulo Duarte, o Oldsmobile estava em nome de Adhemar, os Sedan foram distribuídos a familiares e pessoas do círculo próximo do governador e os caminhões acabaram transferidos a quatro empresas das quais Adhemar era dono ou sócio majoritário. Apenas cinco caminhões ficaram em poder do estado, sendo destinados à Força Pública. Dessa vez, Duarte tomou a iniciativa de entregar ao secretário de Justiça os documentos que, segundo ele, demonstravam a compra dos veículos pela Secretaria de Governo, por ordem de Adhemar, e que depois teriam sido refaturados em nome das pessoas e empresas mencionadas no artigo. Tão logo recebeu os documentos, o secretário os encaminhou ao Ministério Público, que apresentou denúncia e requereu a prisão preventiva do ex-governador, pedido que não pôde ser deferido em razão das prerrogativas que a lei eleitoral estabelecia em favor dos candidatos. Começava assim o "caso dos Chevrolets", um dos episódios mais marcantes da vida do político paulista.

A defesa que Adhemar apresentou não era insubsistente, mas tinha um ponto frágil. O início do caso remontava a 26 de setembro de 1949, quando Synésio Rocha, secretário de Governo, dirigiu um ofício ao Banco do Estado comunicando que, por ordem do governador, deveria ser aberto um crédito em favor da General Motors para a aquisição de trinta e seis veículos, entre automóveis e caminhões. O problema é que, depois, concluiu-se que a operação não poderia ser consumada, pois a sua importância total era dez vezes maior que a dotação orçamentária da Secretaria de Governo. Além disso, mesmo que houvesse verba disponível, a aquisição estaria viciada também pela falta de licitação.

Adhemar foi advertido da irregularidade, mas, num gesto açodado, encampou pessoalmente a compra de cinco caminhões para a Força Pública. Dispondo de condições favoráveis no banco, como industrial e agricultor, ele não encontrou dificuldades para ter a operação aprovada. Em seguida, baixou um decreto concedendo reforço de verba no total de um milhão de cruzeiros à Força Pública, que recebeu autorização para gastar o dinheiro. No final, ficou acertado que os cinco caminhões seriam faturados novamente, com a concordância do banco e da empresa, sendo os títulos emitidos para a transação original substituídos por outros, agora com a garantia pessoal de Adhemar. Ocorre que, uma vez consumada a aquisição dos caminhões dessa maneira, o banco deveria ter cancelado imediatamente a responsabilidade da secretaria, mesmo porque esta não desembolsara o dinheiro. Nesse sentido, Synésio Rocha enviou ofício à General Motors no dia 7 de outubro, comunicando que a compra estava suspensa e tendo o cuidado de protocolar o documento no banco também. Contudo, Adhemar não explicou por que a instituição financeira não lhe transferiu a responsabilidade pelos pagamentos feitos à General Motors (era esse o ponto fraco da defesa, que seria sanado somente mais tarde). Com o débito em aberto, ele foi acusado de peculato.

Nos jornais, a briga continuou. Para contrabalançar as acusações que Paulo Duarte fazia no *Estado*, o grupo adhemarista se encarregava de detratá-lo em *O Dia*. Fernando Costa, da coluna *Peço a palavra*, descreveu o jornalista como um "ascoento [sic] homossexual, sempre cercado de jovens apolíneos", que teria se apropriado do dinheiro de uma tia internada como louca na cidade de Franca. Outro colunista, Rubens Bengio, foi mais além no artigo *O desquite do homossexual*, ao falar de um marido flagrado pela esposa em atitude indecorosa com outro homem. O sujeito em questão era "o membro do Sindicato da Calúnia e pederasta passivo Paulo Duarte". Numa carta aberta carregada de termos virulentos, publicada no *Estado*, o jornalista exigiu que Adhemar provasse as afirmações feitas pelos cronistas, advertindo: "Quem não é covarde não se esconde dentro de uma cloaca como é o seu jornal, dentro da qual se sente ele como em casa, para atirar coisas em quem o enfrenta como eu o enfrento e continuarei a enfrentar".

Imune aos ataques, Garcez assistia a tudo de camarote. Ele podia se gabar de sua reputação ilibada, mas não era exatamente o administrador controlado que seus defensores apregoavam. Assumiu o cargo com uma dívida de 14 bilhões de cruzeiros e, em apenas dois anos e meio de mandato, elevou-a para 33 bilhões de cruzeiros. Adhemar parecia estar certo em apontar o governador paulista e o jornal *O Estado de S. Paulo* como os verdadeiros mentores da briga com Paulo Duarte. Naquele momento, diante do abalo gerado pela morte de Vargas, ele iniciava um trabalho com a intenção de se projetar entre as massas trabalhadoras como herdeiro da popularidade e do programa político e social do presidente. Já Garcez, vendo a candidatura da situação fazer água, pegava carona no êxito cada vez maior de Jânio Quadros. Numa viagem pelo interior do estado, em várias oportunidades elogiou o adversário, que descreveu como "um novo sol no céu político de São Paulo".

À medida que se aproximava o dia da eleição, crescia a ansiedade. Os simpatizantes dos candidatos favoritos sabiam que os votos finais seriam disputados palmo a palmo, e que, por essa razão, era preciso lutar. Não eram sem motivo as preocupações do personagem Moa:

— Meu medo são os paus de arara, os goiabadas cascão, os flagelados. Eles votam no caspento porque também são caspentos. E porque não são paulistas. Querem um cara de fora do palácio. Os grã-finos ficam com o Prestes Maia. Por isso a gente tem que trabalhar até fecharem a última urna. Vamos levar os caras pra votar. Tem que ser na carona, na marra, no grito, mas tem que ser. Amanhã vamos todos levantar bem cedo, pessoal.

Os ânimos se acirravam. Diante das câmeras, na primeira campanha estadual com cobertura feita pela televisão no Brasil, Adhemar mandou o recado:

— Garcez, seu canalha, eu vou ganhar e, na hora da posse, vou lhe dar uma bofetada.

Mas não foi dessa vez. No dia 3 de outubro, Jânio Quadros venceu Adhemar de Barros nas eleições para o governo do estado por estreita margem de votos. Prestes Maia ficou em terceiro lugar, e Piza, que seguiu sozinho, terminou na rabeira, com votação inexpressiva. Para desespero de todos os adhemaristas, o pior havia acontecido e a festa era do rival:

> Moa foi descendo as escadas, espirrou. Era aquela roupa encharcada. Passou a mão no hematoma, que doía. Uns carros passaram velozes, buzinando, os passageiros a gritar "Jânio! Jânio!". Soltavam rojões dum edifício. Um bebum atravessou a rua levando uma vassoura. Entrou no De Soto, no bagaço. Olhou o velho casarão com as janelas cerradas, apagado, e o enorme retrato do candidato na fachada. Machão, o Moa era às pampas. Mas naquela hora não dava. Encostou a cabeça na direção e chorou, chorou até esvaziar os olhos.

A pequena diferença de votos na eleição para governador refletiu-se também nos postos da Câmara Federal e da Assembleia Legislativa: a presença do PSP diminuiu, mas não de forma significativa. No Congresso, o resultado manteve a diversidade anterior, num panorama complexo e sem uma agremiação conquistando a maioria. Algumas baixas foram notadas, entre elas a do jornalista Assis Chateaubriand. Ele já era senador pela Paraíba e decidiu se candidatar à reeleição. Prevendo a derrota do todo-poderoso das comunicações, Adhemar ofereceu-lhe a legenda do PSP, afirmando garantir-lhe a eleição por São Paulo. Mas o jornalista optou por sair candidato em seu próprio estado. Mesmo com 103 mil votos, Chateaubriand perdeu as eleições para João Arruda e Argemiro de Figueiredo. Confirmaram-se as suspeitas de Adhemar. Em compensação, Lino de Matos, candidato do PSP ao Senado, venceu com ótima margem, derrotando Auro de Moura Andrade, o candidato apoiado pelo governo estadual.

No dia 4 de outubro, quando Adhemar ainda se recompunha da derrota nas eleições para governador, o Tribunal de Justiça de São Paulo recebia a denúncia contra ele por crime de peculato. Seus advogados se mobilizaram para trancar a ação com pedidos de *habeas corpus* perante o Supremo Tribunal Federal. Foram três tentativas infrutíferas, mas na terceira, como houve empate, o presidente da Corte decidiu anular o processo, sem, no entanto, impedir que outro fosse instaurado.

Numa entrevista publicada na revista *O Cruzeiro*, em 27 de novembro, Adhemar reconheceu que o "caso dos Chevrolets" foi fundamental para sua derrota, pois no seu entender tratava-se de um processo de cunho político, sem respaldo técnico. Infelizmente, o tribunal paulista não pensava dessa maneira e estava preparado para acolher novas denúncias sobre aquele episódio, baseadas em alegações cuidadosamente preparadas pelos adversários e prontas para serem apresentadas. Não era coincidência o fato de, em 1955, haver eleição para presidente.

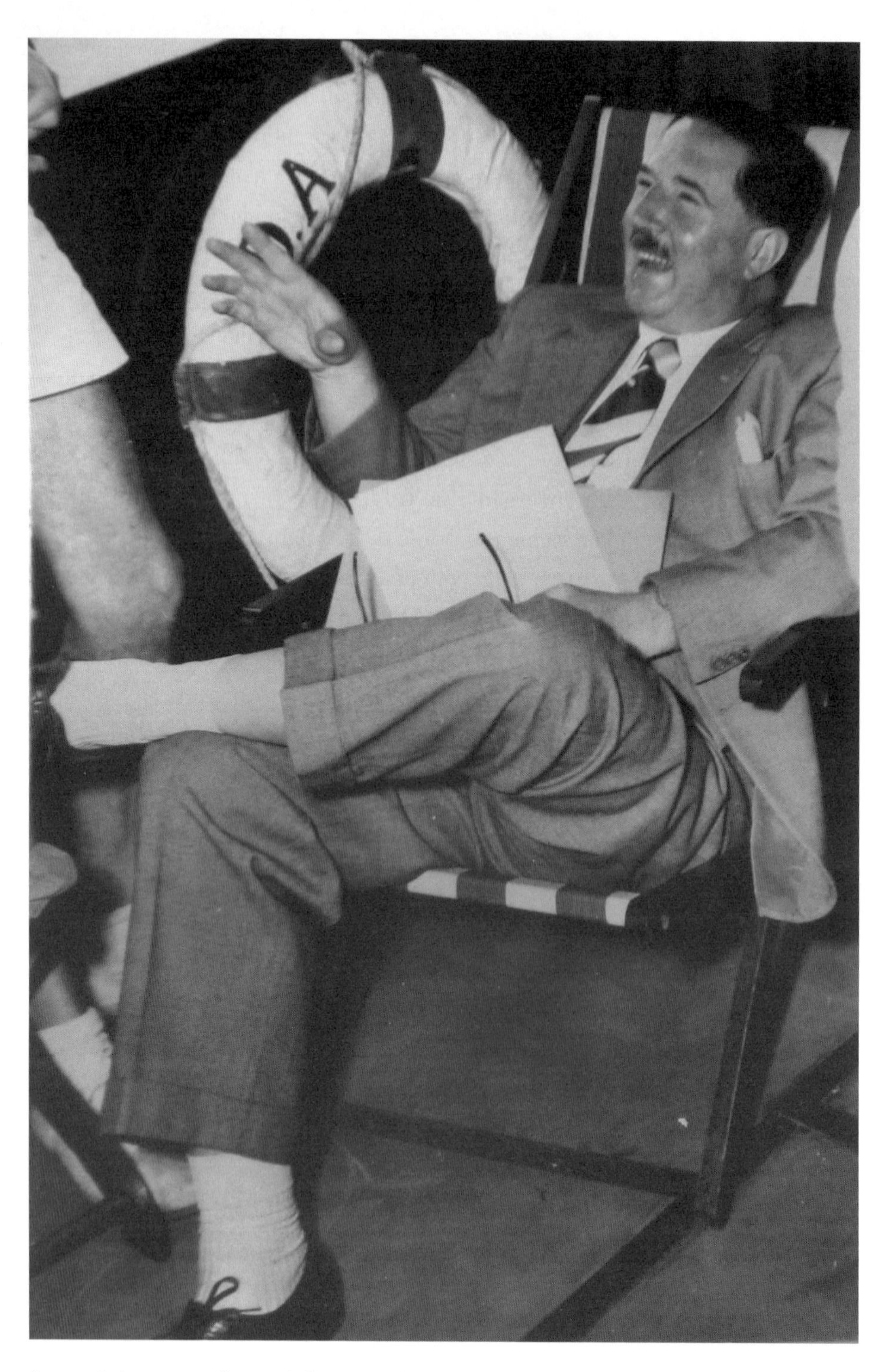

Momento de descontração. Adhemar tinha humor instável e imprevisível, o que desnorteava seus assessores e as pessoas que conviviam com ele, desafiando quem ousasse definir seu estado de espírito ou se acomodar ao seu temperamento. Em poucos instantes ele passava de afável a ríspido, e não era raro se exceder nos impulsos e criar situações constrangedoras.

Interventor e presidente, lado a lado, em fotos oficiais numa escola, em 1940. Dois personagens diferentes; dois destinos completamente diversos.

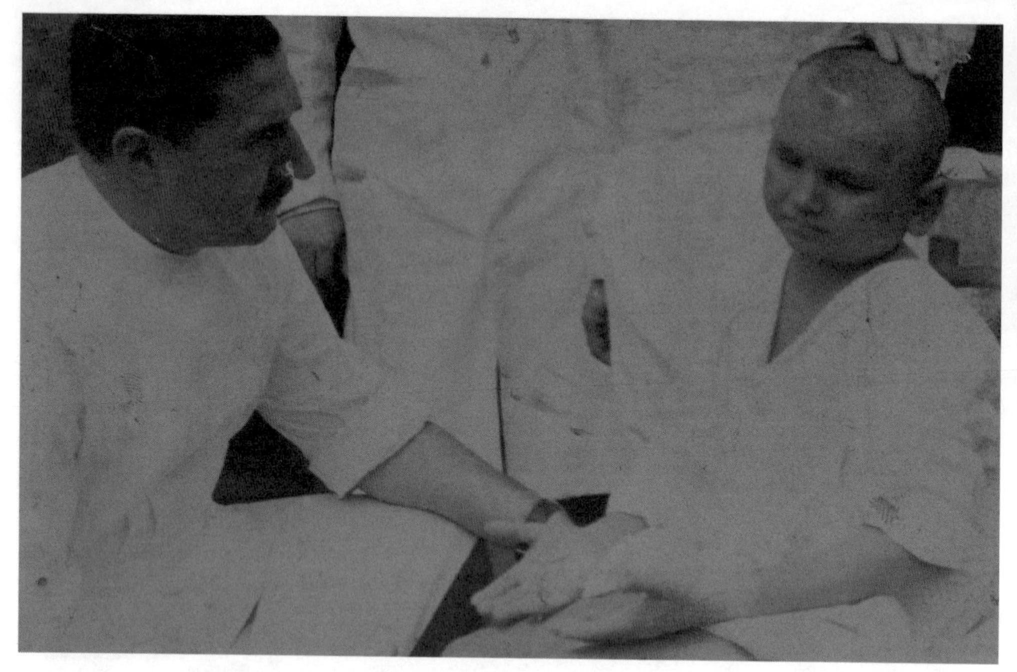

Março de 1940: visitando doentes atacados pelo pênfigo foliáceo, o fogo selvagem. Havia um serviço provisório de atendimento para esse fim, que funcionava em prédio alugado pela administração estadual. Mais tarde, Adhemar inaugurou um hospital exclusivo para o tratamento da doença.

Julho de 1940: no lançamento da pedra fundamental do Departamento de Zoologia.

Visita à Lacta. A compra da famosa fábrica de chocolates por trezentos mil cruzeiros, em julho de 1940, foi questionada por opositores de Adhemar pelo fato de, apenas três anos antes, ele ter pedido dinheiro emprestado para a reforma da casa, visto passar por dificuldades financeiras.

Recebendo o ministro Salgado Filho no Campo de Marte, em abril de 1941. Adhemar já estava na mira do governo federal. Nesse mesmo mês, Coriolano Góes apresentara a Getúlio um dossiê volumoso, contendo uma série de acusações contra o interventor paulista.

Visitando o Abrigo Dr. Adhemar de Barros, em abril de 1941. A homenagem a pessoas vivas na denominação de prédios e instituições era algo comum.

Multidão recebe Adhemar em São José dos Campos, em maio de 1941. Pouco depois ele deixaria o cargo de interventor, sob acusações de corrupção, sendo substituído por Fernando Costa.

Discursando durante almoço na visita a São José dos Campos, em maio de 1941.

Junho de 1940: na inauguração do Instituto de Puericultura, com Leonor.

Avião particular de Adhemar, em 1940. O gosto pela aviação se manifestou durante toda a vida, inclusive no exercício de cargos públicos. Com pressa em executar as obras, ele viajava sempre para acompanhar de perto o cumprimento dos prazos, tendo sido o primeiro chefe de Estado paulista a adquirir aviões e, mais tarde, helicópteros com essa finalidade.

Leonor batiza avião, diante de olhar aprovador de Adhemar. Rapidamente a figura da primeira-dama conquistou a simpatia do público, servindo para Adhemar capitalizar inúmeros apoios. No palanque, bastava que ela estivesse a seu lado para que o discurso ganhasse um tom mais emocionado, ainda que por vezes descambasse para a pieguice.

O novo Hospital das Clínicas, ao centro. Durante as obras, o projeto foi muito criticado, sob a alegação de que as instalações tinham dimensão exagerada. Uma vez concluído, no entanto, o hospital acabou se mostrando de enorme alcance social, não somente pela qualidade de atendimento, mas por constituir um dos maiores centros de pesquisas na área da saúde.

Tomando café com repórteres da *Folha da Noite*, em outubro de 1945, quando se vivia um período de renovação política. O Estado Novo chegava ao fim e novos partidos eram constituídos. Adhemar optou por integrar a UDN, mas logo sentiu que não teria ambiente ali. Pouco tempo depois, fundou o PSP.

O lançamento da pedra fundamental do Hospital das Clínicas. Adhemar viu por bem vincular a obra ao seu gabinete civil, de modo que ela não fosse parada por nenhum entrave burocrático.

Em visita às obras do Hospital das Clínicas, durante a interventoria. O período ficou fortemente marcado pela realização de obras públicas de vulto e pela ampliação dos serviços na área da saúde.

No alto do futuro Hospital das Clínicas.

No lançamento da pedra fundamental do novo prédio do Instituto Butantã, evento que contou com a presença do arcebispo D. José Gaspar de Afonseca e Silva (à direita de Adhemar na primeira foto). O jovem sacerdote, que chegou ao arcebispado com apenas trinta e oito anos, faleceria em acidente aéreo que também vitimou o jornalista Cásper Líbero.

Em cartaz afixado no escritório do deputado Celimaco da Silva, um aliado, Adhemar é apresentado como "O bandeirante da nova geração". A luta para estabelecer o PSP como o grande partido do Estado de São Paulo se mostrava árdua e repleta de desafios.

10

REMANDO CONTRA A MARÉ

Sondagens feitas na opinião pública nos anos de 1953 e 1954 colocavam Adhemar e o brigadeiro Eduardo Gomes como os favoritos na disputa pela sucessão de Getúlio Vargas. Foi o suicídio do presidente que conturbou o quadro sucessório, criando uma situação que favoreceu significativamente a candidatura de Juscelino Kubitschek.

Membros de todos os partidos se alvoroçavam ao ver que Juscelino largava na frente. A dianteira logo ocupada pelo governador mineiro despertou reações tremendas da parte de políticos adversários, como Carlos Lacerda, e até mesmo de correligionários seus do PSD. Mas a maior preocupação vinha das Forças Armadas, cujas principais figuras tinham ambições de que o candidato de união nacional saísse de suas fileiras. No geral todos se alinhavam com a UDN, sendo Juarez Távora, então chefe da Casa Militar, o nome mais evidente. O general Lott, ministro da Guerra, ficava entre os que se opunham a qualquer manobra que comprometesse o curso normal do processo democrático.

Café Filho, então, circulava de forma ambígua pelos meios políticos. Em fins de 1954 ele governava o país — que ainda não havia se recuperado do trauma do suicídio de Getúlio — colocando-se de maneira ostensiva contra a interferência dos militares na sucessão e procurando mantê-los dentro de suas funções constitucionais. Paradoxalmente, porém, foi ele quem deu voz ativa a um gesto da cúpula militar, articulado pelo general Cordeiro de Farias, com vistas a tirar Juscelino do jogo. Era uma proposta de abdicação coletiva das candidaturas militares, em nome da estabilidade, mas que tinha por objetivo intimidar Kubitschek e fazer que ele agisse da mesma forma, ou seja, renunciasse a uma possível candidatura. Lott se opôs, mas os seus colegas de farda o convenceram ao garantir que a proposta seria mantida em sigilo e que haveria o compromisso das Forças Armadas de não violar a constituição. E então, ele assinou, acompanhando o almirante Edmundo Amorim do Vale, da Marinha; o brigadeiro Eduardo Gomes, da Aeronáutica; o chefe do Estado-Maior das Forças Armadas, general Canrobert Pereira da Costa; e o do Estado-Maior do Exército, general Fiúza de Castro, além do próprio Távora.

Juscelino soube das manobras que visavam atingi-lo e se manteve irredutível, salientando que a união nacional — o desejo daqueles que o temiam — era também parte de seus compromissos. Em sua mensagem de fim de ano, reiterou a vocação popular de sua candidatura e encerrou o discurso com uma frase de efeito (que muitos atribuem ao seu mentor intelectual, Augusto Frederico Schmidt): "Poupou-me Deus o sentimento do medo".

Dia 20 de janeiro ele voltou ao Rio para uma nova reunião com Café Filho. Pretendia conhecer a dimensão e a profundidade do manifesto dos militares e, uma vez ciente, liquidar o assunto. Estava acompanhado do senador Bernardes Filho, que a tudo presenciou. Café Filho foi dramático e deu ao documento cores fortes que o texto não possuía. De fato, a ameaça de que as tropas sairiam dos quartéis caso Juscelino não retirasse a candidatura era desmentida pela redação sóbria do manifesto. Kubitschek quis saber se Café ia publicar o documento e, ao ouvir resposta afirmativa, pediu ao presidente que não o fizesse, pois podia passar a impressão de que as Forças Armadas queriam atemorizar o eleitorado. Café voltou a cobrar uma atitude do governador mineiro, diante do apelo dos militares. Juscelino, cujo nome havia sido escolhido pelo diretório nacional do PSD, respondeu com irritação:

— No dia em que o governador de dez milhões de brasileiros, em ordem com todos os preceitos legais e, ainda por cima, indicado pelo partido de maior eleitorado político do país, não puder ser candidato, acabou-se a democracia no Brasil.

Café encerrou com uma frase ameaçadora:

— Depois não diga que não avisei.

Como havia antecipado a Juscelino, Café violou o compromisso que assumira com Lott e, dia 22, leu o documento na *Hora do Brasil*. Contrariado, Kubitschek preparou uma resposta à atitude do presidente, que, em linhas gerais, frisava que o manifesto não lhe era hostil e fora divulgado à revelia de seus autores. Ao final, reafirmava a sua candidatura. No dia 10 de fevereiro ele viajou ao Rio para a convenção do PSD, que acabou por indicar o seu nome como candidato do partido à Presidência da República.

Juscelino era natural de Diamantina, tradicional cidade mineira. Assim como Adhemar, formou-se em medicina e exerceu durante algum tempo a profissão de médico, acabando por ceder aos apelos da política. Sob a proteção de Benedito Valadares, aliado de Getúlio, tornou-se prefeito de Belo Horizonte e se manteve no cargo até a deposição dos prefeitos após a saída de Vargas, em 1945. Depois foi eleito governador de Minas Gerais, onde demonstrou grande talento como administrador, notadamente na execução de obras nas áreas de transporte e energia. Na campanha para a presidência, prometeu cinquenta anos de progresso em cinco anos de governo.

Após largar na frente, Juscelino iniciou entendimentos com pequenos partidos e com as lideranças do PTB. Os demais sabiam que uma aliança com os petebistas daria ensejo a uma candidatura quase imbatível, mas depositavam as esperanças nas exigências que certamente seriam feitas pelos caciques do PTB, que queriam criar um verdadeiro feudo no Ministério do Trabalho e suas autarquias. Realmente, pessedistas de cúpula, como Amaral Peixoto, achavam permissivo demais o acordo imposto pelos aliados. Mas as negociações prosseguiram e, dia 13 de abril, o diretório nacional do PSD aceitou a indicação de João Goulart como companheiro de chapa de Juscelino. No dia seguinte, a convenção nacional do PTB homologou a chapa Juscelino-Jango. Estava celebrada a aliança que os militares tanto temiam.

A UDN iniciou suas manobras lançando a candidatura de Etelvino Lins, e logo partiu para a guerra, ao pedir a abertura de uma CPI para apurar a origem dos bens de Juscelino. José Maria Alkmin, designado para presidi-la, argumentou que seu objeto era inconstitucional, pois a investigação dos bens de um candidato à presidência não poderia ser feita por uma CPI. A questão foi levada à Comissão de Justiça da Câmara e o pedido foi abortado. Apesar de ganharem a primeira batalha, os pessedistas logo perceberam que o caminho à frente não seria nada suave.

Quem achava que a disputa se travaria apenas entre os civis, enganou-se. Os ministros militares, sob o argumento de que um candidato de "união nacional" se afigurava impossível, renegaram os compromissos do memorial entregue a Café Filho e passaram a apoiar Juarez Távora. À medida que a candidatura de Etelvino Lins começava a fazer água, mais aumentava o cerco dos udenistas ao chefe da Casa Militar. Enquanto o nome para a presidência não se definia, o partido lançou, em junho, Milton Campos para o posto de vice. No dia 24, sem condições de prosseguir, Lins retirou-se da disputa. No final do mês, a UDN indicava a candidatura de Juarez Távora, que deveria ser apreciada na convenção do partido, marcada para julho.

Em maio, Adhemar entrou no páreo. Sua intenção de concorrer à presidência havia se manifestado tão logo ele soube que havia perdido a eleição estadual para Jânio Quadros, em outubro do ano anterior. Agora, estava consciente de que suas possibilidades de vitória eram pequenas, situação bem diferente do momento favorável que desfrutava em 1950. O PSP havia ficado totalmente fora da máquina governamental, e seus membros, com a derrota de Adhemar no estado, viraram alvo da administração janista, passando a enfrentar a fase mais difícil. O governador, que empunhava a bandeira da moralização, encontrava terreno fértil para as suas investidas, especialmente quando se tratava de investigar atos de favoritismo político praticados pelos governos anteriores. Levando essa briga adiante, promoveu uma autêntica caça às bruxas, com demissões e transferências de funcionários públicos e todo tipo de perseguição contra pessoas ligadas ao PSP.

Mesmo assim, remando contra a maré, Adhemar resolveu disputar a presidência para perpetuar o mito em torno do seu nome e não cair no esquecimento, o que seria um desastre irremediável. No dia 22 de abril, um mês antes das eleições que escolheriam o novo prefeito de São Paulo, ele havia manifestado publicamente o desejo de lançar sua candidatura. Para os udenistas, era a esperança de roubar os votos da classe trabalhadora e aumentar as chances do candidato da UDN.

Antes do lançamento oficial, já estavam sendo mantidos entendimentos com a direção nacional do PTB visando a repetir o pacto de 1950. Mas, desta vez, a maior oposição veio de João Goulart. A chamada "Frente populista", que deu a vitória a Vargas, foi rompida formalmente em meados de abril. As negociações, então, voltaram-se para a seção paulista do PTB, que se mostrou mais aberta a conversar. O partido estabeleceu um acordo com o PSP por meio do qual se comprometera a apoiar a candidatura de Adhemar à presidência recebendo em troca o apoio pessepista aos seus candidatos para as eleições municipais que aconteceriam em outubro de 1955.

Secretamente, porém, um plano muito mais ousado vinha sendo traçado, envolvendo uma aliança do PSP com os integralistas. Plínio Salgado havia reorganizado a antiga Ação Integralista Brasileira, reunindo seus membros remanescentes no Partido de Representação Popular (PRP). Possuía um eleitorado cativo, cerca de 800 mil pessoas, que despertava a cobiça de muitos políticos. O próprio Juscelino, que queria dividir a oposição, encorajou-o a lançar sua candidatura, o que acabou acontecendo no dia 21 de março. O *slogan* escolhido — "Uma elite para as massas" — antecipava ironicamente o fracasso da empreitada. Ao contrário dos demais, Salgado não formou chapa com candidato a vice-presidente.

Adhemar enviou um emissário para conversar com o líder integralista, que ouviu a proposta, mas não a aceitou. Ele estava numa cruzada de norte a sul do país para aumentar a sua base, e tinha plena convicção dos resultados:

— O Brasil já está preparado para encampar a ideologia do integralismo.

Fora do PSP, pouca gente acreditava no êxito do cacique. Mesmo dentro do partido eram notórias as objeções contra a candidatura. Boa parte dos analistas apostava em Adhemar não como candidato, mas como grande eleitor de um terceiro nome, como o general Canrobert. Já os favoráveis à sua escolha achavam que ele conseguiria selar a "Frente populista" — que não estava sendo recomposta devido à oposição de Jango e do diretório nacional do PTB — com petebistas dissidentes. Foi o que aconteceu. Adhemar fechou acordo com Danton Coelho, que aderiu facilmente à chapa e saiu candidato à vice-presidência. Mas o PTB, do qual o político gaúcho fazia parte, não concordou com a decisão e o expulsou.

No dia 22 de maio, Adhemar ganhou um impulso valioso com a eleição de Lino de Matos para a prefeitura de São Paulo, posto que havia ficado vago quando Jânio Quadros e Porfírio da Paz se elegeram para o governo do estado, e que fora ocupado de forma provisória por William Salem, presidente da Câmara dos Vereadores. O PSP formalizou uma aliança com o PTB e um acordo com os comunistas, elegendo Matos por margem folgada, de 46% do total de votos válidos. Jânio não quis se envolver na eleição, pois os partidos que o apoiavam, o PTN e o PSB, lançaram candidaturas próprias, de Emílio Carlos e Rogê Ferreira.

O apoio a Lino de Matos corrigia uma alegada injustiça. Em 1938, quando era presidente da União dos Sindicatos de Trabalhadores, órgão que congregava todos os sindicatos do estado de São Paulo, Matos pedira a Getúlio a nomeação de Adhemar para a interventoria. Depois, disse ter se arrependido do ato, porque o novo interventor não cumpriu nenhum dos compromissos assumidos com os trabalhadores e ainda o teria perseguido durante o governo. Ao chegar à prefeitura, Lino de Matos acumulava o cargo recém-conquistado com o de senador. Tornou-se um cabo eleitoral importante para o líder:

— Adhemar é o candidato natural do PSP. A minha vitória não só indica que o seu prestígio está cada vez mais alto em São Paulo, como pode apressar decisivamente a sua candidatura à Presidência da República. Mas a palavra final, naturalmente, será dele.

No dia 11 de junho, os nomes de Adhemar e do vice Danton Coelho foram lançados no Palácio Tiradentes. Na convenção nacional do PSP, quando a chapa foi confirmada por unanimidade, o cacique pessepista leu um discurso — fato raro em sua trajetória de notável orador — em que equacionou a situação do país de forma radical: "Ou eu ou o caos". Ele insistiu na recomposição da frente PSP-PTB, mesmo diante do fato de Jango ter sido ratificado pela convenção nacional do PSD na dobradinha com Juscelino.

No final, quatro chapas foram oficialmente inscritas para as eleições: Juscelino Kubitschek-João Goulart, apoiados por PSD, PTB, PR, PTN, PST e PRT; Juarez Távora-Milton Campos, apoiados pela UDN e dissidentes do PSD, PDC, PSB e PL; Adhemar de Barros-Danton Coelho, apoiados pelo PSP e por dissidentes do PTB; e Plínio Salgado, pelo PRP.

Jânio Quadros se licenciou para poder agir com mais liberdade na campanha presidencial, cedendo temporariamente o lugar a Porfírio da Paz, que assumiu em 24 de julho o cargo de governador. Ao anunciar seu apoio a Juarez Távora, ele lançou o desafio: "Tirar o paletó e lutar por Juarez, ou ser devorado". Num encontro de prefeitos em Ribeirão Preto, ele dizia em tom de alerta, do seu jeito típico:

— Senhores, quem, dentre vós, ignora que a ordem democrática oscila?

Para ele, era obrigatório derrotar o grande rival, cuja candidatura trouxe de volta a artilharia de um incansável guerreiro. Paulo Duarte retomou os ataques nas páginas do *Estado*, desta vez acusando Adhemar de ter se apropriado de uma urna marajoara destinada ao Museu Paulista, em 1950. No seu artigo, afirmou que o museu só teve notícia da existência da urna quando um arqueólogo e colecionador paraense, Frederico Barata, precisando examinar a peça para os seus estudos, soube em Belém que, por ordem do governador de São Paulo, ela havia sido entregue à Aerovias, para ser transportada para a capital paulista. Barata, então, procurou o diretor do museu, Sérgio Buarque de Holanda, pedindo uma data em que pudesse ter acesso à urna. Segundo Paulo Duarte, fora apenas nesse momento que Holanda soubera da doação da peça.

Adhemar teve de depor à polícia. Comentou que o Museu Paulista não tinha dinheiro para fazer o traslado de Belém a São Paulo e que, por isso, ele se prontificou a custear o transporte, mas acabou se esquecendo completamente do assunto, envolvido em outras coisas. Depois foi confirmado que, realmente, um funcionário da Aerovias retirou a urna em Belém, em nome de Adhemar, sem que a peça, contudo, fosse entregue ao museu. Sérgio Buarque de Holanda recorreu então ao governador, sem sucesso — reclamou ter entrado diversas vezes em contato com Adhemar, mas este só lhe respondia com evasivas.

O assunto ganhou as manchetes dos jornais. A carta que Adhemar enviou a Felisberto Cardoso Camargo, diretor do Instituto Agronômico do Norte, em Belém do Pará, agradecendo a doação, era apresentada como prova material de que o governador efetivamente recebera a urna. Ele desabafou:

— Essa coisa é o que os meus amigos dizem: um grande penico de barro.

O caso era intrigante. Oscar Pedroso Horta, um dos maiores criminalistas do país, contratado para defender Adhemar no processo, concluiu que a trama fora armada para transformar a urna no "ataúde político" de seu cliente. O que se descobriu é que não apenas uma, mas duas urnas haviam sido doadas. A primeira era realmente para o museu. A segunda, para o próprio Adhemar, que então exercia o governo estadual. Por ironia do destino, a do museu sumiu, e a que Adhemar recebera foi parar na sua fazenda em Taubaté, onde teve um destino medíocre: acabou numa despensa, como depósito de cebolas e batatas. Os empregados ali eram incapazes de dizer qual a utilidade daquela estranha caixa. Oscar Pedroso Horta exibiu a urna de Adhemar aos jornalistas, e então ficou claro que não era a peça doada ao museu. Ninguém sabia onde estava a principal, e não havia condições de chegar ao autor do crime. O advogado fez questão de frisar que tudo aquilo não passava de acusação feita pelo "velho inimigo de Adhemar de Barros, Paulo Duarte". No artigo seguinte, o jornalista rebateu:

> Há um ponto que precisa ser retificado ainda nas declarações do ilustre defensor do sr. A. de Barros. É aquele em que afirma ser eu "velho inimigo do sr. A. de Barros". Não é verdade. Nunca fui inimigo do sr. Ademar, jamais tive com ele qualquer questão. As nossas relações na

Assembleia Legislativa, quando fomos ambos deputados, sempre foram cordiais, nunca tive com ele um debate violento e nos separamos sem o menor abalo nessas relações. Depois disso nunca mais o vi. Sou seu adversário político e pertencemos, cada um de nós, a escolas diferentes. A nossa formação moral é absolutamente diversa, mas as razões por que o combato não são pessoais, são políticas exclusivamente. [...] Assim, tantas vezes quantas tentar ele disputar um posto daqueles que devem ser ocupados pelos homens de bem, me verá pela frente. No dia em que o sr. A. de Barros abandonar definitivamente essa mania de ser estadista, então juro que nunca mais me lembrarei dele.

Anos depois de encerrado o processo, Adhemar afirmou que havia trazido de suas muitas viagens pelo Pará dúzias de urnas semelhantes para presentear os amigos, muitos deles colecionadores:

— Eu mesmo não fiquei com nenhuma porque não queria ter em minha casa sarcófagos de índios mortos há trezentos, quatrocentos ou quinhentos anos, e enterrados na Ilha de Marajó.

Em setembro, ele deu uma entrevista a *O Cruzeiro* na qual declarava possuir uma fortuna de 1 bilhão de cruzeiros, e relacionava os seus bens. Paulo Duarte contestou a declaração, desta vez na *Tribuna da Imprensa*, com um artigo provocador: "Se nasceu em berço de ouro, morrerá em grades de ferro". Disse que a fortuna de seu adversário beirava os 3 bilhões e que, no rol publicado, faltavam bens registrados em nome de filhos, genros e testas de ferro, sem contar títulos ao portador e valores depositados no exterior.

Procurando manter distância desses ataques, Adhemar seguia em frente com a campanha, mais uma vez utilizando os serviços da Propago Publicidade. Além de São Paulo, onde dominava, seu nome era forte no Rio e seu eleitorado também crescia em Goiás, Pará, Amazonas e Espírito Santo, especialmente nas cidades do interior. No trabalho de divulgação, o PSP contava com a colaboração de nomes expressivos da música brasileira, como Pixinguinha, Ataulfo Alves e Herivelto Martins. Uma das músicas da campanha foi *Mar de rosas*:

Amazonas vai secar
Ceará não vai chover
São Paulo vai parar
Se Adhemar não se eleger
Com Adhemar todo Norte
Com Adhemar todo Sul
Com Adhemar, um mar de rosas
E o Brasil um céu azul

Minha gente, vamos votar
E eleger doutor Adhemar
Pois com ele no Catete
Tudo há de melhorar

A poucos dias das eleições, Jânio Quadros vociferava:

— Nenhum ladrão usará a faixa de presidente da República.

Declarando estarem seus olhos "rasos d'água", ele apelou aos eleitores para que recusassem "vícios sob todas as suas formas repelentes" e garantiu o governo a Juarez Távora. Carlos Lacerda, ao vislumbrar possíveis resultados, reclamava que as eleições, com a estrutura vigente, eram "um processo de decomposição nacional". Dizia que uma revolução sem derramamento de sangue deveria estabelecer um "governo de gabinete" e libertar o Brasil de "bandidos políticos". Na *Tribuna da Imprensa*, escreveu que era a hora de "decidir", em vez de saber qual molho seria servido na mesa dos gozadores: "o molho de Adhemar de Barros ou de Kubitschek".

As eleições de 3 de outubro ocorreram em ambiente calmo. O Exército ficou de prontidão, mas sem alarde. Em pontos críticos, cuja instabilidade reclamava a presença de tropas, Lott as colocou longe dos locais de votação, para não intimidar nem afastar os eleitores. Menos de 60% do eleitorado votou, o que implicou uma abstenção de mais de 5 milhões de eleitores. Juscelino ficou com 33,8% dos votos; Távora, com 28,7%; Adhemar, com 24,4%; e Plínio Salgado, com 8%. Juscelino venceu com 3.077.411 votos, seguido por Juarez Távora, com 2.610.462, e Adhemar, com 2.222.725. João Goulart, curiosamente, foi eleito com mais votos que Kubitschek: 3.591.409.

Apesar de ficar em terceiro lugar na eleição, Adhemar foi o primeiro colocado no estado de São Paulo, vencendo por ampla margem Juscelino, que teve pouco mais de 10% do total de votos. Com isso, conseguiu manter o prestígio, o que era a sua intenção. Porém, não negou a ninguém o dissabor pela derrota. No dia 10 de outubro, ele teve um alívio temporário no processo dos veículos ao ser absolvido pelo Tribunal de Justiça de São Paulo da acusação de peculato. Prevaleceu na decisão o fato de não ter havido pagamento de nenhuma parcela do financiamento por parte do estado. Ainda assim, os desembargadores apontaram suposta intenção do governador de se aproveitar "do prestígio, das regalias e até mesmo do crédito do Poder Público", o que faria dele um *improbus administrator*.

Mesmo com as eleições tranquilas, o panorama político nacional estava longe da normalidade. O fato de Juscelino ter sido eleito com pouco mais de um terço dos votos desencadeou movimentos contrários à sua posse. Em todo canto havia gente se mexendo e maquinando para impedir a qualquer custo que a sua investidura na presidência se efetivasse. A chapa que ele formara com Jango havia recebido apoio dos comunistas, havia muito tempo na ilegalidade, o que para gente como Carlos Lacerda — que defendia a vitória de Juarez Távora e Milton Campos — bastava para dar início aos mais amplos protestos. Lacerda estava próximo de membros da oficialidade jovem e tinha esperanças de fazer os generais intervirem para impedir a posse dos eleitos. Antes de apelar para manobras radicais, entretanto, ele voltava a bater na tecla da maioria absoluta, tese que havia sido repelida em 1950, quando da eleição de Getúlio Vargas. Eduardo Gomes e Amorim do Vale endossaram a iniciativa, mas Gomes queria que o general Lott, ministro da Guerra, encaminhasse à Justiça Eleitoral uma mensagem dos ministros militares defendendo o princípio. Lott se recusou, criando atrito com o seu colega de farda.

Ele era ferrenho defensor dos princípios da legalidade e não embarcava na onda irresponsável dos defensores do golpe. Além disso, rendia-se à ideia de que Juscelino e Jango foram eleitos pelo mesmo sistema.

Por esse motivo não admitia nem mesmo a hipótese de sustar a posse do vice-presidente, ainda que sob a ameaça lançada por Lacerda de que ele "iria governar o país com a quinta coluna". Eram os dois, presidente e vice, ou nenhum. A firmeza de Lott aumentava a força dos militares, até então timidamente reunidos no Movimento Militar Constitucionalista.

Juarez Távora era mais cauteloso. Sem compactuar com os delírios de Lacerda, defendia que os resultados da eleição fossem reexaminados judicialmente, com base em alegações que iam da fraude à violência. No fundo, era uma solução tão radical quanto a do grupo lacerdista, ainda que enrustida sob um verniz falsamente institucional.

Longe das intrigas reveladas ao público, porém, havia um golpe sendo preparado nos bastidores, cuja trama foi descoberta aos poucos. No dia 31 de outubro, o presidente do Clube Militar, general Canrobert Pereira da Costa, viria a falecer. Lott se abalou com a morte do amigo e a muito custo aceitou o convite para proferir a oração fúnebre, pois achava que não teria a firmeza emocional que o momento exigia. Tudo transcorreu de forma satisfatória até o final da cerimônia, quando surgiu o coronel Jurandir de Bizzaria Mamede, que tomou a palavra e, para espanto de todos, fez um pronunciamento inoportuno e eminentemente político, defendendo a necessidade da maioria absoluta para a eleição presidencial. No discurso, Mamede elogiava o general morto, atacava os políticos que se utilizavam de uma "pseudo-legalidade imoral e corrompida" e qualificava de "indiscutível mentira democrática" a "vitória da minoria" para o Executivo federal. Lott indignou-se com a atitude do coronel e decidiu puni-lo, mas esbarrou em um obstáculo de ordem legal: Mamede estava integrado à Escola Superior de Guerra (ESG) e, portanto, subordinado diretamente ao presidente da República.

Como não queria deixar barato o que qualificava de atrevimento, dia 3 de novembro Lott telefonou ao chefe do Gabinete Militar da presidência, coronel Canavarro, e perguntou-lhe se o presidente tinha tomado conhecimento do discurso de Mamede. A resposta de Canavarro deixou Lott perplexo: Café Filho fora internado de madrugada no hospital do Ipase, após ter sofrido um acidente cardiovascular. A notícia pegou de surpresa não somente o ministro da Guerra, mas toda a classe política, exatamente em virtude dos desdobramentos que o impedimento do presidente poderia trazer. Mas gerou desconfianças quanto à sua veracidade. Sérias desconfianças.

José Maria Alkmin foi ao Congresso e propôs a Afonso Arinos a formação de uma comissão de líderes para visitar o presidente internado, a qual se dirigiu ao hospital no dia 9 de novembro. Aos presentes tudo aquilo pareceu encenação, um espetáculo montado para servir a propósitos rasteiros. Segundo Alkmin, Café Filho os recebeu sorridente, barbeado e penteado, mas na cama. No quarto, que estava em ordem, havia uma poltrona com um pequeno travesseiro e, ao lado do móvel, uma cadeira com um livro aberto, cujas folhas eram viradas pelo vento que entrava pela janela. Alkmin concluiu que, antes da chegada dos visitantes, Café Filho estava junto à janela lendo aquele livro e, quando a visita foi anunciada, acomodou-se rapidamente na cama, para dar a todos a impressão de que estava realmente doente.

Aos poucos, as coisas começavam a fazer sentido. Café Filho temia os militares, sendo presa fácil de uma manobra que tivesse por finalidade deixar a presidência livre aos avanços dos quartéis. Era o que parecia estar acontecendo. Carlos Luz, presidente da Câmara, assumiu o cargo, e sua primeira providência foi substituir Lott no Ministério da Guerra — era preciso afastar o general "legalista" que estava criando embaraços entre os seus colegas.

No dia 11 de novembro, porém, Lott promoveu um golpe "preventivo". Estava convencido de que Carlos Luz integrava o grupo dos conspiradores e, portanto, não deveria assumir. Assim, mobilizou o comando do Exército no Rio de Janeiro e mandou as tropas ocuparem todos os prédios públicos. A Marinha e a Aeronáutica, num primeiro momento, se recusaram a aderir, por considerarem a ação ilegal, mas cederam quando o Exército cercou suas unidades. Luz, então, viu que a porta para o cargo lhe tinha sido fechada.

Sustada a insurreição, faltava agora dar a solução legal para o afastamento de Carlos Luz. Pela ordem estabelecida na constituição, seu substituto seria Nereu de Oliveira Ramos, presidente do Senado, que estava reticente com relação à possibilidade de assumir. Para ele tudo parecia precipitado, principalmente porque Luz não havia sido afastado e, para todos os efeitos, era o presidente. José Maria Alkmin tentou convencê-lo a aceitar o cargo, dizendo que a situação vivida pelo país era excepcional e que, inclusive, havia tanques tomando as ruas principais da cidade. Ramos condicionou sua aceitação à aprovação de seus colegas no Senado. Além disso, queria que o posto fosse declarado vago. As exigências foram atendidas. Carlos Luz, que se refugiara no Ministério da Marinha após ser removido da Presidência da República, fugiu com Lacerda e militares contrários ao golpe preventivo no cruzador *Tamandaré*, que seguiu para Santos, onde os golpistas pretendiam instalar um governo de exceção, presumivelmente com o apoio do governador Jânio Quadros. O navio zarpou escapando de tiros dados de posições em terra, mais para amedrontar os rebeldes do que para abater a embarcação.

A viagem, assim como a atitude da tripulação, foi uma comédia de erros. O navio estava em reparos, com apenas duas caldeiras funcionando, e só conseguia atingir metade da sua velocidade normal. Além disso, não havia comida suficiente a bordo. Tudo parecia apenas uma aventura inconsequente. Mas o golpe final veio por meio de uma mensagem telegráfica: a guarnição de Santos havia capitulado diante das tropas comandadas pelo general Falconieri, e Jânio Quadros, oportunista como sempre, declarou lealdade aos amigos e respeito à constituição. Sem saída, a comitiva a bordo decidiu retornar. No dia 13 o *Tamandaré* chegou de volta ao Rio, com sua tripulação formada cantando *O cisne branco*, enquanto margeavam Copacabana:

Qual cisne branco que em noite de lua
Vai deslizando num lago azul.
O meu navio também flutua
Nos verdes mares de Norte a Sul.

Carlos Luz se comprometeu a encaminhar uma carta de renúncia à presidência da Câmara, ganhando em troca o direito de apresentar sua defesa e sua versão dos fatos perante a tribuna. Os parlamentares que integravam a comitiva tiveram as imunidades respeitadas. Carlos Lacerda, precavido, asilou-se na embaixada de Cuba e, depois, partiu para o exílio.

Uma semana depois, a crise de sucessão recomeçou. Café Filho recebeu alta e anunciou que pretendia reassumir o cargo de presidente. No dia 21 enviou carta a Nereu Ramos, ao Congresso Nacional e ao STF, comunicando às autoridades que reassumia o cargo a partir daquele momento. Entre o hospital e o prédio onde ele morava formou-se um verdadeiro cortejo, com a presença de ministros de estado e militares, dando força às intenções alimentadas pelo presidente afastado. Mas a quartelada se repetiu, abortando qualquer gesto que visasse retorno à situação anterior. Tropas do Exército cercaram o quarteirão, Café Filho teve seu telefone cortado e foi obrigado a permanecer isolado em seu apartamento, junto da comitiva. No dia seguinte, a Câmara votou a moção propondo o impedimento do presidente afastado. Dois dias depois atendeu ao pedido dos militares e aprovou o estado de sítio pelo prazo de trinta dias, que foi prorrogado até o dia da posse do novo presidente eleito.

Café Filho tentaria a última cartada por meio de um *habeas corpus* no Supremo Tribunal Federal, que apreciou o pedido no dia 15 de dezembro. Mas a decisão não poderia ter sido mais "brasileira": o julgamento ficou suspenso até que se expirasse a vigência do estado de sítio.

Durante o período de Café Filho na presidência, os deputados pessepistas vinham assumindo atitude neutra. No fundo, nunca houve grande sintonia entre ele e o partido liderado por Adhemar. Café sempre se manteve distante, preferindo uma relação mais próxima com a UDN. Quando ele se envolveu na crise de novembro, porém, a neutralidade se converteu em oposição pura e simples, até que, no início de dezembro, os membros do partido o colocaram à margem: ele foi destituído da vice-presidência do PSP.

Em meio a esses acontecimentos, o calvário de Adhemar recomeçava: o "caso dos Chevrolets" tinha-se desdobrado em dois processos. Embasado em novos documentos, o Ministério Público o acusava de ter recebido um cheque no valor dos cinco caminhões que foram destinados à Força Pública, por meio de uma operação triangular envolvendo uma empresa. Extratos bancários e o depoimento de assessores que não conheciam a fundo o assunto complicaram sua situação. O caso foi noticiado até mesmo na revista americana *Time*.

O fato que motivou o novo processo ocorreu em outubro de 1949, quando Adhemar encampou a compra dos cinco caminhões que seriam destinados à Força Pública e baixou o decreto concedendo reforço de verba à corporação, no total de 1 milhão de cruzeiros. A denúncia afirmava que, àquela altura, teria sido engendrado o plano que permitiria o direcionamento ao bolso do acusado da importância destinada à transação. Os oficiais Benedito Soares e Romeu de Carvalho Pereira pediram à firma Cássio Muniz S.A. que comprasse os cinco caminhões, argumentando que a situação dos veículos deveria ser regularizada: os caminhões, junto com outros de uma compra maior (num total de doze), seriam readquiridos pela corporação. Em 16 de fevereiro de 1950, segundo a denúncia apresentada, a firma Cássio Muniz S.A., simuladamente, comprou da Força Pública os cinco caminhões pela importância de 386.250 cruzeiros, e no mesmo dia revendeu os mesmos caminhões, englobados num lote de doze, à Força Pública. O promotor alegou então que, como Cássio Muniz S.A., em realidade, nada havia adquirido, devolveu o valor que não lhe pertencia por meio de um cheque ao portador, entregue ao major Romeu de Carvalho Pereira, que, por sua vez, repassou-o a Adhemar.

A defesa se encarregou de esclarecer a trapalhada: como Adhemar assumira pessoalmente a compra dos cinco caminhões, precisou arrumar uma maneira de se ver ressarcido. A recompra dos veículos por Cássio Muniz S.A. e a subsequente venda à Força Pública foi a solução desajeitada que se encontrou, sendo o cheque entregue a Adhemar o último elo da operação. Os advogados salientaram que não tinha havido má-fé, mas sua defesa foi em vão: o Tribunal de Justiça de São Paulo entendeu que estava configurado o crime e recebeu a denúncia.

No dia 6 de março de 1956, pouco mais de um mês após Juscelino assumir a Presidência da República, Adhemar, seu concorrente direto no pleito, foi condenado — por dezesseis votos a doze — a dois anos de reclusão, além do pagamento de 2 mil cruzeiros de multa e interdição dos direitos políticos por cinco anos.

11

PURGATÓRIO DE DANTE

Adhemar ouviu a notícia da condenação às 4 da manhã, horário em que as emissoras de rádio normalmente já teriam encerrado a programação. Ele estava com familiares num apartamento na avenida Angélica, no bairro de Higienópolis. Às 5 horas, a polícia começou a procurá-lo no solar da Albuquerque Lins e também nas casas dos filhos. Algo muito estranho, pois o mandado de prisão não havia sido assinado ainda.

Entre os presentes à reunião familiar, ninguém sabia o que fazer. A tensão era enorme, principalmente depois que, num rompante, ele anunciou que ia se entregar. Um delegado que acompanhava Adhemar Filho logo o demoveu da ideia:

— Se o senhor pensa em se entregar, não o faça. Vá embora daqui. O que estão lhe tramando é uma barbaridade. Nunca houve nada parecido na história da polícia de São Paulo.

Convencido, enfim, a se refugiar, ele desceu e ficou na calçada, procurando se esquivar da luz do poste para não ser visto, enquanto esperava a perua Dodge verde que o levaria para Santo Amaro. O trajeto pelas ruas escuras e desertas da zona sul foi rápido. Ao chegar à chácara, mais relaxado, ele deitou e dormiu até as 4 da tarde. Porém, a precariedade do lugar lhe indicou que a permanência ali seria curta.

O exílio não era a opção seguinte. Inicialmente, ele cogitou a possibilidade de se instalar em um local seguro, não muito afastado da cidade, onde pudesse ter contato mais estreito com os entes queridos e acompanhar o andamento de seu processo judicial. Notícias trazidas por amigos indicavam que a descoberta do esconderijo pela polícia era iminente e precipitaram a decisão pelo estrangeiro.

A logística criada para tirá-lo do país foi meticulosa. No comboio que deixou Santo Amaro rumo a Campinas os veículos se espaçavam, de modo que, se um deles fosse parado pela polícia, os outros poderiam seguir sem despertar suspeitas. Nesse esquema, a ambulância em que Adhemar se acomodou trafegava com certa liberdade. Ao seu lado, como um fiel escudeiro, o coronel Aldévio Barbosa de Lemos, ex-comandante de uma tropa na Itália na Segunda Guerra Mundial, proporcionava-lhe a segurança e o apoio moral que o momento exigia. Graças a ele, Adhemar foi colocado são e salvo a bordo do Douglas DC-3. A caminho de Assunção o avião parou apenas para reabastecer em Foz do Iguaçu, de onde seguiu viagem.

No Brasil, eram 14h30 quando o embaixador Macedo Soares, ministro do Exterior, telefonou para o governador Jânio Quadros e o informou que o líder pessepista se encontrava no Paraguai, conforme lhe havia sido comunicado pelas autoridades do país vizinho. Duas horas depois, o cônsul paraguaio em São Paulo visitou Jânio, no palácio dos Campos Elíseos, e deu a mesma notícia.

Ainda assim, a informação era encarada com desconfiança nos meios policiais. Durante o dia, assistiu-se a um entra e sai interminável no gabinete do secretário de Segurança Pública, João Batista de Arruda Sampaio, enquanto os delegados responsáveis pela captura tentavam comunicar-se com as autoridades paraguaias, sem sucesso. As ligações sequer eram completadas. Na falta de notícias concretas, os boatos encontravam terreno fértil. As primeiras informações sobre a fuga de Adhemar indicavam que o seu avião teria decolado de Rancharia, interior de São Paulo. Mas o delegado da cidade esclareceu que nenhum voo partira do campo de aviação local, que inclusive se situava próximo de sua delegacia. Diante do ceticismo com relação à saída do país, a polícia decidiu prosseguir com as investigações dentro do estado.

Para a aflição dos jornalistas, o delegado Coriolano Cobra, titular da delegacia de capturas, mantinha-se calado e não dava declarações. Quando os repórteres protestaram, dizendo que a população estava ávida por notícias, ele desconversou:

— A população está ávida de outras coisas.

Provocados, os aliados de Adhemar afirmavam que sua permanência no Paraguai não significava escapar da Justiça brasileira; apenas evitava o cumprimento de um mandado de prisão totalmente abusivo. Os "inimigos rancorosos", diziam, "queriam se vingar de todas as maneiras". Todas mesmo. Quando a chegada a Assunção foi confirmada, o secretário Arruda Sampaio telegrafou à polícia do Paraguai solicitando a prisão de Adhemar — foi esse o documento recebido por Edgard Insfran, o chefe de polícia paraguaio. Da mesma forma, o delegado da Interpol no Brasil, João Amoroso Neto, ficou incumbido de acionar o órgão internacional em todos os países nos quais houvesse tratado prevendo sua ação, com o propósito de deter o fugitivo.

No Paraguai, Adhemar encontrava apoio na presença de seu advogado, com quem logo criou empatia. Cesar de Barros Hurtado era casado com uma brasileira que fizera parte de um comitê político do PSP no Rio de Janeiro. Por causa disso, ele próprio acabara virando adhemarista. Naquele momento de extrema tensão, antes que o processo de extradição se confirmasse, Hurtado advertiu Adhemar dos riscos que cercavam o encontro com Edgard Insfran, concluindo, de modo categórico:

— É preciso que o senhor saia imediatamente deste hotel, e se possível da cidade.

No Clube União, Insfran aguardou os dois por um bom tempo. Quando viu que não viriam, foi embora. Aos jornalistas, depois, ele esclareceu que não tinha interesse em prender o político brasileiro, mas apenas de conhecer o seu paradeiro e protegê-lo de eventuais ameaças.

Adhemar não quis esperar para ver. Acatando a sugestão do advogado, deixou o hotel e se hospedou em uma casa em Assunção, onde pernoitou e passou todo o dia seguinte, até que, por volta da meia-noite, um carro foi pegá-lo. Por ordem de Hurtado, o motorista levou Adhemar para San Bernardino, a charmosa cidade de veraneio às margens do lago Ipacaraí, conhecido como "Lago Azul". Gente da sociedade paraguaia, assim como estrangeiros, tinha casas de descanso ali — fora de temporada, contudo, era uma cidade semideserta. Foi numa dessas casas de recreio, no período em que não havia ninguém no local, que Adhemar se instalou. Seguindo as instruções de Hurtado, ele se apresentou ao caseiro como Waldemar Mendes, o mesmo codinome que havia escolhido durante o primeiro exílio, em 1932.

Passou uma noite terrível. Sem conseguir dormir por causa dos pernilongos, sentou-se numa cadeira no lado de fora e só adormeceu quando o sol surgiu. Não demorou muito e o caseiro o despertou trazendo um prato de sopa de mandioca, desculpando-se, meio sem graça, por ter apenas aquilo para oferecer. Em seguida Adhemar dormiu de novo, sentado sob uma árvore. Saiu da casa somente à noite, quando Hurtado veio buscá-lo dirigindo o próprio carro. Era hora de partir: Assunção já tinha sido vasculhada e, agora, a polícia iria procurá-lo no interior.

Ao chegarem de volta à capital foram para a residência de um casal gaúcho, que, a pedido de Hurtado, aguardava o ilustre brasileiro. Quando entraram, os portões até então abertos foram fechados imediatamente. Adhemar foi recebido com hospitalidade, mas sem saber quanto tempo ficaria ali. De fato, não demorou para as coisas se complicarem. Naquele dia 13, Jânio Quadros tinha enviado expediente a Nereu Ramos, então ministro da Justiça, solicitando o início do procedimento de extradição, com base em um tratado de 1922 celebrado pelos dois países. Chegou a telefonar ao ministro para reforçar a ordem, e ouviu dele que, assim que o documento lhe chegasse às mãos, tomaria providências imediatas. Como a vontade era prender o cacique do PSP, parecia que os trâmites internacionais seriam vencidos sem perda de tempo.

Pela celeridade incomum que o processo estava tomando — de dias, quando levava meses — era preciso pensar numa alternativa. A solução mais uma vez foi trazida por Hurtado. Adhemar iria para a Bolívia num táxi aéreo, um Cessna H-190 (pois o Douglas DC-3 era vigiado constantemente). A única dificuldade era o piloto retirar o avião do hangar onde se encontrava e levá-lo para uma das pastagens de gado na periferia da cidade. Os preparativos para a viagem logo se iniciaram. Na sexta-feira, dia 16, às 4 da manhã, Adhemar foi despertado pelo anfitrião gaúcho e se juntou a Robertinho, um dos dois auxiliares que estavam à sua disposição — foi o escolhido para acompanhá-lo porque era mais leve e poderia se acomodar na aeronave com as duas latas de gasolina que Adhemar queria levar por precaução.

No campo de voo, onde chegaram às 4 e meia, o comandante Flávio Martines verificou que as condições atmosféricas não eram boas, e que, por isso, teriam de aguardar. Ainda assim, e também diante do campo, irregular e cheio de pedras, com bois atravancando o caminho, Adhemar insistiu. De pé, ficou aguardando a volta de Martines, que entrou no carro com Hurtado e fez o percurso para afastar os bois. Os animais se moviam lentamente, diante das luzes dos faróis e dos toques repetidos da buzina. Quando foi encerrada a operação de limpeza da pista, o motor do avião já estava aquecido. Robertinho sentou-se no banco de trás da aeronave, junto com as latas de gasolina. Adhemar acomodou-se ao lado do piloto. Logo depois, finalmente decolaram.

Na Bolívia, ele tinha certeza de que iria receber uma acolhida melhor, dadas as ótimas relações que mantinha com os dirigentes daquele país desde o tempo em que era governador de São Paulo. Mas as perspectivas até chegarem não eram nada alvissareiras. Faltavam instrumentos de voo no painel do avião e o único guia disponível era um mapa escolar. Basicamente, eles seguiam a vegetação e o desenho do terreno, agreste e com rios secos.

Depois de horas de viagem, cansados e com pouco combustível, resolveram parar num lugar chamado Colônia Filadélfia, uma pequena cidade com pouco mais de 2 mil habitantes, onde abasteceram o avião com as latas de gasolina que haviam levado. Estavam terminando o procedimento quando ouviram o barulho de um avião maior, um Douglas DC-3 do mesmo porte da aeronave que Adhemar possuía, mas da Missão Militar Brasileira. Assustados, decolaram com apenas meia pista e seguiram viagem.

Não apenas o cansaço, mas também a fome e a sede castigavam Adhemar. Os olhos já ardiam em decorrência das noites sem dormir. O desânimo se alternava com a tensão. Quando passaram pela fronteira com a Bolívia, Flávio Martines preveniu:

— Temos gasolina para, no máximo, três horas e meia. E até Santa Cruz de La Sierra são, pelo menos, quatro horas de voo.

Felizmente o piloto errou, ainda que por pouco. Foi apenas quando surgiram a cidade e uma pista de pouso que, pelas dimensões, parecia de padrão internacional, é que acabou o combustível. No mesmo instante em que o avião tocou o solo, as hélices pararam de girar. Concluído o pouso, eles deixaram a aeronave, tomando o cuidado de empurrá-la para fora da pista, tendo então que andar 3 quilômetros até a sede do aeroporto, na outra extremidade. A polícia já estava à espera para prendê-los, por motivos um tanto compreensíveis: era um avião de procedência paraguaia, sem pedido de pouso, em solo boliviano. Adhemar apresentou o único documento que tinha no bolso, uma carteira de oficial brasileiro da reserva, e, a exemplo do que ocorrera no Paraguai, não teve negada sua entrada no país. Liberado pela polícia, hospedou-se no Gran Hotel Santa Cruz, mas ficou trancado no quarto, tendo à porta uma sentinela que recebera a ordem de não deixá-lo sair.

Parecia que o pesadelo ia recomeçar. Insegurança, ameaças e uma apreensão constante. A toda hora ele se perguntava quando seria o fim de tudo aquilo. No dia seguinte, porém, as coisas clarearam. Ele foi recebido pelo vice-presidente Siles Suazo, e o governo da Bolívia lhe concedeu autorização de permanência temporária. Com o mínimo de tranquilidade enfim assegurado, ele foi para Cochabamba e se instalou numa bela casa em Cala-Cala, o bairro residencial da cidade, onde passaria os três meses seguintes. A partir de então, foi assistido pelo advogado Marcos Guillena, que tempos depois chegaria a ministro da Economia da Bolívia.

Se no estrangeiro as coisas se mantinham frágeis, no Brasil não era diferente. Durante a ausência do líder, o PSP se enfraquecia cada vez mais. Juvenal Lino de Matos tentou assumir o controle do partido, mas teve problemas com o próprio cargo que ocupava. Sua gestão à frente da prefeitura estava longe de constituir um trunfo: sem verba e sob os ataques de Jânio Quadros, ele enfrentava a abertura de diversos processos, um deles colocando o seu mandato em xeque.

Lino de Matos havia sido eleito senador em 1954, e disputara a eleição de maio de 1955 para a prefeitura apenas para concluir o mandato iniciado por Jânio e Porfírio em 1953 e deixado vago logo depois — uma vez investido no cargo de prefeito, ele deveria administrar a cidade de São Paulo por apenas vinte e dois meses. Como esse mandato era bem mais curto que o de senador, no qual ele já havia sido empossado, requereu licença ao Senado para assumir a prefeitura e voltar à casa legislativa quando a gestão municipal acabasse. O Senado concedeu-lhe a licença e ele assumiu o cargo de prefeito, mas Jânio lutou contra a medida, que acabou por ser julgada inconstitucional, obrigando-o a se decidir entre a prefeitura e o Senado. Lino de Matos ficou num dilema, pois o cargo de prefeito lhe dava muito mais visibilidade, colocando-o próximo do eleitorado, com o apoio de Adhemar. No entanto, ele sabia que abrir mão do mandato de Senador implicava também a perda da imunidade parlamentar, o que o deixaria vulnerável aos ataques janistas. Pressionado, ele acabou saindo da prefeitura, que foi assumida por Wladimir de Toledo Piza, do PTB. Assim, além do governo do estado, o PSP perdia também o da capital.

Enquanto isso, novo pedido de extradição era formalizado, agora com base em um tratado firmado entre o Brasil e a Bolívia em 25 de fevereiro de 1938, e Adhemar teve sua prisão preventiva decretada mais uma vez, em razão do caso envolvendo a urna marajoara.

Depois que se instalou em Cochabamba, ele ia casualmente a La Paz, quase sempre para se encontrar com o advogado. Mas em certa oportunidade resolveu se inteirar pessoalmente dos assuntos relacionados com o processo de extradição, no Ministério do Interior e da Justiça. Numa sala do quarto andar daquele prédio ele se deparou com um tipo bem característico da região: gordo, baixo, moreno, queimado de sol, olhos puxados. Era o procurador-geral. Num clima de cordialidade, trocaram ideias sobre o parecer emitido sobre a questão, cujo conteúdo, aliás, Adhemar já conhecia. Ele se despediu esperançoso.

Pela primeira vez desde a fuga, os ventos começavam a soprar a seu favor. Quando chegou a hora de decidir, o governo boliviano confirmou a opinião expressa pelo procurador-geral de Justiça e negou o pedido feito pelo Brasil. Falando sobre a medida, uma autoridade da Bolívia declarou à *United Press*:

— Não podemos entregar, jamais, o senhor Adhemar de Barros. O povo não nos perdoaria se concedêssemos a extradição.

Depois que voltou ao Brasil, Adhemar descreveu uma suposta trama para sequestrá-lo no Paraguai, fato que, segundo ele, lhe fora transmitido por seu advogado no país. De acordo com Cesar Hurtado, seis homens, que não tinham exatamente pinta de turistas, haviam chegado à cidade logo depois do seu cliente, em um avião a bordo do qual não havia mulheres. A polícia local recebera a denúncia de que eles haviam sido recrutados em São Paulo, entre elementos da escória, tendo por missão capturar o líder pessepista vivo ou morto. Se a empreitada tivesse êxito, cada um receberia 50 mil cruzeiros. Para a imprensa, os seis capangas iriam declarar que o fugitivo havia sido pego ao tentar entrar no estado do Paraná.

Adhemar contou essa história em um depoimento para a revista *Mundo Ilustrado* e também numa série de artigos — intitulada *O livro de minha vida* — que publicou no seu jornal *O Dia*, em 1962, mas o fato é que o tal plano de sequestro nunca foi confirmado de modo convincente. Jornalistas que cobriram a fuga do político não relataram o assunto na ocasião, nem depois. Além disso, seria de esperar que os pistoleiros, determinados que estavam em capturar o cacique, continuassem em seu encalço depois que ele deixasse o Paraguai, o que parece não ter ocorrido. Com efeito, após a sua saída daquele país Adhemar não reclamou de nenhum movimento suspeito. O mais provável é que ele, ou alguém de seu círculo, tenha inventado a trama para encobrir o verdadeiro motivo da fuga, ou seja, a ameaça de prisão e extradição, muito mais concreta no Paraguai do que na Bolívia.

No caso dos veículos, Oscar Pedroso Horta aguardou a publicação do acórdão pelo Tribunal de Justiça de São Paulo e então impetrou *habeas corpus* perante o Supremo Tribunal Federal, que no dia 9 de maio absolveu Adhemar, por unanimidade, das acusações de peculato. Como os caminhões estavam na posse da Força Pública e não houve prejuízo para os cofres públicos, prevaleceu a tese de crime impossível. A decisão — em especial no voto do ministro Nelson Hungria, para quem "peculato consumado sem dano efetivo é tão absurdo quanto dizer que pode haver fumaça sem fogo, ou sombra sem corpo que a projete, ou telhado sem paredes ou esteios sem sustentação" — foi duramente criticada por figuras do meio jurídico, como o fizeram os opositores do velho político. Paulo Duarte, de volta à carga, centrou ataque evocando Ruy Barbosa: "O bom ladrão salvou-se, mas não há salvação para o juiz covarde".

Com o resultado favorável, Adhemar deixou a Bolívia e iniciou um giro pelos países vizinhos, não sem enfrentar certos constrangimentos. Como o delegado Amoroso Neto havia transmitido para a Interpol o teor do mandado de prisão, o comunicado foi repassado a vários países. Quando Adhemar chegou a Santiago, no Chile, levou um susto ao ser detido na alfândega, onde estava arquivado o telegrama com a ordem judicial. O entrevero chamou a atenção de uma pequena multidão, e ouviu-se uma voz no meio dos presentes:

— Se o doutor Adhemar for preso, eu irei também!

Era Assunção Viana, o adido comercial do Brasil no Chile, que exibiu suas credenciais ao policial e o desafiou:

— Você também terá de prender o adido brasileiro e sua esposa.

Estava formada a confusão. Outros policiais se aproximaram e tentaram afastar os curiosos, sem sucesso. Ao ver o circo montado, Adhemar murmurou:

— Por essa eu não esperava.

No final, com a interferência diplomática, Adhemar foi liberado e recebeu permissão para permanecer no Chile, mas não se sentiu seguro ali e preferiu seguir viagem. Na embaixada brasileira no Uruguai, ouviu alguém dizer ao embaixador:

— Isto é uma vergonha. Como é que se recebe um homem procurado pela polícia, por roubo, na embaixada do seu país?

Seu último destino foi a Argentina. Cada lugar que ele visitava fortalecia uma ideia que vinha tomando corpo desde as suas horas de ócio na Bolívia: a formação dos Estados Unidos da América do Sul. Ele continuou em Buenos Aires, segundo disse, para recuperar as energias perdidas. Sentado confortavelmente na Plaza de Mayo, concedeu entrevista a um repórter de *O Cruzeiro*. Falou que não guardava rancor dos adversários, a quem atribuía as aflições que tinha enfrentado, e que voltaria no momento oportuno:

— Quando o Supremo Tribunal Federal jogou-me o salva-vidas, livrando-me das borrascas da política, minha saúde estava comprometida. Preciso de mais tempo. Vou ficar aqui, embora esteja morrendo de saudades do Brasil.

Não era apenas para recuperar as "energias perdidas" que ele sufocava as "saudades do Brasil": faltava também ver o desfecho do outro processo, em que o acusavam de ter se apoderado da urna marajoara. No dia 5 de setembro, finalmente, houve a absolvição nesse caso pelo Tribunal de Justiça. Adhemar, então, voltou ao país no mesmo avião Douglas que havia utilizado para fugir, mas dessa vez em grande estilo. No dia 25, uma terça-feira, às 16h30, ele desembarcou no Aeroporto de Congonhas, quando 12 mil pessoas o aguardavam, muitas delas invadindo a pista de pouso. Por causa da aglomeração, ele não conseguiu alcançar o prefeito Wladimir de Toledo Piza e acabou sendo levado para a Praça da Sé num carro conversível de um membro do partido. No caminho, as pessoas jogavam flores para o grande ídolo. O trajeto, que normalmente tomava menos de uma hora, levou quase quatro. Na catedral, também repleta, ele assistiu, na presença do prefeito, à missa em ação de graças que seus amigos mandaram celebrar. Depois declarou:

— Agora estou de novo no meu elemento. É o peixe que volta para a água. O que eu tenho sofrido, minha gente, só Deus e minha mulher sabem.

A partir de então, começou a definir as pretensões políticas, tendo em vista as eleições municipais que se aproximavam:

— Eu não quero cargos legislativos. Não me dou com isso, nem preciso de imunidades. Se eu fosse deputado ou senador, ia fazer um barulho danado. Com o meu temperamento violento já tinha posto o dedo na ferida de tudo isso que está aí. Não ia dar certo. Já para ser presidente ou prefeito a coisa muda.

Alguns dias depois, em entrevista a uma emissora do Rio, pronunciou trinta e duas vezes o nome de Deus e doze o de Satanás. Ele sabia o que dizia. Os processos sobre a urna marajoara e os veículos estavam sob controle, porém os esqueletos dentro do armário não tinham acabado. Havia outro caso, menos rumoroso, mas ainda não esclarecido, ocorrido durante o seu mandato como governador eleito e somente revelado durante a gestão de Jânio Quadros, envolvendo a compra de duas barcaças de ferro que seriam utilizadas no serviço de transporte marítimo entre Santos e Guarujá. Na ocasião do negócio, o Banco do Estado remeteu o equivalente a 24 mil dólares em favor do cônsul Edison Ramos Nogueira, para efetuar a compra no fabricante, United States Maritimes Commission Agency for Marine Materials, sediada em San Diego, na Califórnia, sem que houvesse retorno declarado.

Adhemar foi intimado pela polícia, mas não deu informações conclusivas, alegando não se lembrar da transação, dado o longo tempo decorrido. Hélio Bicudo, promotor encarregado do caso, embarcou para os Estados Unidos com o delegado João Amoroso Neto, responsável pelo inquérito, e com a ajuda do FBI conseguiu localizar o ex-cônsul em Los Angeles. Edison Ramos Nogueira havia conhecido Adhemar quando exercia as funções em Houston. Ele acabou expulso do Itamaraty por força de irregularidades cometidas, depois, num consulado da Alemanha. Bicudo narra ter chegado "meio de surpresa à casa do cônsul, que tomou o maior susto ao saber" o motivo da visita. Em seu depoimento, o homem afirmou que as barcaças tinham sido enviadas a São Paulo fazia tempo, confirmando a operação, mas sem especificar quando isso ocorrera.

De volta ao Brasil, Bicudo deu prosseguimento à ação, que não surtiu efeito por insuficiência de provas. As autoridades concluíram que as barcaças jamais chegaram ao Guarujá, mas tampouco o destino do dinheiro pôde ser esclarecido. Os autos da investigação foram remetidos ao Tribunal de Justiça e desapareceram em 1957, misteriosamente.

Além de problemas desse tipo, Adhemar também teve de amargar decepções com falsos amigos. Nos anos 1940, ele havia adquirido no Rio o controle do jornal *A Notícia*, entregando a direção a Chagas Freitas e Othon Paulino. Com o exílio para a Bolívia e a Argentina, em 1956, resolveu passar uma procuração de plenos poderes a Chagas Freitas, que concentrou os investimentos e lucros em *O Dia*, de sua propriedade, e esvaziou totalmente *A Notícia*. De volta ao Brasil, Adhemar ficou pasmado com a atitude e moveu um processo contra o jornalista, mas não recuperou o jornal.

Mesmo assim, em meio a tantos ataques e rasteiras, Adhemar disse ter aprendido a arte de perdoar. Pelo menos da boca para fora, não podia ser outra sua atitude diante da meta que, naquele momento ele passara a perseguir: a prefeitura de São Paulo. Quando tomou a decisão, chamou os correligionários à sua casa para conversar. Bem a seu estilo, recebeu-os na copa, e, enquanto descascava uma laranja, foi dizendo:

— Senhores, resolvi chamá-los aqui porque pretendo reiniciar as nossas atividades políticas. Vocês serão candidatos a vereador, pois eu sairei candidato a prefeito.

João de Luca, pessepista muito próximo do cacique, disse, surpreso:

— Doutor Adhemar, o senhor vai sair candidato a prefeito contra o Prestes Maia, que está sendo apoiado pelo Simão?

Adhemar olhou-o com uma ponta de ironia e respondeu:

— Você está muito bem informado. É isso mesmo, vou sair candidato para derrotar o Simão.

Simão, no caso, era Jânio Quadros. Tratava-se de uma alusão ao livro *Simão, o caolho*, de Galeão Coutinho. O tratamento era uma forma jocosa de se referir ao notório inimigo, aproveitando-se do fato de que Jânio era estrábico. Estavam todos ressentidos com a perseguição que ele impusera a

Adhemar, que em boa medida tinha surtido o efeito desejado. De fato, grande parte dos companheiros de partido havia se dispersado, mas a estratégia era exatamente fazer essas pessoas voltarem ao ninho, vendo que o cacique tinha retomado a luta. Adhemar arrematou:

— Pois vou lhe dizer uma coisa, senhor João de Luca, sou até capaz de ganhar, pois tem muita mulher de janista fanático com peninha de mim.

Mas a candidatura não foi recebida facilmente dentro do PSP. Havia um compromisso por parte de Lino de Matos e Oscar Pedroso Horta — este não mais defensor de Adhemar, mas agora adversário político — no sentido de manter a aliança entre o partido e o PTB, com o apoio de Piza. O prefeito não recuou da ideia de seu partido encabeçar a candidatura e o PSP perdeu o apoio da máquina municipal. Adhemar, então, iniciou conversações com outras alas do PTB em busca de um nome para vice-prefeito. Hugo Borghi e Frota Moreira foram cogitados e, inclusive, apontados pela imprensa como os prováveis candidatos. Os conflitos, porém, não se limitavam aos dois líderes, concentrando-se também na luta surda entre Piza e Jânio, que se arrastava em âmbito municipal desde a época de Lino de Matos. Apesar de filiado ao PTB, Piza era leal ao PSP e concedia bom trânsito aos adhemaristas na prefeitura — ele tinha a intenção de manter a aliança entre os dois partidos não apenas nas eleições municipais daquele ano, como também nas estaduais, em 1958. No entanto, a direção estadual do PTB optou por uma integração com os partidários de Jânio Quadros e se engajou na candidatura de Prestes Maia, indicando André Nunes como candidato a vice-prefeito na chapa da situação.

Os maiores obstáculos com relação às alianças sugeridas por Adhemar vinham de seus companheiros, que defendiam uma chapa exclusivamente pessepista. Tentou-se inclusive uma composição com Homero Silva, da UDN, mas as pressões em torno de Cantídio Sampaio, o nome preferido, acabaram prevalecendo: mesmo contra a vontade do líder, a chapa foi homologada pelo PSP. Além do próprio partido, Adhemar contou com o apoio do PRP e de petebistas dissidentes.

Prestes Maia, o candidato de Jânio, foi apoiado pelo PSD e pela UDN. Oscar Pedroso Horta, o terceiro postulante, recebeu apoio, como era previsto, do grupo petebista ligado ao prefeito Wladimir de Toledo Piza, e foi lançado pelo Partido Republicano Trabalhista (PRT).

A campanha começou precária porque, na verdade, era mais que um retorno — era um recomeço. Para testar logo de cara suas possibilidades, Adhemar escolheu a Vila Maria, reduto histórico janista, uma investida mais que audaciosa. Os pessepistas foram de caminhonete e pararam próximo de uma feira livre que estava acontecendo no bairro. Então subiram na carroceria e começaram a discursar. Algumas senhoras com compras e sacolas de mão pararam e ficaram ouvindo. Como eles esperavam, a recepção não foi das melhores, e as vaias logo surgiram.

Adhemar falou primeiro. Em seguida, foi a vez de Cyro Albuquerque. As vaias aumentaram. Quando o jovem Ítalo Fittipaldi fazia o discurso, uma pedra o atingiu em cheio na cabeça. Todos ficaram preocupados, principalmente com o fato de dona Leonor estar ao lado e de poder ter sido ela a atingida. Adhemar amparou Fittipaldi, colocando-lhe um lenço na cabeça, e tentou ensaiar algumas palavras de protesto, quando, no meio da multidão, alguém gritou:

— Cala o ladrão!

Ele procurou se controlar, mas não deixou barato:

— As senhoras presentes que me desculpem, mas ladra é a mãe.

Durante a campanha, Adhemar percebeu que não tinha se desgastado perante a opinião pública no período em que estivera fora do país. Ao contrário, havia um esforço, que se mostrou bem-sucedido, em fazer do velho cacique uma vítima da ferocidade de Jânio. Diante disso, ele procurou capitalizar o fato utilizando todos os meios possíveis, entre eles a televisão, à época já presente em um número considerável de casas. Viriato de Castro descreveu a propaganda:

> Adhemar era posto no vídeo da televisão rodeado por toda a família, com as crianças à sua volta. Depois aparecia [...] um retrato de Adhemar, sobre o qual atiravam lama. Acompanhando a cena, uma voz exclamava: "Foi ultrajado!". Na sequência apareciam as principais obras realizadas por Adhemar e a frase: "O preço da glória foi amargo: foi traído!"

e, ato contínuo, surgia o punhal da traição. Depois, sombras sinistras surgiam: "A cólera dos infames — a tudo resistiu Adhemar, que tinha confiança na justiça do seu tempo e na justiça divina" [...]. E terminava com a propaganda assim: "Adhemar não volta para descansar (só os covardes descansam!). O povo paulista precisa de um prefeito".

Apesar dos solavancos, a campanha percorreu escala ascendente. No último comício, em Jaçanã, a multidão se aglomerava de tal forma ao redor do caminhão que alguns correligionários caíram. As pesquisas, ainda assim, demonstravam que Adhemar estava na frente com pouca margem, que oscilava sem perspectivas seguras aos analistas. Por esse motivo, quando as urnas foram abertas, os membros do partido se surpreenderam com o resultado: o líder venceu com folga, conquistando 51% dos votos nominais. A divisão das forças petebistas, sem dúvida, contribuiu para o resultado.

No dia 8 de abril de 1957, Adhemar e Cantídio Sampaio tomaram posse na Câmara Municipal. Os populares encheram as dependências do Palacete Prates e se apossaram das cadeiras dos vereadores, que acabaram assistindo à solenidade de pé. Quando viu a multidão, Adhemar chorou. Para que a cerimônia pudesse se realizar, Armando Guttenfreund, membro da "tropa de choque" do líder, ficou de guarda na porta principal e só deixava entrar quem ele conhecesse, barrando inclusive João Monteiro, chefe do expediente da prefeitura, que levava os termos de posse do prefeito e do vice-prefeito. Seguiu-se um bate-boca inútil, que não se resolveu nem mesmo quando Monteiro exibiu o rolo de documentos que portava. Ao final, o funcionário conseguiu entrar pelos fundos, com a ajuda de um repórter.

No Ibirapuera, para onde a comitiva se dirigiu, Adhemar participou da solenidade de transmissão do cargo pelo ex-prefeito Wladimir de Toledo Piza. Na entrada, ao ser abraçado por populares, chorou pela segunda vez. No discurso de posse, elogiou o vice-governador, presente ao evento:

— Quero que você se sinta como se estivesse em sua própria casa. Aqui, Porfírio, é a sua casa.

Empossado, Adhemar formou um secretariado de alto nível, no desejo de que a prefeitura fosse a vitrine do PSP. Amador Aguiar já estava nomeado para a pasta das finanças, e logo em seguida Goffredo da Silva Telles Júnior também passou a fazer parte da equipe, assumindo a Secretaria da Educação e Cultura, na quota reservada ao PRP. Era uma pessoa com grande prestígio na sociedade paulistana — professor da Faculdade de Direito do Largo de São Francisco, casado com a escritora Lygia Fagundes Telles — e tinha o apoio do jornal *O Estado de S. Paulo*, o que para Adhemar se mostrava de grande valia. Mas não ficou muito tempo, despedindo-se da secretaria para se dedicar às atividades acadêmicas no momento em que seu partido enfrentava uma forte crise interna, o que gerou especulações na imprensa. Em várias oportunidades, porém, tanto ele como seus correligionários afirmaram que a decisão deveu-se a razões de ordem particular.

Durante a sua gestão, Adhemar passava dias sem ir à prefeitura e, quando aparecia, dava expedientes de apenas uma hora. A oposição se queixava que a cidade estava abandonada, o que fornecia combustível para piadas e ataques ao prefeito. Ao mesmo tempo em que se ausentava do gabinete, Adhemar, cumprindo as promessas de campanha, lotava os órgãos municipais com novos funcionários, beneficiando seus apoiadores. Não era segredo para ninguém o fato de que ele estava de olho nas eleições para governador, que se realizariam em 1958.

Jânio Quadros já vinha preparando a candidatura de seu secretário da Fazenda, Carvalho Pinto, numa campanha em que pregava a moralização e a renovação administrativa. Logo no início Adhemar tentou demovê-lo da ideia, ainda que de forma desajeitada, num episódio que se tornou uma das mais incríveis passagens daquele pleito. Foi em junho de 1957. O cerimonial dos Campos Elíseos anunciou que o presidente Craveiro Lopes, de Portugal, seria recebido no palácio, e o protocolo confirmou a presença do prefeito, ainda que poucos acreditassem que Adhemar fosse comparecer. Pois, para espanto da maioria, ele foi ao evento com dona Leonor. Durante a recepção, evidentemente, guardou distância do seu grande rival, mas não por muito tempo.

Já tarde, Craveiro Lopes, cansado, recolheu-se com sua esposa e deixou os convivas à vontade. Apenas algumas pessoas ficaram, entre elas figuras expressivas, como secretários de estado e gente da alta sociedade. Em certo momento, Adhemar olhou ao redor e viu Jânio sentado num sofá, conversando com um grupo de quatro ou cinco homens, com um espaço estreito entre si e o espaldar. Não teve dúvidas: foi até lá e sentou-se meio espremido no lugar que sobrou.

Uma corrente elétrica riscou o ar, envolvendo as pessoas num clima repentino de silêncio e enorme suspense. Por alguns segundos, parecia que todos ali tinham prendido a respiração. Ele, então, bateu na perna do rival e falou sem constrangimentos:

— Jânio, as eleições estão se aproximando. Por que você não conversa comigo? Podíamos fazer quatro anos cada um, feito gangorra. Que é que você tem que inventar essa história do Carvalho Pinto?

12

DE QUEDA EM QUEDA

A história do Carvalho Pinto vingou, obrigando Adhemar a se mexer. E o primeiro movimento foi de retirada. Em janeiro de 1958, ele se licenciou da prefeitura por trinta dias e, após passar o cargo para o vice-prefeito, Cantídio Sampaio, viajou para a Alemanha com um grupo que inaugurava a linha aérea Porto Alegre-Hamburgo, integrado entre outros por Leonel Brizola, então prefeito da capital gaúcha. Foram recebidos em cerimônia oficial em Düsseldorf e visitaram centros industriais do Vale do Ruhr. Puderam ver então que, pelo menos no campo econômico, o poderoso país europeu estava a pleno vapor, deixando para trás, aos poucos, as marcas da guerra.

De volta ao Brasil, ele iniciou entendimentos com vistas às eleições para o governo estadual e, algum tempo depois, começou a colher os primeiros resultados. O PCB, que mesmo na ilegalidade mantinha a organização e a força junto às massas, manifestou apoio. Numa entrevista coletiva em 1º de abril, Luís Carlos Prestes admitiu a possibilidade, que depois acabou se concretizando. Outro aceno favorável vinha do PTB. A tendência do partido em São Paulo era apoiar o candidato indicado por Jânio Quadros, mas a direção nacional temia que desse modo a seção estadual se fortalecesse e escapasse de seu controle. Ainda assim, Adhemar encontrava resistência, pois João Goulart não queria vê-lo eleito. Em junho, contudo, os dois líderes acabaram se entendendo. Também Carlos Lacerda defendia alianças com o PTB em âmbito municipal, mas vetou acordos mais amplos com a legenda e com o PSP. Sobre este, deu uma declaração nem um pouco amistosa:

— É outro partido que não se recomenda ao apreço dos homens honestos e das agremiações que combatem a corrupção, o suborno e a desmoralização da vida pública brasileira.

Adhemar acabou saindo candidato a governador tendo como companheiro de chapa Porfírio da Paz, indicado pelo PTB, numa composição em que concorria a senador Frota Moreira, também indicado pelo PTB, mas ligado ao PCB. Nas eleições para a Câmara Federal, o partido concorreu em coligação com o PSD e o PRT.

A indicação de Porfírio era realmente curiosa: se a chapa saísse vencedora, ele deixaria de ser vice-governador de Jânio Quadros, posto que então ocupava, para assumir o mesmo cargo ao lado do maior rival deste, Adhemar de Barros. Mas a sua escolha não foi pacífica, criando resistência considerável entre certos pessepistas, além de provocar a saída definitiva de Lino de Matos. Durante o exílio de Adhemar, em 1956, Matos havia tentado conquistar a liderança do partido, sem sucesso. Com o retorno do líder, desejava se candidatar a vice-governador, já de olho na possibilidade de assumir o governo em 1960 se Adhemar saísse candidato a presidente. Sua frustração foi enorme quando viu que a escolha para o cargo não iria recair sobre ele. Sentindo-se traído, rebelou-se e rompeu com o PSP.

Em termos programáticos, o apoio do PTB e do PCB tingiu a bandeira adhemarista com cores que destoavam de seu padrão original. Adhemar nunca havia feito reivindicações trabalhistas e nem empunhava o brasão nacionalista. Quando houve a campanha pelo monopólio estatal do petróleo ele se manifestou favoravelmente à entrada do capital estrangeiro no setor, ainda que não tivesse pressionado a bancada pessepista na Câmara Federal, deixando o assunto aberto para discussão. Ao formalizar a aliança com os dois partidos, ele ficava numa posição dúbia perante o eleitorado, pois, além de não convencer os eleitores afinados com as forças de esquerda, despertava o temor dos que se alinhavam na extremidade oposta do espectro político.

Carvalho Pinto, como se esperava, foi o candidato da situação. Assim como havia feito seu padrinho político Jânio Quadros na eleição anterior, baseou sua campanha na moralização, adotando o *slogan*: "Mais administração, menos política". Jânio, então governador do estado, conseguiu o registro de sua candidatura a deputado pelo Paraná, chancela que o Tribunal Superior Eleitoral não dera a Adhemar oito anos antes, quando quis disputar o Senado pelo Distrito Federal. Em agosto, num programa de televisão, disse que Adhemar obtivera da Caixa Econômica Federal um empréstimo de 4 milhões e meio para a compra de uma propriedade urbana, situada na alameda Barão de Limeira. Recebido o dinheiro, contudo, Adhemar teria comprado o imóvel, segundo "documentos irrefutáveis" autenticados por um tabelião da capital, por apenas 2 milhões. De acordo com o governador, teria "metido no bolso" o que sobrou.

A maior parte dos analistas apostava em Adhemar. Ele havia obtido vitória fácil para a prefeitura no ano anterior, tinha carisma e ainda carregava a pecha de vítima da perseguição de Jânio. Carvalho Pinto era, até então, figura de pouca expressão, que deveria lutar muito para se sobressair. No entanto, tinha vários pontos a seu favor, sendo o maior deles o apoio do governador e do PDC. Além disso, ele era ligado à Igreja Católica e muito bem-visto pelo setor empresarial, graças à imagem de credibilidade que transmitia. Se Jânio trazia o povo, Carvalho Pinto trazia a classe média — da qual era um autêntico representante — e a classe alta. Ainda assim, mesmo com o exemplo de Lucas Nogueira Garcez, pouca gente acreditava no seu êxito.

Pois foi o que aconteceu: para espanto geral, ele acabou eleito com maioria absoluta, faturando 51% dos votos válidos. Adhemar teve de se resignar com o segundo lugar, ao obter 43% da votação. O PSP também perdeu posições. Nas eleições para a Câmara Federal, o partido teve a presença sensivelmente diminuída, de onze para apenas seis deputados, num total de quarenta e quatro da bancada paulista. Na Assembleia Legislativa, a participação se reduziu em 5%.

Adhemar ficou muito desapontado com a derrota. Tinha traçado um plano que no seu entender era perfeito: reassumir o governo, ganhar visibilidade e, em 1960, entrar com tudo na campanha para a presidência, sua grande meta. Agora, o caminho continuava aberto, mas seria bem mais tortuoso. Durante algum tempo ele se instalou na cidade de Lindoia, numa casa que tinha para descanso, permitindo-se um período de reflexão. Um amigo, Reinaldo Canto Pereira, foi visitá-lo e surpreendeu-se ao vê-lo barbudo, coisa muito rara.

Alguns dias depois ele retornou à prefeitura, ganhando a antipatia dos construtores e incorporadores imobiliários, ao tentar limitar em dez andares o gabarito dos prédios de apartamentos a serem construídos na cidade. Quem o achava corrupto e subserviente ao poderio econômico não deixou de se surpreender. Claro que ele não ganhou a briga, mesmo porque alguns robustos edifícios — como o Mirante do Vale, o mais alto de São Paulo — foram iniciados em seu governo, mas justificou-se com um comentário profético:

— Desse jeito, daqui a dez anos vai ser impossível andar em São Paulo. Em alguns dos quarteirões "paliteiros" simplesmente não teremos trânsito.

A gestão, que vinha apagada pela falta de dinheiro, comprometia suas pretensões políticas. Em 24 de abril de 1959, poucos dias após ele completar dois anos no cargo de prefeito, a *Folha da Noite* fez um balanço do seu governo e concluiu que, praticamente, nada havia sido realizado no período. O texto era isento e confrontava as promessas do candidato com a realidade da administração, mostrando um resultado patético. A reação não se fez esperar. Cinco dias depois, o deputado Cyro Albuquerque, líder da bancada do PSP na Assembleia Legislativa, ocupou a tribuna para falar das "realizações" da prefeitura. No dia 3 de maio, o jornal *O Dia*, de propriedade do prefeito, trouxe a íntegra do discurso e estampou a chamada: "Adhemar cumpre no governo do município todos os compromissos assumidos com o povo".

De certo modo, porém, esses embates acabaram ofuscados por outro acontecimento de repercussão muito maior, quando Adhemar recebeu a visita de Fidel Castro, de passagem pelo Brasil em busca de apoio para a Revolução Cubana. Ele fez ao ditador caribenho a pergunta que não queria calar:

— Os fuzilamentos resolveram, realmente, os problemas de Cuba?

— Estão resolvendo — respondeu Fidel, que durante mais de meia hora apresentou-lhe argumentos. Sem convencê-lo.

Nessa época, Adhemar estava enfrentando uma de suas maiores dores de cabeça à frente do cargo: as denúncias de irregularidades na empresa de ônibus municipal, a CMTC. Havia inúmeras acusações, como admissão de pessoal desnecessário, compra de material sem concorrência, desvio de receita, entre outras. A oposição dizia que a empresa gastava dinheiro com pessoas estranhas ao seu corpo de funcionários, sob a rubrica "serviços prestados". Empregadas domésticas, cabos eleitorais, amantes, enfermeiros e serviçais dos políticos que rodeavam o chefe do Executivo estariam sendo pagos com base nessa justificativa. O conjunto de denúncias acabou redundando numa surpreendente convocação ao prefeito, de comparecimento à Câmara dos Vereadores, para dar as próprias explicações sobre o problema. A medida, que por si só causava inquietação, teve repercussão ainda maior pelo fato de partir do presidente da casa, William Salem, que era membro do PSP — ele não apenas preparou o requerimento nesse sentido como obteve sua aprovação pelo plenário.

Salem tinha se tornado uma figura destacada do partido em São Paulo. Era um personagem controvertido. Na sociedade, portava-se como um autêntico cavalheiro, que usava lenço de seda no bolso da lapela e circulava pelas ruas com um imponente Cadillac. Na Câmara, contava com o apoio de boa parte de seus pares, mas não raro partia para a briga com os adversários, tendo no currículo uma lista de diversas cenas de pugilato e alguns narizes quebrados, sem falar nas acusações de corrupção. Ele fora apresentado a Adhemar em 1946, após concluir a faculdade. A oratória do jovem estudante encantou o líder político, que o convidou a filiar-se ao partido e acompanhá-lo aos comícios, dando-lhe uma incumbência irrecusável:

— Turquinho, você fica escalado para falar antes de mim. Levante o moral do público, incendeie o pessoal. Quando o ambiente estiver fervendo eu entro e faço o meu discurso.

Após a vitória de Adhemar nas eleições de 1947, Salem foi contemplado com um cargo de assessor. Em agosto, acompanhou Paulo Lauro na prefeitura de São Paulo, sendo nomeado chefe de gabinete. Naquele tempo, a prefeitura e a Câmara Municipal funcionavam no Palacete Prates, um belo edifício ao lado do Viaduto do Chá, que, anos depois, seria demolido. Diariamente, por meio de um alto-falante instalado no segundo andar, onde ficava o gabinete do prefeito, ele e Paulo Lauro ouviam os discursos proferidos pelos vereadores no plenário, no primeiro andar, quase sempre ataques lançados pela UDN. Numa oportunidade, Salem escutou Jânio Quadros, então novato na Câmara Municipal, dizer sem rodeios:

— *No gabinete do prefeito Paulo Lauro há um chefe que vende terreno do cemitério no câmbio negro. Seu nome: William Salem.*

Na hora, Salem sentiu o sangue ferver e não pensou em mais nada. Desceu as escadas como um relâmpago e entrou no plenário vermelho e com os olhos em órbita. Quando Jânio o viu, saiu correndo, dando início a uma hilariante cena de perseguição. Deixou o recinto e fugiu pelos fundos, onde havia um terraço com vista para o Anhangabaú, diante do qual se descortinavam a praça Ramos de Azevedo e o Theatro Municipal. Quem olhasse de fora veria dois homens de terno e gravata em correria frenética, um atrás do outro. Esbaforido, Jânio se refugiou numa sala onde se reuniam em comissão os vereadores Marcos Mélega, Pedro Pedreschi e Rubens Amaral. Ninguém entendeu nada quando o viram entrar. Menos ainda quando Salem veio atrás. Assustados, olharam para o jovem assessor e protestaram:

— Como o senhor se atreve a entrar aqui? Isto é um lugar reservado.

Salem não deu importância e avançou novamente sobre Jânio, que escapuliu pelo corredor. Quando conseguiu encurralar a presa, deu-lhe um pontapé no traseiro. Seria o começo de uma surra, não fosse a intervenção dos vereadores que vieram logo atrás e impediram os ataques. Separados os contendores, foram baixadas as providências de ordem regimental.

Pouco antes de completar um ano no cargo, período em que exerceu o mandato sob inúmeras acusações, Paulo Lauro teve suas contas rejeitadas. A partir de então, além dos vereadores de oposição, ele passou a enfrentar resistência dentro do próprio partido, sendo obrigado a ceder o cargo a Milton Improta, que assumiu temporariamente. Salem se retirou da prefeitura, mas continuou a frequentar as reuniões do PSP. Em 1951, elegeu-se vereador. Ao iniciar o mandato na Câmara, o único fato relevante que ele trazia em seu histórico era o entrevero com Jânio Quadros. Depois sua carreira política decolou, mas ele cometeu um erro imperdoável para um pessepista: criou vida própria. Mesmo tendo o prestígio cada vez mais alto, preferiu consolidar o nome em São Paulo, antes de se lançar para cargos estaduais e federais. A trajetória política sofreu sério abalo após ele atropelar, quando dirigia o carro numa rua de São Paulo, o menor Francisco Sílvio Rosa, que por causa do acidente veio a falecer. Os inimigos logo o apelidaram, maldosamente, de "vereador atropelador".

No final de 1954 ele foi eleito presidente da casa, o que o credenciou para assumir o cargo de prefeito, que estava vago devido à eleição de Jânio Quadros e Porfírio da Paz para o governo do estado. Salem ficaria no posto apenas até julho de 1955 — um novo pleito deveria ser realizado em maio, pois menos da metade do mandato dos antecessores tinha sido cumprido. Apesar do período curto à frente do cargo, ele demonstrou um talento incomum de administrador.

As novas eleições, como visto, foram vencidas por Lino de Matos, que assumiu o cargo para um mandato-tampão que deveria durar até abril de 1957, quando então se encerraria o mandato original de Jânio Quadros (mas foi obrigado a abrir mão da posição em favor de Wladimir de Toledo Piza, para assumir o Senado). Salem, então, retomou suas atividades na Câmara Municipal. Elegeu-se novamente na campanha seguinte e, depois que Adhemar assumiu a prefeitura, ocupou a presidência da casa pela terceira vez. Nessa época, ele já estava afastado das reuniões do PSP e também de seu líder: achando-se o mais preparado dentro do partido para o cargo de prefeito, ele se sentiu preterido quando Adhemar resolveu se candidatar ao posto. O inconformismo, como era previsto, gerou rusgas.

Uma delas se deu em função do edifício onde funcionava o Hotel Esplanada, que Adhemar queria adquirir para instalar a sede da prefeitura. Elegantíssimo, situado atrás do Theatro Municipal, era realmente um prédio marcante. Salem criou embaraços para a compra, a seu ver desvantajosa para a municipalidade, com outras prioridades e poucos recursos. Adhemar irritou-se com a oposição:

— O dinheiro que estavam pedindo não pagaria nem o lustre do saguão principal.

No conflito entre ambos, porém, nenhum acontecimento gerou mais impacto do que a convocação para depoimento no caso da CMTC. Era algo inédito, pois jamais um prefeito havia sido convocado pela Câmara Municipal de São Paulo. Discutiu-se muito se o Legislativo tinha tais poderes e se Adhemar estava obrigado a cumpri-lo. Ao mesmo tempo, as fofocas, que sempre existiram dentro do partido, ganharam corpo. Salem tinha superado suas diferenças com Jânio Quadros, mantendo agora uma amizade com o antigo desafeto, o que dava margem aos comentários de que havia um acordo entre ambos para atingir o prefeito. Adhemar, que fixava com mais facilidade uma gota de veneno do que o elogio feito por amigos, não descartou a hipótese. Vozes mais sensatas, no entanto, o aconselharam a comparecer ao plenário:

— O senhor vai, explica o que quiser e o mal fica eliminado. Pelo menos acabam-se as desconfianças.

Salem negava as acusações de perseguição, dizendo que a convocação era necessária, pois, se ela não acontecesse, o desgaste seria muito grande. Um depoimento do prefeito, no seu entender, colocaria uma pedra sobre todas as acusações de irregularidades na empresa pública. Pressionado, ele se justificava:

— Qualquer um, exercendo o meu cargo e sendo do mesmo partido do prefeito, teria arrumado um jeito de varrer essas suspeitas para debaixo do tapete. Eu preferi seguir a direção contrária.

No dia 16 de junho de 1959, Adhemar compareceu ao plenário da Câmara Municipal, onde prestou esclarecimentos sobre a situação da CMTC. Foi acompanhado do presidente da companhia, Luís Augusto de Matos, e do secretário dos Negócios Jurídicos, Otto Cyrillo Lehman. Salem foi recebê-lo à porta e o convidou a ir até o seu gabinete, mas ele recusou o convite. Agiu da mesma forma quando lhe foi oferecido um copo de água. Estava visivelmente contrariado. Como se esperava, fez uma longa exposição, falando seguidamente durante duas horas, sem permitir interrupções ou apartes. Trazia respostas prontas às trinta e oito indagações feitas previamente, por escrito, e encaminhadas ao seu gabinete na véspera. No final, saiu dizendo que havia "outros compromissos importantes a cumprir", deixando os vereadores debaterem sozinhos as respostas fornecidas. Vários deles levantaram protestos no momento em que o prefeito se retirava da sala das sessões. Alguns afirmaram que já tinham réplicas prontas às respostas, impugnando diversos dados apresentados.

O rompimento entre os dois pessepistas notórios ocorreria ainda naquele ano. Numa conversa informal, o prefeito disse que Salem exigira 100 milhões de cruzeiros para aprovar o orçamento do município, mas um repórter da *Folha da Manhã* ouviu o comentário e publicou a acusação com destaque. Enfurecido, Salem declarou que processaria Adhemar judicialmente, desafiando-o a provar o que tinha dito. O chefe de gabinete do prefeito, porém, declarou que Adhemar não tinha dado nenhuma entrevista e esclareceu que a quantia requisitada pelo vereador, a que o jornal fizera referência, era para pagamento de funcionários recém-contratados e aumento dos subsídios de seus pares na Câmara. Salem insistiu:

— O prefeito deve assumir a responsabilidade pelo seu destempero. Quanto a uma retratação, só a aceitarei partindo da pessoa que me ofendeu, e não de prepostos.

Mas a retratação nunca veio. Já a CMTC continuou a dar pano para manga, pois, além das irregularidades apontadas, também era acusada de prestar um serviço muito ruim. O caso provocou longa discussão entre os governos municipal e estadual, rendendo, também, mais um processo a Adhemar por suas declarações bombásticas. Como queria ajuda do estado e da União para socorrer a empresa de ônibus, ele apelou em uma entrevista coletiva:

— Fique claro que, se houver um quebra-quebra, um protesto violento da população, não fugirei, nem lavarei as mãos, como Pilatos. Vou sair às ruas e ajudar a quebrar tudo. E se souber que alguém pretende se levantar em armas, no Rio Grande do Sul ou em outro local do país, irei para lá, a fim de ajudar também a combater o que já não é mais suportável.

Logo depois, alegando que "o chefe nacional do PSP estaria pregando a subversão à ordem e criando um clima de intranquilidade no país", o Ministério Público ofereceu denúncia contra o prefeito pela incitação à prática de crime por meio da imprensa. Mas, em novembro, o juiz Darcy Arruda Miranda a rejeitou, sob o argumento de que não teria sido indicado o crime objeto de incitação.

Para muitos, a crise da CMTC não passava de um exagero criado por Adhemar para encobrir sua falta de realizações à frente da prefeitura, além de uma maneira de aparecer nos meios de comunicação. De certo modo, a medida não deixou de surtir efeito, mas gerou reações contrárias às desejadas. O governador Carvalho Pinto afirmou ser impossível ao estado ajudar a empresa de ônibus, pois não havia indício ou garantia de que tal auxílio seria bem utilizado. Também aproveitou para botar fogo na situação:

— O estado só ajudará a CMTC se Adhemar de Barros renunciar.

Além dos problemas com o transporte coletivo, os paulistanos sofriam com outras dificuldades, tais como enchentes intensas e ruas esburacadas, nas quais a população colocava cartazes dizendo que se tratava de obras do "metrô de Adhemar". Diante da situação, o prefeito baixou um decreto declarando que a cidade estava na iminência de um estado de calamidade pública e, com o ato, justificou um crédito de 1 milhão de cruzeiros, sacado a descoberto no Banco do Estado, sem o aval da Câmara, que chegou a cogitar o seu *impeachment*.

Obras de impacto, nem pensar. Com escassez de verbas e sem ajuda do governo estadual, Adhemar teve de usar a criatividade para deixar um mínimo de realizações. Uma das saídas foi aliar-se à iniciativa privada. A construção da nova rodoviária, no bairro dos Campos Elíseos, ilustrava bem essa situação. São Paulo tinha na época pontos esparsos de parada de ônibus interurbanos, o que criava dificuldades para os viajantes que deviam trocar de linha na cidade. Não havia uma central que reunisse todos eles. A parada mais conhecida, na avenida Ipiranga, deixava o local intransitável por causa dos veículos que se aglomeravam.

Octávio Frias de Oliveira e Carlos Caldeira, empresários da *Folha de S.Paulo*, compraram o terreno defronte à Estação Julio Prestes e queriam levar o empreendimento adiante para resolver o problema, contando com a ajuda do Poder Público. Animado com o projeto, Adhemar endossou a ideia e aprovou a planta. Mas o financiamento deveria vir do Banco do Estado. Frias procurou Carvalho Pinto e conseguiu que ele intercedesse junto ao superintendente do banco, que por sinal era amigo de Caldeira. Com o dinheiro liberado, os dois empresários tiveram de fazer malabarismos para agradar as duas autoridades durante a construção, pois ambos, governador e prefeito, queriam ter uma placa no local. Quando sabiam que Carvalho Pinto ia passar em frente à obra, punham a placa dele. Quando era o prefeito que ia passar, tiravam a do governador e punham a de Adhemar.

Nesse período, a campanha para a Presidência da República ainda engatinhava, mas as conversas já tomavam corpo. Sem um candidato possível para a eleição de 1960 e na falta de um civil, a situação decidiu renovar a aliança partidária de 1955, entre o PSD e o PTB, dando o apoio ao marechal Lott. Também Adhemar, mesmo sem respaldo no início, resolveu entrar na disputa. Em agosto de 1959 ele já adiantava que seria candidato. Partidários do PSD pressionaram por sua desistência, pois a candidatura poderia tirar votos de Lott. Indagado se cederia o lugar, ele negou, lembrando a experiência frustrada com Getúlio Vargas em 1950:

— Gostaria de ser agradável ao meu amigo marechal Lott, mas todas as vezes em que fui agradável acabei levando na cabeça.

Lott trazia a marca da honestidade e do respeito às instituições, além de ser um candidato teoricamente capaz de atrair os nacionalistas de esquerda e também a maior parte dos militares, mas estava longe de revestir as características próprias de um vencedor naquela corrida eleitoral. Faltavam-lhe habilidade e experiência política. Ingênuo, ele não queria se reunir com empresários, mesmo em troca de apoio, pois não desejava "misturar política e dinheiro". Falava o que bem entendesse, sem se preocupar com a expectativa dos ouvintes, uma verdadeira heresia diante da segmentação do eleitorado, no qual despontavam ideologias, interesses e necessidades diversas, quando não antagônicas. Isso para não mencionar as gafes. Numa palestra com os pecuaristas de Goiás, ele resumiu sua receita para exportar mais carne bovina:

— O problema é que os brasileiros têm a mania de comer o traseiro, preferido pelo mercado externo. O negócio é habituar o brasileiro a comer o dianteiro e exportar o traseiro.

Adhemar chegou a propor a Juscelino a retirada da candidatura de Lott em favor dele, mas o presidente relutou. Talvez por esse motivo o candidato pessepista não atacava Kubitschek durante a campanha, adotando na prática um discurso bem semelhante ao de Lott. As únicas críticas à política desenvolvimentista de Juscelino eram feitas quando se abordava o tema da agricultura, que para Adhemar teria sido deixada de lado pelo presidente. Aliás, um de seus *slogans* era: "Adhemar para a redenção do homem da terra". Mesmo assim, ele não entrava a fundo nas questões relativas à reforma agrária para não ter seu ideário identificado com o das correntes de esquerda, que, durante a campanha, eram defendidas por setores mais radicais do PTB.

Já a UDN, cansada das derrotas nas eleições anteriores, viu em Jânio Quadros a saída para reverter sua posição. Ainda que não fosse um aliado propriamente dito, ele supria a deficiência graças ao seu imenso apelo. Na convenção do partido que se tornou histórica, em novembro de 1959, Carlos Lacerda fez uma defesa inflamada do político de São Paulo, convencendo os partidários de que, se escolhessem Juraci Magalhães, o outro postulante à candidatura, já sairiam derrotados. Jânio lançou-se candidato, afinal, prometendo um governo honesto e um crescimento econômico que beneficiaria também os menos favorecidos. Para a vice-presidência, o PTB lançou Jango novamente.

Adhemar costumava brincar dizendo que a UDN era aquele cachorrinho muito chato que, toda vez que passava um carro, saía correndo e latindo até o alcançar, mas depois não sabia o que fazer com ele. A agremiação sempre foi o inimigo comum de todos os outros três grandes partidos, o PSD, o PTB e o PSP, além dos demais partidos menores, que tinham sempre a UDN como a grande opositora dos ideais da época. De modo recíproco, todos se juntavam contra quando ela disputava o cargo majoritário em questão. A primeira vez que a UDN se compôs de fato foi em torno de Jânio, que por sinal não era mais o candidato que se identificava apenas com as massas populares. Ainda que mantivesse grande força junto ao povo, sua imagem na campanha foi sensivelmente assimilada pelas classes média e alta. É provável que por esse motivo ele não tenha conseguido reunir a totalidade das forças petebistas, que ficaram divididas, dando origem aos comitês "Adhe-Jan" e "Jan-Jan".

Em São Paulo, as adesões cresciam entre os eleitores comuns, assim como no funcionalismo público e nos meios que dependiam de subvenções. Mas não sem ressalvas. Durante solenidade no Ibirapuera, no lançamento da pedra fundamental da Escola de Astrofísica, o clima de campanha se fez sentir. Adhemar terminou seu discurso e, em seguida, passou a palavra ao professor Aristóteles Orsini, que declarou:

— Temos de agradecer o apoio que vossa excelência nos tem prestado, embora divergindo de vossa política, eventualmente.

Para surpresa geral, Adhemar interveio:

— E de qual política o senhor diverge?

Orsini tentou explicar, mas Adhemar foi mais enfático:

— A minha política é o Hospital das Clínicas, é a eletrificação da Sorocabana. Essa é a minha política. O que o senhor quer? Carro de boi?

A falta de tato poderia ser atribuída às perspectivas, que no primeiro momento não empolgavam. Em março de 1960, deputados do PSP pressionaram o líder do partido na Câmara, Arnaldo Cerdeira, para que interferisse junto a Adhemar com o objetivo de que este apoiasse o ex-ministro da Guerra. Quando soube do movimento, o cacique surpreendeu na resposta:

— Prefiro apoiar Jânio Quadros ao marechal Lott.

Mas a menção a Jânio nem sempre era recebida de maneira bem-humorada. Em Sobral, no Ceará, onde se hospedou na casa de seu amigo

Abelardo Ferreira e concedeu uma entrevista coletiva, ele foi obrigado a ouvir de um jornalista:

— O senhor é candidato a presidente só para beneficiar Jânio Quadros?

Vermelho, Adhemar, que sempre procurava manter bom relacionamento com a imprensa, perdeu as estribeiras com o repórter:

— Em primeiro lugar, eu não permito que o senhor pronuncie o nome do demônio na minha presença. Em segundo lugar, na minha opinião, e quem está falando é um médico, o senhor é um débil mental.

Durante a campanha, ele foi aconselhado a tirar Campo Grande do roteiro, a terra de seu maior adversário, pois lhe diziam que o povo não o deixaria falar. Mas ele foi mesmo assim. Disse que achava justo a cidade votar em Jânio, seu filho mais ilustre, e por isso não ia pedir votos. Mas achava, também, que o povo iria se arrepender. Prometeu que voltaria a Campo Grande para conferir o que dizia, só que jamais cumpriu a promessa. À medida que o tempo passava, cresciam os boatos de que ele renunciaria à candidatura. Numa entrevista, ele desmentiu:

— Sou candidato até o fim. Não posso renunciar em favor do marechal Lott, que não tem partido nem eleitores, ou em favor de Jânio Quadros, que destruiu todos os partidos pelos quais passou.

Adhemar apresentava-se ao eleitorado como o "gerente" de que o Brasil precisava. Nas viagens e comícios, o povo escutava dos alto-falantes o tema da campanha, que era "Vamos saudar Adhemar":

Hip, hip, hurra
Hip, hip, hurra

Hip, hip, hurra
Vamos todos saudar Adhemar
Hip, hip, hurra
Que o nosso país vai governar
Hip, hip, hurra
Esse é o braço varonil
Que ecoa pelos céus do Brasil

E com coro nós vamos saudar
Hip, hip, hurra
Adhemar, Adhemar, Adhemar

Em setembro, quando a disputa entrava na reta final, ele enviou mensagem a dom Vicente Scherer, arcebispo de Porto Alegre, que havia declarado publicamente que o candidato do PSP era maçom. Além de desmentir, dizendo que jamais havia pertencido à maçonaria, Adhemar insistiu na reparação, pois achava que o pronunciamento do arcebispo poderia servir de instrumento a seus adversários, pelo preconceito que a condição de maçom gerava entre os católicos. Contudo, não era a primeira vez que ele negava fazer parte da poderosa organização. Em outra oportunidade, interpelado pelo cardeal arcebispo de São Paulo, dom Carlos Carmelo de Vasconcelos Mota, reagiu da mesma forma, sendo duramente criticado por *O Malhete*, jornal da maçonaria. O fato é que elementos da ordem, como Joaquim Teixeira Lino, que durante muitos anos dirigiu o periódico, afirmavam que Adhemar foi iniciado de maneira precária, sendo depois regularizado na Grande Loja — mais propriamente, "reiniciado". Era um maçom, portanto.

Não apenas a Igreja, mas também a imprensa fazia parte de suas preocupações. Uma das muitas visitas que realizou durante aqueles meses de movimentação intensa foi a Assis Chateaubriand, que em fevereiro havia sofrido trombose cerebral e estava tetraplégico. Assim como Lott e Jânio Quadros, que repetiram o gesto, ele queria demonstrar o seu respeito e consideração a Chatô, o mais poderoso homem de comunicação do Brasil, de modo a contar com os favores que seu imenso império pudesse oferecer.

Cartazes, bandas de música, papéis picados e fogos de artifício encerraram a campanha. E no dia 3 de outubro a vassoura varreu novamente os sonhos de Adhemar. Sua maior frustração veio justamente do estado de São Paulo, onde conquistou 855.093 votos, contra 1.588.593 do rival, ou seja, pouco mais da metade. De queda em queda, ele via cada vez mais distante a sua tão almejada Presidência da República. Aos cinquenta e nove anos, tinha de se conformar, uma vez mais, com a terceira posição.

O homem do "tostão contra o milhão", que havia saído da Vila Maria, chegava ao palácio da Alvorada com a ajuda da classe média, recebendo 48% dos votos. Segundo Afonso Arinos, ele "conseguia efetuar o encontro do desespero com a esperança, pela antevisão de uma nova era de austeridade e reformas". Lott ficou com 32%; Adhemar, com 20%. Jango, mais uma vez, fora eleito vice-presidente.

A conquista de Jânio, com quase 6 milhões de votos, foi retratada até mesmo na revista *Time*, que meses depois traria em sua capa a imagem do presidente eleito (elaborada por Portinari) e uma matéria em que afirmava: "Saindo não se sabe de onde para liderar a maior votação popular da história, Jânio Quadros aparece ao mundo como a própria imagem do Brasil — temperamental, brilhando com independência, ambicioso, assombrado com a pobreza, lutando para aprender, ávido de grandeza".

De forma melancólica, Adhemar voltava mais uma vez para a prefeitura, enfrentando a falta de dinheiro e sendo obrigado a relacionar como metas cumpridas algumas de suas promessas de campanha que não chegou a realizar. Ele utilizou esse expediente também no balanço de sua gestão, feito no discurso em que lançou a candidatura de Cantídio Sampaio para sucedê-lo no cargo. A única exceção digna de nota foi a rodoviária, que ele inaugurou no aniversário da cidade, em 1961, sem esconder que se tratava de uma iniciativa dos empresários da *Folha*. A obra, de fato, foi um sucesso. Com dez plataformas de embarque e desembarque e capacidade para fazer circular 3 mil ônibus por dia, recebia diariamente 100 mil pessoas. Sua receita vinha das empresas de ônibus, dos aluguéis das lojas e até do uso dos sanitários — uma novidade na época.

Não tardou para *O Estado de S. Paulo* iniciar uma série de reportagens afirmando que o terreno era público. Tratava-se de um prato cheio, pois envolvia um inimigo histórico e um concorrente. Na verdade, apenas a praça diante do prédio era da prefeitura, e não deixou de sê-lo. O que Adhemar fez foi mandar fechar a rua e abrir uma plataforma para os táxis. Mas o *Estado* conseguiu convencer seus leitores de que Frias e Caldeira tinham construído a rodoviária numa negociata com o prefeito.

Na hora do apagar das luzes no cargo, havia feridas a serem cicatrizadas, assim como algumas mágoas, que Adhemar expressou em um artigo publicado na imprensa. Ele se queixou do tratamento dado a São Paulo pelo governo federal, com evidente falta de empenho e cooperação diante das dificuldades enfrentadas pelo município, e, também, à sua figura como prefeito da capital. Sendo representante da maior cidade brasileira, ele achava que talvez lhe coubesse algo mais que a extrema indiferença:

> Fui prefeito desta grande cidade durante quatro anos e não só não vi um centavo da República como presenciei, estarrecido, uma pequena dívida de 200 milhões de cruzeiros, de administrações anteriores à minha, ser cobrada executivamente pelo Tesouro Nacional, como se a prefeitura de São Paulo fosse devedora relapsa. Durante quatro anos em que fui prefeito, o então presidente da República, Juscelino, veio à nossa cidade exatamente quinze vezes e jamais, apesar de convidado reiteradamente, aceitou um cafezinho no Ibirapuera. E, durante esse período dificílimo da minha vida pública, eu cheguei a ter a minha entrada proibida no aeroporto de Congonhas, quando das vindas do presidente a São Paulo. No protocolo do governo do estado, o meu lugar, o de prefeito da cidade, era sempre o trigésimo.

O desabafo mostrava falso isolamento do poder, além de uma inegável tentativa de criar empatia com o eleitorado. Isso ficava claro quando Adhemar pregava a necessidade de se pensar em governos que não aumentassem impostos e taxas, evitando contribuir com o encarecimento da vida; a importância de representantes populares que não prometessem "despudoradamente" e não enganassem o "povo sofredor"; a urgência na escolha de homens públicos que meditassem sobre a enorme responsabilidade diante de um "Brasil desorientado, qual uma nau em oceano encapelado".

O público, especialmente o público eleitor, já conhecia esse discurso do eterno candidato, proferido sempre que uma nova campanha política se aproximava. Mas ninguém sabia que, desta vez, o cacique pessepista tinha grandes possibilidades de vitória.

13

GANHANDO FORÇA

Em abril de 1961, sem conseguir eleger o sucessor na prefeitura e após transmitir o cargo para Prestes Maia, Adhemar saiu de cena, tendo como destino a Europa. Segundo afirmou, para tratamento de saúde:

— Sou um dos políticos mais visados do país, alvo para todos os bodoques. Não há organismo que aguente.

Na viagem, passou primeiro pela Alemanha, onde visitou Berlim e Munique, e depois seguiu para a Itália, parando na estância termal de Fiuggi. Encerrou a jornada em Paris. Mesmo fora da arena política, não deixou de manter contato com amigos e correligionários, nem com a imprensa. Em entrevista à UPI, fez uma análise sombria do panorama global:

— O mundo está sentado sobre um vulcão. Se os Estados Unidos estão esperando que antes de começar a guerra haja outra Pearl Harbor, agora por parte da União Soviética, vão sair derrotados. A nação que acertar o primeiro golpe será a vencedora. Na minha opinião, os soviéticos vão encampar toda a Europa, com exceção talvez da Espanha e de Portugal. Já têm numerosas divisões preparadas para isso.

Sobre a política brasileira, nada acrescentou. Antes de sua partida, já se havia tentado uma aproximação entre o PTB e o PSP, em âmbito nacional, mas os entendimentos acabaram suspensos com a reclamação, feita por Jango, de que Adhemar estava sendo intransigente em pontos fundamentais do acordo. Muitos membros do partido debandaram, aceitando convites do poder vigente. Os mais fiéis permaneceram, com planos traçados inclusive para a eleição seguinte. Mario Beni era um deles. Após acordo com os colegas de cúpula, marcou viagem para a Europa, onde ia se encontrar com o cacique, levando consigo um relatório da situação nacional feito pela bancada federal do PSP. Apesar de ninguém ter revelado, a razão era evidente: os partidários estavam se preparando para consultar Adhemar acerca de sua intenção em disputar novamente o governo do estado, na campanha de 1962. A notícia chegou aos ouvidos de Carvalho Pinto, que, cada vez mais distante de Jânio Quadros, desejava abrir outras frentes políticas, inclusive para se livrar de vez do incômodo padrinho.

Desde o início, Jânio tentava exercer influência sobre a sua administração. Atormentava a todos no palácio, parecendo fazê-lo de forma sádica. Quando não conseguia o que queria, manobrava para minar o governo. Na época da campanha, ele se aproveitava do fato de Carvalho Pinto ser uma figura sem carisma, com dificuldade de encantar o público, utilizando isso como pretexto para se impor. Nos comícios, ficava à espreita, esperando o candidato falar. Quando Carvalho Pinto iniciava o seu discurso, ele aparecia na multidão e era carregado em meio a grande alarido até o palanque, onde ninguém podia superá-lo. Deixava claro, assim, quem realmente mandava na campanha.

Depois da posse, Jânio se iludiu com o afilhado, repetindo o erro de Adhemar com Lucas Nogueira Garcez, oito anos antes. Carvalho Pinto tinha uma atitude recatada, fazendo Jânio acreditar que se tratava de um sujeito manipulável, o que não era verdade. Entre outras coisas, pediu que o governador empossado mantivesse suas três secretárias particulares no palácio, mesmo após sua saída do governo. Carvalho Pinto consentiu, a contragosto, até perceber que as moças não acatavam as suas ordens. Então chamou o jovem assessor Plínio de Arruda Sampaio e lhe determinou que as mandasse embora. Para não dispensá-las, Sampaio as transferiu, e teve de ouvir as lamentações do trio rebelde. Episódios como esse, que se repetiam de forma irritante, eram só o aperitivo. Intrigas e intromissões cada vez maiores foram afastando os antigos aliados políticos.

Mario Beni estava em Brasília quando recebeu o telefonema do chefe da Casa Civil do governador, Américo Portugal Gouveia, convidando-o para uma reunião. Beni, então deputado federal, achava que o motivo fosse o projeto de lei das representações do Norte e do Nordeste, que pretendia alterar a forma de cobrança do antigo imposto sobre vendas e consignações (que depois se converteu no ICM e, mais tarde, no ICMS), a qual, se vingasse, traria pesadas perdas de arrecadação para São Paulo. Ao chegar à cidade, ele se dirigiu aos Campos Elíseos. O projeto de lei, realmente, foi o primeiro assunto de que ambos trataram, mas logo ficou claro que o interesse maior não era aquele. Carvalho Pinto queria propor uma aliança entre o seu partido e o PSP para a eleição do sucessor e desejava que Mario Beni levasse a proposta a Adhemar. O deputado respondeu que poderia fazer a sugestão, pedindo-lhe alguns nomes. Era clara, então, a preferência de Carvalho Pinto por José Bonifácio Coutinho Nogueira, mas Beni insistiu em que outras opções também fossem apresentadas. Frisou que Adhemar nada tinha contra Nogueira, que já havia inclusive militado ao lado dele, e ouviu a pergunta maliciosa de Carvalho Pinto:

— Até onde você acredita em Adhemar?

A resposta veio rápido:

— Tanto quanto você acredita em Jânio.

Beni viajou para a Itália e, de lá, seguiu para a França. Em Paris, encontrou-se com o chefe pessepista às duas da madrugada, presenteando-o com laranjas brasileiras que ele imediatamente descascou e saboreou, prolongando a conversa durante três horas. Nos dois dias seguintes, as conversas prosseguiram e Beni apresentou a proposta de Carvalho Pinto. Para contrabalançar, Adhemar sugeriu os nomes de Ernesto Leme, Miguel Reale e do deputado Cyro Albuquerque. Já tinha lido o relatório enviado pelo PSP e estava ciente da situação do país. Sabia, especialmente, das divergências entre Carvalho Pinto e Jânio Quadros, situação que diminuía a possibilidade de um candidato apoiado pelo governo federal. O campo estava cevado. Beni, então, perguntou o que a bancada federal do PSP queria saber: se Adhemar concordaria em disputar o governo do estado nas eleições seguintes. Ele, que ainda estava desgastado com o pleito presidencial do ano anterior, reagiu com irritação:

— Vocês querem me levar a uma nova aventura?

Não era jogo de cena: Adhemar, de fato, não pensava em sair candidato a governador. Sua intenção era fortalecer o partido nacionalmente, e para isso ele chegou a cogitar uma candidatura como deputado federal pelo Rio de Janeiro. Pretendia também trabalhar para aumentar a representação pessepista na Câmara Federal. Mas Beni insistiu, observando que, se ele mudasse de ideia, os companheiros deveriam iniciar o trabalho de base no sentido de revigorar o partido, cujos diretórios, depois da última eleição, estavam quase inoperantes. Depois de três dias em que examinaram as dificuldades, mantendo telefonemas constantes com o deputado Rubens Ferreira Martins, do diretório nacional, Adhemar autorizou que os companheiros se movimentassem. Mas advertiu que só decidiria em fevereiro, quando retornasse ao Brasil. Recomendou a Beni que anunciasse sua própria candidatura ao Senado, pois assim poderia percorrer as regiões de São Paulo em condições de analisar o panorama e informar ao líder como sua candidatura ao governo do estado seria recebida, sem causar desconfianças nos candidatos à Assembleia e à Câmara.

Até então, Jânio Quadros se mantinha na presidência. Logo depois de empossado, ele havia iniciado um programa de estabilização econômica, aproveitando a popularidade de que ainda desfrutava para adotar uma série de medidas amargas. Também obteve o alongamento da dívida externa e um novo empréstimo de mais de 2 bilhões de dólares. Mas adotou uma atitude ambígua com relação à política externa, com orientação independente do maniqueísmo próprio da Guerra Fria. Essa conduta o conduziu a decisões consideradas temerárias pela classe mais conservadora, como o reatamento diplomático com a União Soviética, rompido desde 1947, e a condecoração de Che Guevara com a Ordem do Cruzeiro do Sul. Foi o que bastou para Lacerda, seu maior apoiador, voltar-se contra ele. Além disso,

Jânio vinha demonstrando desconforto em lidar com o Congresso. Era comum se queixar da necessidade de fazer acordos para aprovar o que queria colocar em prática, mesmo o parlamento não lhe sendo hostil.

Na noite de 24 de agosto, Lacerda, então governador da Guanabara, fez um grave pronunciamento pelo rádio dizendo que o ministro da Justiça, Oscar Pedroso Horta, estava tramando um golpe e o teria convidado a participar. Horta negou, mas no dia seguinte um passo audacioso e inconsequente foi dado por Jânio, mostrando que a acusação tinha fundamento: ele apresentou a sua renúncia ao Congresso, que a aceitou de imediato. Na carta entregue, expunha suas razões. Dizia se sentir esmagado por "forças terríveis" e que, "se permanecesse, não manteria a confiança e a tranquilidade, ora quebradas, indispensáveis ao exercício da minha autoridade". Ao encerrar, afirmava laconicamente retornar ao seu trabalho de advogado e professor, justificando: "Há muitas formas de servir à nossa pátria".

Num primeiro momento, as pessoas se perguntavam se aquilo era mesmo real. Depois, vieram os esforços para explicar. Artimanha, despreparo para o cargo, insanidade, alcoolismo — tudo isso era atribuído como causa do gesto. Jânio Quadros viajou para São Paulo e encerrou de forma patética sua misteriosa saída da presidência da República. No dia 28, segunda-feira, ao ver que não houvera nenhuma manifestação popular pela sua volta, ele embarcou no navio *Uruguay Star*, com destino a Londres.

Além do impacto causado pela renúncia presidencial, pesava também enorme resistência contra Jango, pela sua relação com a esquerda e o temor de que fizesse o país mergulhar numa crise interna. O ministro da Guerra, Odílio Denys, chegou a articular um movimento para impedir a posse do vice-presidente, que estava em viagem oficial na China, mas não encontrou apoio entre os comandos regionais. As divisões entre os militares e o desejo da sociedade pelo respeito à ordem vigente acabaram por impedir que um golpe se consumasse. Para contornar a crise gerada pela posse de Jango, a solução foi recorrer a uma alternativa institucional: no dia 2 de setembro, o Congresso aprovou emenda à constituição adotando no país o regime parlamentarista, ao mesmo tempo em que previa um plebiscito, em janeiro de 1965, para decidir sobre a continuidade do sistema. Três dias depois, Jango desembarcou em Brasília. No feriado de 7 de Setembro, foi empossado presidente da República. Tancredo Neves, que vinha fazendo carreira política no PSD mineiro, assumiu como primeiro-ministro.

A renúncia de Jânio alterou os planos de Adhemar, incentivando-o a concorrer pelos Campos Elíseos. Ele sabia que o eleitorado, frustrado, poderia se voltar a seu favor. Na viagem seguinte, Beni recebeu dele a resposta final de aceitação de sua candidatura, que deveria ser mantida em sigilo até segunda ordem. No início de 1962, como era previsto, o líder pessepista retornou ao Brasil. Demonstrava excelente disposição física, pesando catorze quilos a menos. Tinha tirado o bigode:

— Estava quase todo branco. Não vejo que graça pode ter um ornamento que anuncia ao mundo que estamos ficando velhos.

Adhemar parecia mesmo preocupado com a saúde. Seguindo conselhos médicos, ele se impôs uma dieta à base de grelhados e vegetais. Para não ser tentado a desrespeitar o regime, readquiriu um vício abandonado havia anos: o cigarro — antes, fumava cinco maços por dia; agora passara a fumar dois, numa época em que se ignoravam os efeitos maléficos do tabaco. Aos sessenta anos, com pressão normal e coração firme, anunciava estar muito bem, mas com saúde apenas "para mais uma luta eleitoral". Sobre os planos para a próxima disputa, desconversou:

— Não serei candidato a governador, nem que meus amigos chorem lágrimas de sangue.

Numa entrevista, ainda sem admitir que concorreria, falou que estava na França quando soube, na madrugada de 26 de agosto, da renúncia de Jânio:

— Ouvi, desliguei o telefone internacional, virei o travesseiro (aprendi com minha mãe essa simpatia para evitar a influência das más notícias no sono) e adormeci, sem alegria, com uma bruta pena do Brasil. Assim que regressei perguntaram-me que juízo eu fazia do Jânio. Quero repetir: raio não dá em pau caído. Vamos esquecer o homem. Quanto ao gesto, confesso que até agora não o entendi. Um presidente que teve 2 bilhões dos Estados Unidos, 600 milhões da Europa, todas as portas abertas, nenhuma dificuldade, apoio integral do Congresso e das Forças Armadas, além da confiança de 6 milhões de patrícios, e jogou tudo pela janela, não pode ter seu ato compreendido por ninguém a não ser por ele mesmo, na sua alma, no seu cérebro.

Para despistar os adversários, Adhemar propunha um esquema simples: em março, ele reassumiria a direção do partido, organizando em seguida duas chapas, uma de candidatos a deputado estadual, outra, de aspirantes à Câmara Federal. No plano estadual, embora sem disputar pessoalmente os Campos Elíseos, como vinha dizendo, ele faria que o PSP apresentasse uma lista de três nomes, de modo que os partidos dispostos à coligação escolhessem um e o lançassem "com força total".

Enquanto isso, ele preparava o terreno para si. Carvalho Pinto já havia anunciado seu secretário da Agricultura, José Bonifácio Coutinho Nogueira, como candidato oficial, e o PSP se mantinha na expectativa de que Jânio também se candidatasse para assegurar a divisão do eleitorado adversário. Após a renúncia, ele não estava certo da conveniência de disputar o governo do estado, pois temia toda a campanha que certamente iriam fazer, tendo o seu ato desastrado como tema central. Tanto é que tornou sua viagem ao exterior a mais longa possível, esperando, com a ausência, suavizar a lembrança de todos. Como sua hesitação era natural, um gesto de incentivo se fazia necessário. Foi então que os membros do PSP resolveram dar um "empurrão".

A estratégia foi ardilosamente preparada por pessepistas de cúpula, como Araldo do Amaral Arruda, Mario Beni e Paulo Lauro. Adhemaristas anônimos haviam sido infiltrados nos grupos janistas para obter informações e detalhes. Camisetas, faixas, tudo deveria ser rigorosamente igual, para não levantar suspeitas. No dia 7 de março, mais de trinta ônibus se deslocaram para Santos, fazendo do ato de recepção uma verdadeira apoteose. Enquanto o ex-presidente desembarcava do vapor holandês *Ruys*, milhares de janistas — e de adhemaristas fantasiados de janistas — gritavam: "Volta Jânio!". Ele se animou. Com um boné da CMTC que lhe foi colocado na cabeça, deixou o *Ruys* e, após cumprimentar parentes e políticos na escada do navio, foi levado pela multidão que o aguardava em um caminhão improvisado de palanque, em frente ao armazém do IBC, perdendo os sapatos ao ser carregado para cima da carroceria. Descalço, fez um discurso inflamado de quase meia hora:

— As razões da minha renúncia, que foi consequência da minha colaboração no intuito de debelar a angústia crescente do povo, a mentira coletiva e a triste condição em que se encontra o país, serão conhecidas em praça pública.

O plano surtiu o efeito desejado. Comprovando que realmente estava desligado de Carvalho Pinto, Jânio saiu candidato contra o escolhido do governador, dividindo o eleitorado como Adhemar queria. O diretório do PSP, vendo o caminho aberto, indicou o nome do seu líder para a disputa ao governo do estado. Pouco depois, a candidatura recebeu o apoio do PSD, que a homologou em agosto, compondo uma chapa em que Teotônio Monteiro de Barros aparecia como vice. Nesse mesmo esquema, a coligação incluía Mario Beni, do PSP, e Auro de Moura Andrade, do PSD, para o Senado. Adhemar acabou contando também com o apoio do PRP e, não oficialmente, do PR. No final, a candidatura de Monteiro de Barros acabou sendo cristianizada em favor de Laudo Natel, candidato perrepista a vice-governador.

Além do apoio do governador Carvalho Pinto, José Bonifácio Coutinho Nogueira entrou na disputa numa coligação que envolvia UDN, PTB, PDC, PR e partidos menores. Jânio Quadros foi apoiado pelo PTN e pelo MTR. Cid Franco, o quarto candidato, pelo PSB.

No início da campanha Adhemar demonstrou certo desânimo, que contagiou os companheiros. Em parte, era compreensível. Coutinho Nogueira tinha mais poderio econômico, contando também com o amparo da máquina oficial; a prefeitura estava nas mãos de Prestes Maia, e Jânio Quadros, longe de ser um adversário fraco, mostrou o carisma e a impressionante liderança de massas que sempre foram as suas qualidades. Mas, aos poucos, o líder pessepista foi ganhando ímpeto, ajudado sobretudo pelo partido, que voltou a ostentar a coesão e o dinamismo que parecia ter perdido depois da derrota para a presidência. No comício de Araçatuba, deslanchou. Em Barretos, após levar a multidão ao delírio, disse que o eleitorado já havia decidido, e que "a represa" tinha "transbordado" — analogia com o entusiasmo dos eleitores.

Adhemar aproveitou a intensa polarização política daquele momento e se lançou com uma proposta conservadora. Opondo-se ao comunismo e ao sindicalismo de esquerda, identificados com o presidente João Goulart, ele enfatizava a necessidade de preservar as instituições democráticas e a propriedade privada, assim como o respeito às tradições cristãs do povo brasileiro. Espertamente, diante da insegurança trazida pela corrente revolucionária, procurava conquistar a enorme parcela do eleitorado que ansiava pela ordem e pela tranquilidade — a propósito, o seu novo *slogan* era: "Ordem e tranquilidade" —, virtudes que, segundo Adhemar, Jânio não possuía. Ele sabia que agora não fazia mais sentido jogar os pobres contra os "cartolas" e os "tubarões", mesmo porque sua linguagem seria confundida com a das correntes de esquerda. Desse modo, procurou adotar um discurso mais adequado para o momento, pregando a cooperação entre o estado e a iniciativa privada, do que resultaria a socialização dos benefícios do desenvolvimento econômico.

No decorrer da campanha, ficou claro que seu único oponente de verdade era Jânio Quadros. Coutinho Nogueira perdia votos cada vez que manifestava simpatia pelas reformas estatizantes do governo federal. Aliás, mostrou-se um político sem nenhum carisma, como seu padrinho. O que o credenciava para a candidatura era a excelente atuação que tivera como secretário do governo de turno. Sua falta de tato também atrapalhava. Durante a campanha, ele foi ouvido por um grupo francamente janista que só o recebeu por condescendência. Como ele estava ruim da garganta, tentou justificar-se:

— Vocês me desculpem, eu estou meio rouco. Mas é melhor ser rouco do que louco como o Jânio, não é?

O quarto postulante, Cid Franco, havia entrado somente para fortalecer sua imagem. Assim, era mesmo com o velho rival que Adhemar deveria medir forças. Nos comícios, ele perguntava com a voz nasalada, característica:

— Onde está o fujão?

E emendava, para o agito da massa:

— Querem saber as razões da renúncia? Mas é tão fácil: Pitu, Pirassununga, Tatuzinho.

Cansativa como as outras, a campanha demandava muitas viagens de avião e comparecimentos a vários municípios. Certo dia, Adhemar e os companheiros Teotônio, Aldévio e Beni decolaram de Itapetininga a Piraju sob condições de tempo nada favoráveis, que o líder ignorou dando a desculpa de que a viagem era curta. Logo, a chuva que se anunciava começou a cair, fortíssima, acompanhada de um vento que sacudia violentamente a aeronave — um modelo tcheco já antigo, que havia doze anos não era mais fabricado, pois a empresa fechara. Para complicar, o limpador de para-brisa deixou de funcionar e uma escuridão se instalou. Dentro do avião, os quatro passageiros e o piloto mantinham-se num silêncio constrangedor. No íntimo, não acreditavam que sairiam vivos dali. Tendo nas mãos uma imagem de Nossa Senhora Aparecida, que considerava sua protetora, Adhemar balbuciou o único conselho que podia dar naquela hora:

— Rezem, que Ela há de nos salvar.

Subitamente, como um milagre, o piloto soltou um grito:

— Olha o azul!

Era uma espécie de janela no meio do breu, um pequeno retângulo por onde o avião passou e pôde seguir viagem com segurança, sob céu limpo. Os quatro entreolharam-se aliviados e, consultando os relógios, viram que haviam enfrentado meia hora da mais intensa aflição.

Com tanta fé e luta, Adhemar venceu Jânio nas eleições do dia 7 de outubro, por uma diferença de pouco mais de 120 mil votos, o que demonstrava que o ídolo da Vila Maria estava vivo. Auro de Moura Andrade foi eleito para o Senado. Mario Beni, apesar dos 600 mil votos obtidos, não conseguira superar Lino de Matos, que teve assim sua revanche contra Adhemar, quatro anos depois.

Já eleito, Adhemar deu uma entrevista coletiva declarando que, apesar dos ataques sofridos, não tinha contas a acertar com ninguém: "Minhas contas acerto com Deus", afirmou. Mas fez ressalvas, lembrando

Coutinho Nogueira e o presidente da Câmara Municipal de Campinas, que o chamaram de ladrão:

— Vou escrever-lhes cartas, pedindo-lhes que provem o que disseram. Se não o fizerem publicamente, eu os considerarei difamadores. Este é o meu acerto de contas. Como satisfação à opinião pública, desejo que provem o que afirmaram.

Na entrevista, creditou a derrota de Jânio Quadros "aos seus métodos desumanos de governar e também à política econômica que realizou como presidente, a qual, com apenas duas instruções, encareceu o custo de vida de 300% a 400%". Sobre o candidato oficial, Adhemar comentou:

— O senhor José Bonifácio perdeu porque não tinha mensagem. O *slogan* de sua campanha era: "O que é bom deve continuar". Mas o que é bom? A carestia de vida? A falta de arroz? A falta de feijão? Os preços altos? As filas?

De malas prontas para Roma, onde iria acompanhar os trabalhos do Concílio Ecumênico a convite do núncio apostólico do Brasil no Vaticano, dom Armando Lombardi, Adhemar deu nova entrevista no Rio de Janeiro. Após elogiar a atitude de Jânio Quadros, que lhe mandara um telegrama cumprimentando-o por sua vitória nas urnas ("Isso é que é a beleza da democracia", disse), criticou a onda de nacionalizações de grandes empreendimentos, como a Estrada de Ferro Leopoldina e a Companhia Telefônica do Rio Grande do Sul:

— Isso é uma burrice. Apenas uma ínfima parcela do lucro dessas empresas era destinada ao exterior. O grosso era reinvestido aqui. Essas empresas foram encampadas e agora só constituem ônus para os cofres públicos. São pessimamente administradas. Antes serviam a contento do público. Agora são inúteis.

No final de outubro, já no Brasil, Adhemar compareceu à televisão e fez um discurso em defesa da ordem democrática. Referindo-se a Cuba, disse que se tratava de "um cavalo de Troia no seio das Américas", pintando um quadro negro sobre a ilha:

— Fidel Castro vendeu a alma ao diabo, traiu os ideais cristãos e democratas daquela velha ilha caribenha e alegou que assim fazia para promover o desenvolvimento e seu progresso social. O diabo aceitou a transação, e o que ganharam Fidel Castro e o povo cubano? A resposta você sabe muito bem: cartões de racionamento para carne, leite, manteiga, feijão e tudo o mais, inclusive sapatos e roupa. Suas crianças ganharam fuzis e treinamento militar na mais doce das idades; suas mulheres ganharam o medo de que seus maridos fossem denunciados à polícia secreta, e as praias de Cuba (as lindas praias de Cuba) ganharam rampas de lançamento de foguetes atômicos. Eis o que eles ganharam. Mas, ainda assim, mesmo essas armas lhes foram tomadas das mãos no momento em que Kruschev sentiu que já havia utilizado o povo cubano para atingir seus objetivos. Só não enxerga a moral dessa história quem não quer.

No Congresso, a bancada pessepista da Câmara Federal vinha tentando se entender com as forças do governo. No início Adhemar e, de modo geral, o PSP, tinham um bom relacionamento com o presidente João Goulart, em virtude de uma aliança feita na eleição de 1960. Como Adhemar não tinha candidato a vice-presidente, o PSP ficou à vontade para se compor com diferentes postulantes. No caso de São Paulo, o diretório estadual, presidido à época por Mario Beni, optou pela candidatura de Jango. Foi quando se criou o Adhe-Jango, dobradinha que assegurou uma expressiva e surpreendente votação a João Goulart, que por isso tornou-se grato ao PSP. Tanto assim que a primeira nomeação feita por ele foi a de Beni, para a pasta da Indústria e Comércio, fato que teve desdobramentos curiosos.

Beni foi convidado por volta das 4 horas da tarde e aceitou o convite imediatamente. Mas, na calada da noite, o PSD, que tinha bancada expressiva no Congresso e queria o deputado Ulysses Guimarães no cargo, manobrou para minar a indicação. Beni havia ido dormir na condição de ministro e, ao acordar, estava fora do posto. Às 7 horas da manhã, Jango lhe telefonou e, cheio de mesuras, deu-lhe a notícia. Como também era deputado e sabia da articulação, Beni não se surpreendeu, deixando o presidente livre para compor o seu ministério como lhe aprouvesse. Mas Jango, para não deixar o partido de mãos abanando, ofereceu-lhe o cargo de ministro da Justiça, que ele não aceitou por ser economista (na época, não se admitia que o ocupante do posto não fosse bacharel em direito). Adhemar, que queria as pastas da Indústria e Comércio e das Minas e Energia, teve de se contentar com o Ministério da Educação e Cultura, ocupado por Teotônio Monteiro de Barros.

Jango procurava se equilibrar entre as forças antagônicas ao seu redor, mas acabava sempre dando ouvidos aos defensores da ideologia mais à esquerda. Em abril de 1962, ele viajou a Washington para tentar ganhar a confiança do governo americano e do FMI. De volta, começou a preparar o terreno para implementar as chamadas reformas de base. Os mais conservadores ficaram em estado de alerta. Num discurso no dia 1º de maio, ao falar da necessidade de uma reforma agrária, ele defendeu a mudança da norma que determinava o pagamento em dinheiro nas indenizações por expropriação de terras, o que causou verdadeiro alvoroço entre os agricultores.

As apreensões da classe política ficaram maiores em junho, quando renunciou o primeiro-ministro, Tancredo Neves, dando origem a uma crise temporária, agravada com a indicação de San Tiago Dantas para o cargo. O PSP não aceitava o seu nome, e Adhemar, como presidente nacional do partido, argumentou que o veto ocorria por motivos ideológicos, pois a aprovação de Dantas significaria a implantação de uma "república socialista" no Brasil. Com a recusa, Auro de Moura Andrade, o próximo da lista, chegou a assumir, mas não encontrou condições de permanecer. Enquanto isso, uma agitação no meio sindical paralisava setores essenciais e promovia saques a depósitos de alimentos, obrigando Goulart a negociar com os líderes. A oposição não engoliu o fato, acusando o presidente de plantar os distúrbios que ele próprio acabou por resolver, apenas para dar a impressão de que era a pessoa ideal para promover a estabilidade — seus críticos achavam que ele estava criando um pretexto para conquistar plenos poderes presidenciais. Ao mesmo tempo, Jango indicava um novo primeiro-ministro. Brochado da Rocha, pessedista gaúcho, acabou sendo aceito e teve aprovado o gabinete, que contava com figuras ilustres em sua composição. Mas surpreendeu ao decidir antecipar o plebiscito sobre o parlamentarismo.

Era grande o apoio ao ato. Do centro à esquerda, todos concordavam que os problemas do Brasil poderiam ser enfrentados apenas por um Executivo forte. Havia, no entanto, divergências quanto à data de sua realização. Foram elas que determinaram a renúncia de Brochado da Rocha, em setembro. Hermes Lima assumiu, sendo confirmado pela Câmara somente em novembro. Adhemar, então governador eleito, acabou se aproximando de Jango e com ele negociou um cessar-fogo, orientando também a bancada do PSP a integrar o bloco governista, ao mesmo tempo em que endossava a realização do plebiscito. Com o apoio militar finalmente obtido, o ato foi marcado para o dia 6 de janeiro de 1963. Por maioria esmagadora, Jango obteve de volta os poderes presidenciais.

Enquanto isso, Adhemar preparava a volta ao palácio dos Campos Elíseos, acreditando que aquele seria o passo decisivo para a realização do seu grande sonho, a Presidência da República. Mesmo assim, falante como era, acabava cometendo deslizes. Em conversa com jornalistas, confessou que pagara a *O Cruzeiro* nada menos que 1,5 milhão de cruzeiros para a publicação, numa das edições anteriores, de uma reportagem elogiosa a seu respeito, na qual o que menos transparecia era a isenção jornalística. A revista, que na ocasião já estava em franco declínio, teria aceitado o dinheiro tranquilamente.

No dia da posse, 31 de janeiro, ele e seu vice tiveram compromissos diferentes pela manhã: Adhemar fora à missa de aniversário de quarenta anos de formatura de sua turma de Medicina; Laudo Natel foi padrinho de casamento de Bellini, capitão da seleção brasileira de futebol de 1958. Ao ser empossado na Assembleia Legislativa, Adhemar provocou certo constrangimento quando entregou um envelope lacrado contendo a sua declaração de bens ao presidente da casa, Abreu Sodré. Chovia muito naquele dia, tanto que ele não pôde desfilar em carro aberto, como desejava. Acabou chegando ao palácio com quarenta e cinco minutos de antecedência, causando enormes transtornos ao cerimonial. Diante do espanto que tomou conta das pessoas, declarou simplesmente:

— Aqui eu me sinto em casa. Já não tenho nenhuma emoção.

Com ou sem emoção, no entanto, era enorme a quantidade de gente, assim como o desejo de cumprimentar o novo governador. Alguns queriam matar a curiosidade e ver como era o palácio por dentro. Outros pretendiam apenas aparecer e mostrar que estavam ali naquela hora tão significativa, principalmente as figuras que dependiam de favores oficiais. Adhemar, perturbado com o forte calor e o assédio intenso ao seu redor, desabafou:

— Vocês querem me deixar em paz, seus puxa-sacos?

Já no governo, ele queria não apenas fortalecer o seu nome em São Paulo, mas também em todo o país. Nesse sentido, resolveu colocar em prática a Aliança Brasileira para o Progresso, um ambicioso programa de ajuda a outros estados inspirado na Aliança para o Progresso do governo Kennedy, de 1961. O conjunto de ações seria executado financeiramente pela Carteira de Expansão Econômica do Banco do Estado de São Paulo, em parte com recursos do governo estadual e valendo-se inclusive de empréstimos feitos no exterior, além do reforço de investimentos privados.

Durante a campanha, ele já havia prometido abarrotar o Rio com víveres após tomar posse. Carlos Lacerda aplaudiu a decisão, pois a escassez de alimentos na Guanabara era significativa. Adhemar também fez diversas doações em nome do estado de São Paulo às Santas Casas de cidades pobres de outras partes do país, enviando equipamentos hospitalares, ambulatórios e até mesmo geradores, pois em muitas delas não havia sequer energia elétrica. Diante de calamidades, como secas ou chuvas no Nordeste, ele mandava organizar servidores para ajudar. Levando alimentos e remédios, essas pessoas eram embarcadas em aviões colocados à disposição dos flagelados. Quando lhe chamavam a atenção, lembrando as consequências que esses atos poderiam acarretar perante o Tribunal de Contas do Estado, ele dava de ombros:

— Deixa pra lá, é tudo Brasil.

Mas nem só de bondades vivia o governo. Durante a campanha, Adhemar tinha visitado Espírito Santo do Pinhal, um município paulista que havia algum tempo vinha sofrendo os efeitos da extinção da linha férrea que o ligava à cidade de Campinas. Todo solícito, atendeu a uma comissão de moradores cujo líder lhe fez um pedido aflito:

— Doutor Adhemar, deram um golpe mortal em nossa cidade. Desativaram a nossa ferrovia. O senhor é a única esperança que temos.

O candidato o tranquilizou:

— Compadre, eu vou ganhar as eleições e voltarei aqui sentado na chaminé da Maria Fumaça para dar o golpe de vida que vocês precisam. Vou reativar a ferrovia.

Os moradores ficaram aliviados. No entanto, logo que assumiu o governo, Adhemar mandou retirar todos os trilhos que ainda restavam na cidade.

Outra medida antipática, de repercussão muito maior, foi o cancelamento das nomeações sem respaldo legal de servidores feitas pelo governo anterior, assim como promoções e outorgas de vantagens. Adhemar, que estava sentindo o problema da falta de verba, baixou resoluções declarando aqueles atos nulos desde a data de publicação. A chiadeira foi geral, inclusive com a ameaça de *impeachment* do governador pela Assembleia Legislativa, sob a alegação de que as leis em vigor estavam sendo infringidas. Mas Adhemar agiu respaldado em estudos feitos pela Secretaria da Justiça, tanto que os servidores inconformados que ingressaram em juízo, tentando reverter a situação, perderam a causa.

Nesses atos, ele tinha a assessoria de Miguel Reale, que aceitou o convite para participar do governo, superando uma desavença de mais de doze anos. Antes da posse, Adhemar já tinha intenção de convidá-lo, mas, imaginando que o antigo correligionário estivesse magoado, recorreu a amigos comuns, como Horácio Lafer, Esther de Figueiredo Ferraz e Souza Noschese, para convencê-lo a aceitar o convite. Como escreveu em suas memórias, Reale acabou respondendo de modo favorável, mesmo porque sentiu, "efetivamente, que São Paulo iria ser objeto de uma perseguição tão sorrateira quanto implacável por parte da corte sediada no palácio do Planalto". A participação, desta vez, foi maior e mais harmoniosa: ele ficou catorze meses à frente da Secretaria da Justiça, retirando-se somente após o movimento militar de 1964.

Além de figuras ilustres no secretariado, Adhemar quis apresentar também um plano de governo digno de nota, providência que ficou a cargo de uma comissão presidida pelo professor Antenor da Silva Negrini, da Universidade de São Paulo, da qual se destacou o jovem economista Antonio Delfim Netto. Os membros escolhidos consumiram meses de trabalho estafante para elaborar o programa, que, uma vez pronto, foi entregue ao governador de modo solene, num volume especialmente coberto com uma elegante capa de couro. Para espanto do grupo, Adhemar mal o folheou, logo explicando o motivo da indiferença:

— A oposição vive me enchendo o saco porque eu não tenho um programa. Agora, quando falarem de novo, esfrego isso na cara deles.

Denominado "Pladi" — Plano de Desenvolvimento Integrado —, foi muito elogiado inclusive por elementos de fora do governo. Adhemar, porém, não o seguiu à risca, preferindo colher apenas soluções parciais. Anos depois, já conhecido no Brasil inteiro e com sua carreira definida, Delfim Netto comentaria:

— Foi uma das primeiras grandes lições que eu tive de política brasileira. Mas o serviço valeu pelo menos num ponto. Dissemos a Adhemar que, para fazer o programa, precisávamos de um computador 1130 para a faculdade. E ele deu.

A relação com o governo federal, frágil desde o início, piorava a cada dia. Ao tomar posse, Adhemar procurou evitar confrontos com Jango, pois precisava dele e do seu partido, o PTB, numa futura aliança tendo em vista o Planalto. Foi por isso que, num primeiro momento, ele não aderiu à movimentação contra o presidente no estado, que a essa altura já estava bastante adiantada, promovida sobretudo pelo empresariado. Os conspiradores militares em São Paulo se encontravam num apartamento localizado aos fundos da Santa Casa, no bairro de Santa Cecília — imóvel alugado por um empreiteiro do DNER, Antonio Lico. As reuniões eram gravadas e depois reproduzidas a Adhemar, que dava sua opinião.

A maior fonte de atritos eram as reformas de base, que dominavam o debate político. Em março, Jango apresentou o seu projeto de reforma agrária, propondo a indenização das áreas expropriadas em apólices do governo, e não em dinheiro, como exigia a constituição. Adhemar enviou ao Congresso uma carta aberta na qual se opunha de forma clara ao projeto proposto pelo Executivo, salientando aos deputados que a solução do problema não estava na distribuição de terras, mas na modernização da agricultura e na abertura de créditos para o setor agrícola, além de outras medidas do Poder Público em favor do trabalhador rural — no governo do estado, porém, ele promovia a "Reforma Agrária Paulista", que nada mais era além da venda de terras devolutas aos pequenos produtores, com prazos de pagamento variando de cinco a dez anos. Goulart não teve melhor sorte: por sete votos contra quatro, a proposta do governo federal foi rejeitada pela comissão parlamentar encarregada de analisá-la.

Adhemar não era contra as reformas de base: estava disposto a apoiá-las desde que não contrariassem a ordem democrática. Numa tentativa de conciliação, convidou Jango para participar de uma solenidade na ESALQ e, no seu discurso, afirmou exatamente isso. Para surpresa geral, o presidente endossou as palavras de Adhemar, dizendo que conduziria as reformas com pleno respeito à ordem vigente. Porém, na véspera, durante a homenagem que lhe prestou o Centro Acadêmico XI de Agosto, da Faculdade de Direito do Largo de São Francisco, Jango tinha declarado que não arredaria pé das "diretrizes exigidas pelas massas populares".

No Carnaval, Adhemar se recolheu em sua residência de veraneio e, com a colaboração do futuro chefe de sua Casa Civil, Álvaro Teixeira de Assunção, rascunhou o "Manifesto dos Governadores Democratas", documento que reafirmava a necessidade de fortalecimento do regime democrático e estabelecia, sob a justificativa de solidariedade ao presidente da República e ao poder Legislativo, "um entendimento visando uma ação comum e uniforme", de modo a poderem sempre "colaborar para a sustentação e o aprimoramento do regime democrático". As expressões vagas não escondiam a intenção de confronto. Uma vez publicado, o manifesto certamente causaria inquietação. Para despistar, durante o feriado da Semana Santa, Álvaro Assunção levaria o documento para a coleta das assinaturas de todos os governadores que não faziam parte do esquema presidencial.

No dia 30 de abril, Adhemar leu o manifesto no palácio do governo. Pelo acordo, qualquer dos signatários poderia convocar os demais, quando as circunstâncias o exigissem. Com ele, assinaram o documento Ildo

Menegheti, Luís Cavalcanti, Carlos Lacerda, Francisco Lacerda de Aguiar, Lomanto Júnior e, com ressalvas, Seixas Dória, Pedro Gondim e Virgilio Távora. O manifesto, que na prática significava o rompimento político entre Adhemar e Jango, deu início à "conspiração dos cafezinhos", como eram chamados os encontros feitos no palácio dos Campos Elíseos — com muito café e conversas, mas poucas ideias que fossem colocadas em prática.

Adhemar e seus interlocutores próximos aguardavam para o dia seguinte uma atitude muito mais ousada do governo federal. Em encontro reservado, Brizola lhe havia falado a respeito de uma República Sindicalista — coisa que em nenhum momento Jango havia mencionado publicamente —, a qual seria proclamada no dia 1º de maio, de acordo com o ideal trabalhista de Vargas. Para alívio de todos, o ato não aconteceu. Adhemar descreveu depois o encontro ao jornalista David Nasser:

> Pois o Jango me convida para almoçar. Entro, não vejo mesa. É lá em cima, explica o oficial de gabinete. Subo. O almoço é no quarto. Abóbora com carne seca. [...] Senta, doutor Adhemar. Não, estou bem, Presidente. Nisto, entra quem? O doidinho da família. De onde saiu o Brizola? De um armário? Não, de uma porta secreta. Vem com um papel na mão. Quer que o assinemos os três, o presidente, ele e eu. Leio aquela... Bem, leio. É uma proclamação revolucionária, mas revolucionária de extrema-esquerda, mais extrema-esquerda que o Pepe [alusão ao jogador do Santos e da seleção brasileira de futebol]. Devolvo e saio. Comer abóbora com carne seca, eu como em casa. Daí para armar minha gente foi um pulo.

Os ânimos se exaltavam. No dia 5 de junho, o deputado Bocaiúva Cunha, do PTB, proferiu discurso prevenindo Adhemar das consequências de pregar a "desordem". O recado era explícito:

— Porque senão seremos nós, do PTB, que iremos pedir ao presidente da República que use dos poderes constitucionais que tem para calar a voz de um governador de estado que está promovendo a inquietação em todo o território nacional.

Do plenário, aos berros, Carvalho Sobrinho o interrompeu:

— A intervenção não se fará. Não se fará intervenção em São Paulo.

A exemplo do que ocorrera antes e depois da Revolução de 1932, estava se formando em São Paulo uma "frente única", visando preservar a autonomia do estado. Toda medida contra os interesses paulistas era vista de modo ameaçador. Nesse sentido, a situação se complicou ainda mais em julho, com a determinação de que qualquer pedido de ajuda econômica para governos e agências estrangeiras fosse feito por intermédio do Ministério das Relações Exteriores, o que comprometia bastante a Aliança Brasileira para o Progresso, dependente basicamente de financiamento internacional. Os últimos esforços no sentido de evitar um rompimento com o governo federal caíram por terra. A bancada do PSP se desligou do bloco governista e Adhemar, então, começou a conspirar abertamente pela derrubada de João Goulart.

O que se anunciava como um longo e turbulento processo já estava em curso, embaraçando as perspectivas da política nacional. Adhemar atuaria como peça-chave do movimento e veria sua sorte mudar a partir dele. Se para o bem ou para o mal, ele ainda iria descobrir. Os passos seguintes seriam decisivos.

Em 1947, com o ex-presidente Washington Luiz, que voltava do exílio.

Junho de 1949: cumprimentando os participantes do 1º Circuito Monociclístico do Parque Ibirapuera. Adhemar, então governador, foi o juiz da prova.

Novembro de 1949: recebendo no Palácio dos Campos Elíseos, como governador de Estado, a visita de D. Alexandro Geha, arcebispo da cidade síria de Homs. Adhemar procurava deixar os convivas à vontade, muitas vezes quebrando o protocolo de forma irreverente.

Durante visita ao jornal *A Gazeta.* Sempre procurando manter ótimo relacionamento com a imprensa.

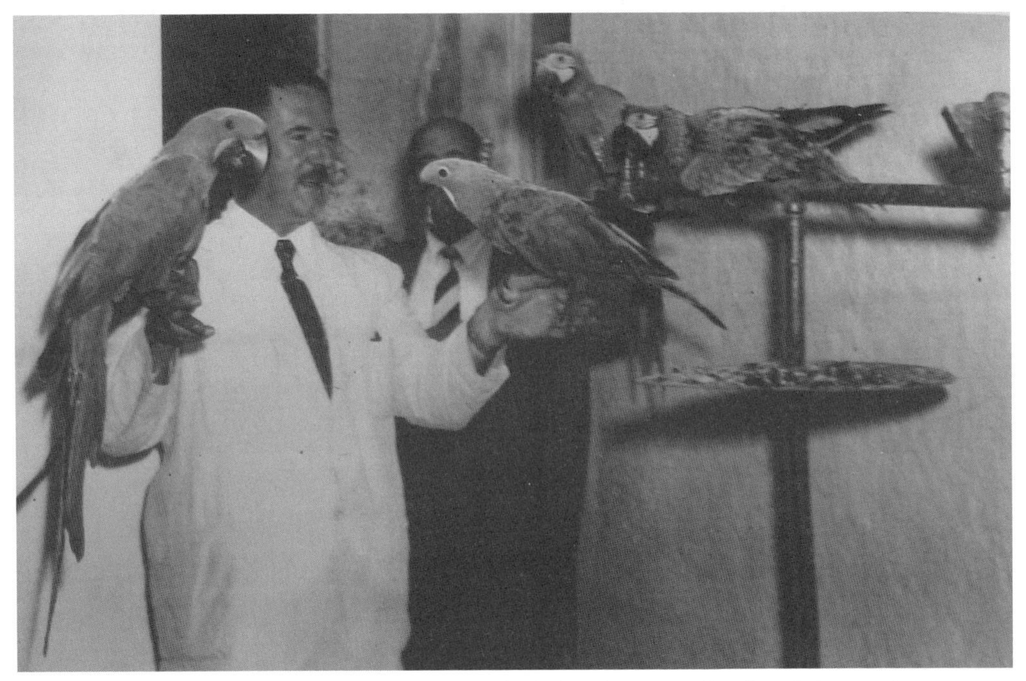

Brincando com araras. A intimidade com a natureza vinha desde a infância, passada na fazenda do pai em São Manuel. Revelada, servia para criar a imagem de alguém típico do povo, um homem como os outros.

Em visita ao barbeiro, durante a campanha política. Tudo era pensado para chamar a atenção.

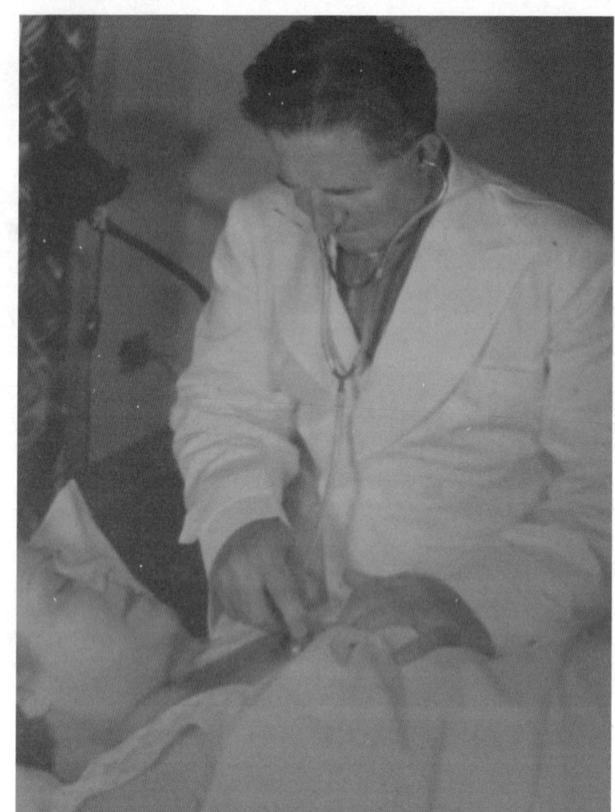

Examinando a esposa, como médico. Na política, ele costumava explorar as duas figuras: a do profissional da medicina e a do pai de família.

Conversando com Lucas Nogueira Garcez, em janeiro de 1951, quando chegava a Campos do Jordão para se encontrar com Getúlio Vargas (Erlindo Salzano é o primeiro à esquerda). Após conquistar o governo do Estado com o apoio de Adhemar, Garcez romperia com ele.

Abril de 1952: dentro de campo em Santiago com a seleção brasileira, que havia acabado de ganhar o primeiro Campeonato Pan-Americano.

Concedendo uma entrevista, em outubro de 1952. Estremecido com Getúlio Vargas e Lucas Nogueira Garcez, ele se socorria da imprensa para não perder visibilidade.

Com Winston Churchill.

Numa caçada, parte de suas muitas aventuras pelo mundo. Adhemar adotava a tática da ausência para impor respeito e silenciar as críticas. Quando terminava uma eleição derrotado ou chegava ao fim de um mandato, ele viajava para o exterior, onde passava vários meses. Com isso, fazia os seus adeptos sentirem saudades, os indiferentes notarem sua falta e os adversários perderem a razão para os ataques.

Em visita ao túmulo de Vargas, em São Borja. Após o suicídio do presidente, em agosto de 1954, ele tentou ocupar o vácuo político que havia sido deixado, entrando com força total nas campanhas para o governo do Estado, no mesmo ano, e para a Presidência da República, no ano seguinte. Mas perdeu em ambas: para Jânio Quadros, em 1954, e para Juscelino Kubitschek, em 1955.

Com Leonor, durante a campanha para a prefeitura de São Paulo, em março de 1957.

Garantindo um inesperado apoio de Leonel Brizola na campanha para a prefeitura, em 1957.

Recebendo o prêmio "Honoris causa" na Universidade de Boston, em junho de 1957 (segundo a partir da direita, sentado). Dois meses antes, ele tinha tomado posse como prefeito de São Paulo.

Em visita à Alemanha, agora como turista. O país que ele conhecera quando estudante, de 1924 a 1926, estava completamente mudado por causa da guerra.

Na chegada a Curitiba, em outubro de 1957, quando foi recebido pelo então governador paranaense Moisés Lupion (à sua esquerda).

Dividindo o palanque com Jânio Quadros (à esquerda, de chapéu) em solenidade no Vale do Anhangabaú, uma das raras vezes em que os dois rivais ficaram próximos. O desconforto e a insatisfação com o momento estão visíveis em Adhemar.

Despedindo-se do brigadeiro Ararigboia, comandante da Quarta Zona Aérea, antes de embarcar em voo de helicóptero. A relação com os militares era ambígua. Ele contava com muitos admiradores de farda, mas não vacilava em desafiar os que lhe fizessem oposição.

Carisma de sobra. Mesmo quem ainda não fizesse parte de seu círculo dificilmente ficava indiferente à personalidade magnética e cativante. Numa conversa informal, ele ganhava a simpatia alheia de imediato. Quando o assunto era política, então, não havia quem o segurasse.

Em evento com o marechal Lott (primeiro à esquerda).

Em homenagem a Leonor, em dezembro de 1961, no Jardim de Inverno Fasano. A presença ao lado da esposa era então meramente protocolar, pois desde 1953 ele vinha mantendo relacionamento estável com a amante e secretária Ana Capriglione. Para que pudessem viver juntos, Adhemar chegou a propor o desquite à mulher, mas Leonor, fortemente ligada à fé católica e às tradições, não aceitou.

Com Ana Capriglione. Aos poucos, ela adquiriu uma força política para a qual não havia concorrência à altura, influenciando Adhemar em decisões que iam da composição de seu secretariado à participação em conchavos e alianças.

Com o pai, Tonico (sentado, ao centro), e os irmãos.

O cigarro, vício que ele havia abandonado, mas readquiriu em 1962, para não ser tentado a desrespeitar o regime prescrito pelos médicos, à base de grelhados e vegetais.

Em outubro de 1962, na campanha que o levaria de volta ao Palácio dos Campos Elíseos.

Na campanha de 1962.

Com o vice Laudo Natel, logo após a vitória nas eleições para governador, em outubro de 1962.

Maio de 1963: novamente primeira dama, Leonor (segunda a partir da direita) é homenageada numa reunião festiva promovida pela jovem atriz Rute Escobar (à sua esquerda).

Recebendo Charles de Gaulle, em outubro de 1964.

Com Robert Kennedy.

Em visita a Aparecida, já no último mandato como governador. Até o fim da vida, Adhemar exercitou a fé religiosa. Quando sua saúde ficou precária, ele acatou a sugestão de um frade amigo e foi se banhar nas águas ditas milagrosas da fonte de Lourdes, na França.

Em recepção ao ministro da Guerra Costa e Silva, que mais tarde seria empossado presidente. Uma vez instaurado o regime militar, o general se tornou a sua voz mais ativa. Avanços como os seus e o endurecimento contra as liberdades políticas eram as maiores causas do desalento de Adhemar.

O penúltimo aniversário passado no Brasil, em abril de 1965, ainda como governador. Em junho do ano seguinte ele seria cassado e se auto-exilaria.

Visita às obras da catedral do Rio de Janeiro, em novembro de 1965. Desiludido com os rumos da revolução militar, ele começava a fazer oposição ao regime. O rompimento viria em março.

A última reunião com o secretariado, quando foi anunciada sua cassação. Abatido, ele desabafou com os companheiros: "Todos nós fomos traídos".

Com Ana Capriglione. Após a cassação, eles passaram a viajar por longos períodos. Iam com mais frequência à França e especialmente a Paris.

Aposentado da política.

Com o pai, Tonico, e Adhemar Filho, em maio de 1967.

No sepultamento do pai, em abril de 1968, no Cemitério da Consolação. Ironicamente, apenas onze meses depois, Adhemar seria enterrado no mesmo local.

A missa de sétimo dia, na catedral da Sé. Na primeira foto se vê uma consternada Leonor, fiel até o fim, apesar de anos de separação. Desde que deixara a vida política, Adhemar vinha amargando o ostracismo, mas os admiradores compareceram em número expressivo por ocasião da sua morte. No velório, a velha casa da Rua Baronesa de Itu ficou com seus salões repletos, enquanto no lado de fora o povo formava filas enormes para se despedir do ídolo. O cortejo até o Cemitério da Consolação foi acompanhado por uma multidão de cinco mil pessoas.

14

A REDENTORA

A luta que iniciou pela queda de Jango fez Adhemar se aproximar mais dos outros governadores que não se afinavam com o presidente. Carlos Lacerda foi o principal, não apenas pela importância do seu estado, a Guanabara, mas também pela comunhão de interesses que nasceu entre eles, até então adversários políticos. Ambos eram críticos ferozes de João Goulart e sofriam as consequências dessa atitude, além de se preocuparem com os planos de criação de uma Polícia Federal e com as medidas que o presidente poderia tomar contra os governos dos dois estados.

Nos Campos Elíseos, onde algumas vezes almoçou com Adhemar, Lacerda se sentia à vontade. Sem que ele soubesse, Adhemar dava ordens para que seu aparato de segurança protegesse o governador carioca em São Paulo, inclusive de possível armadilha, como ocorreu em certa ocasião. Tranquilo e alheio ao fato, Lacerda ouviu pelo rádio do carro em que estava um discurso do colega paulista e, admirado, comentou com a pessoa que o acompanhava:

— Se esse homem continua a falar, acabo votando nele.

Lacerda também teve encontros secretos com Adhemar, mantidos após a meia-noite. Numa das visitas, deu-lhe de presente um aparelho que havia ganhado de seu secretário de Segurança, Gustavo Borges, para impedir escutas nas conversas telefônicas entre os dois. Depois da reunião, comentou com Nelson Pereira, deputado estadual paulista da UDN, que Adhemar era o brasileiro mais bem informado politicamente:

— Não duvido que ele tenha um espião até mesmo no meu gabinete.

Não era nenhum exagero. Em Brasília, o secretário de Segurança de Adhemar, Aldévio Barbosa de Lemos, que o havia ajudado a sair do Brasil em março de 1956 e agora era general da reserva, mandava seus homens grampearem a telefonia no palácio do Planalto e lhe passarem as gravações das conversas de Jango com políticos. Adhemar ficava sabendo de todos os passos do presidente.

Jango continuava tentando se equilibrar. No campo econômico, ele até então vinha apostando suas fichas no ambicioso Plano Trienal, idealizado por Celso Furtado e implementado por San Tiago Dantas, que havia sido nomeado ministro da Fazenda. O plano tinha por objetivo manter o crescimento econômico e, ao mesmo tempo, reduzir o ritmo da inflação. Mas as dificuldades eram consideráveis, principalmente por falta de respaldo político. Havia pressão de setores específicos que não admitiam abrir mão de posições conquistadas com relação aos salários, como era o caso de funcionários públicos e militares. Enquanto a inflação aumentava e crescia a pressão dos setores extremistas por reformas de base, crises explodiam. No dia 12 de setembro de 1963, centenas de sargentos, fuzileiros e soldados da Aeronáutica e da Marinha se rebelaram em Brasília contra a decisão do Supremo Tribunal Federal, que reafirmava a inelegibilidade dos sargentos para os cargos do poder Legislativo, de acordo com a Constituição de 1946. A manobra, que ficou conhecida como a Revolta dos Sargentos, incluiu várias iniciativas ousadas, entre elas a detenção do presidente em exercício da Câmara dos Deputados, deputado Clóvis Mota, e de Vítor Nunes Leal, ministro do STF. Os revoltosos acabaram dominados, mas a inquietação que ficou foi enorme.

Naquele mês foi anunciada a visita do presidente da Iugoslávia, Josip Broz Tito, a convite de João Goulart, que endossou iniciativa anterior de Jânio Quadros. A notícia gerou manifestações de hostilidade na imprensa e também nos meios oficiais. Jornais, como *O Estado de S. Paulo*, fustigaram a atitude de Jango, que pretendia condecorar o ditador com a Ordem do Cruzeiro do Sul. Assim como Carlos Lacerda, Adhemar deixou claro que não iria receber o presidente iugoslavo oficialmente:

— Sendo filho da Igreja, não posso hospedar um homem que foi excomungado por ela.

Frisou ter recebido mais de "200 mil ofícios" de entidades e pessoas que se manifestaram contrárias à visita. Lembrou também que seria difícil garantir a segurança do marechal, principalmente em razão do expressivo número de sérvios e croatas residentes em São Paulo, francamente contrários a uma grande Iugoslávia e hostis a seu dirigente. Mas a resistência não foi compartilhada pelo jornalista Assis Chateaubriand, que mesmo inválido continuava a fazer barulho: ele não só condenou a posição adotada pelas autoridades estaduais como se prontificou em receber o convidado. Como conta Fernando Morais, Chateaubriand desancou a imprensa que protestava contra a visita chamando-a de "gente que ainda não saiu das selvas":

> — Tito vai chegar ao Brasil como chegou Pedro Álvares Cabral: vai encontrar Júlio de Mesquita Filho e Ademar de Barros trepados em árvores, como dois selvagens...
>
> [...]
>
> — Se o governador não quiser receber o marechal Tito no palácio do Governo, eu abro as portas da Casa Amarela e o recebo oficialmente, com todas as honras de chefe de estado.

Apesar da "hospitalidade" que o jornalista oferecia ao presidente iugoslavo, Tito, no fim, não passou por São Paulo, mas mandou um presente a Chateaubriand em reconhecimento pela gentileza. Sem poder recepcionar o ditador, Chatô voltou ao ataque com um artigo intitulado *Dois marginais*:

> Nossos governantes entendem tanto de política externa como entendiam os tapuias e tupinambás. Ademar de Barros e Júlio de Mesquita

Filho são límpidos marginais em relação ao drama internacional. Vemo-los em 1500, de tanga, trepados em árvores, à espera de que frei Henrique de Coimbra reze a primeira missa. Ignoram que a Iugoslávia é um país altamente ocidentalizado. Querem provas? Mais de 80% do volume de seu comércio exterior independem inteiramente da Rússia. Só os Estados Unidos emprestaram ao governo do marechal Tito 2,5 bilhões. E o presidente Kennedy se prepara para recebê-lo.

Prefiro que nossas colaboradoras católicas não adotem a linha bugre e tímida do governador Adhemar de Barros, que fugiu espavorido para a selva, levando de cambulhada Júlio de Mesquita Filho. Ignoram, um e outro, o evangelho da paz universal que prega e sustenta o apóstolo branco do Adriático.

Em toda parte a polarização política era grande, com demonstrações explícitas de maniqueísmo e patrulhamento ideológico, gerando discussões carregadas dos efeitos da Guerra Fria. O processo ocorria não apenas entre os três níveis de poder, mas também nos sindicatos, nas entidades de classe e nas universidades. Uma dessas vítimas foi o historiador Caio Prado Júnior, cuja nomeação para professor titular da cadeira de Economia da Faculdade de Filosofia, Ciências e Letras de Araraquara tinha sido vetada por Adhemar alguns meses antes. Caio Prado era um intelectual bastante respeitado em todo o país, sobretudo por sua obra *Formação do Brasil contemporâneo*, mas tinha ideias políticas que causavam desconforto aos setores mais conservadores. O veto do governador gerou alguns protestos, que acabaram caindo no vazio. O colunista do jornal *Última Hora*, Jamil Almansur Haddad, criticou a atitude de Adhemar e também a passividade dos colegas de academia e dos estudantes, que ele achava estarem mais preocupados "com o subdesenvolvimento do Congo e do Vietnã":

Não se compreende como lhes haja passado despercebido o significado simbólico deste veto, que, lançando aos planos universitários a tática discriminatória, traz consigo o próprio germe do desmantelamento do ensino superior paulista [...].

> O fantasma do professor comunista é, portanto, um mito a mais que se cria neste nosso Brasil tão mistificado. É uma administração assustada, com ela vai levar tudo a uma situação de caos. Esta, sim, é que é uma administração subversiva. E aonde acabaremos chegando? Sabe-se agora que o sr. Magnífico reitor vai ter menos trabalho. Quem vai tê-lo aumentado é o sr. secretário da Segurança Pública. É que, antigamente, quem sonhava com as cátedras procurava fazer concursos de provas e títulos. Hoje trata de cavar um atestado de ideologia no DOPS.

Em outubro, Jango solicitou do Congresso a aprovação do estado de sítio, o que, na verdade, era parte de uma manobra para ele agir contra Lacerda e Adhemar, de acordo com o que fora informado à liderança do CGT, o poderoso Comando Geral dos Trabalhadores. Havia, inclusive, um movimento de tropas para depor o governador do Rio e reforçar o pedido, que foi entregue ao Congresso na manhã do dia 4, sexta-feira. A gritaria foi geral. Com a iniciativa, Jango conseguiu desagradar todo mundo. Até mesmo os líderes sindicais temiam que a medida pudesse ser utilizada para impedir a onda de greves que justificava a sua propositura. Miguel Arraes, que nem fazia parte do grupo hostil a Jango, estava preocupado em ser o alvo seguinte, após Lacerda e Adhemar — no fundo, ele sabia que qualquer golpe, independentemente de onde viesse, faria dele uma de suas vítimas. A imprensa, de forma enérgica, e a UNE, colocaram-se contra a ideia, no que foram seguidas por Luís Carlos Prestes, Magalhães Pinto, San Tiago Dantas, João Mangabeira e o governador baiano Lomanto Júnior.

No domingo, o líder petebista Bocaiúva Cunha enterrou os planos do estado de sítio, afirmando se tratar de uma medida "reacionária, inoportuna e antitrabalhista". Mas, ainda naquele mês, setores ligados a Goulart tentaram ações, também frustradas, de prender Lacerda e depor Miguel Arraes. Sentindo-se ameaçado, Adhemar mandou o recado a Jango:

— Tenho 31 mil homens na Polícia Militar do Estado de São Paulo em armas, prontos para o combate. E mais 15 mil na Guarda Civil e

3.600 na Polícia Civil. Ninguém se meta a fazer estripulias por aqui. Muito menos o presidente da República, o primeiro que vejo na história do Brasil fazendo oposição a si mesmo.

Em resposta às declarações de Adhemar, Jango mandou suspender o redesconto do Banco do Brasil para São Paulo. A decisão criou mais animosidade, pois mexeu com os bolsos dos grandes empresários paulistas. Com recursos para alguns dias, Adhemar colocou a Caixa Econômica do Estado de São Paulo à disposição do comércio e da indústria. Abelardo Jurema, o ministro da Justiça, rebateu no Rio acusações feitas por Adhemar, de que se tratava de represálias, e atacou o que seria a verdadeira causa do problema, ou seja, o abuso das emissões de títulos pelo Banco do Estado de São Paulo, segundo ele "dinheiro usado pelo governador para fazer agitação em outros estados":

— Ninguém mais que o senhor Adhemar de Barros tem motivos para temer a democracia, pois a democracia é o regime em que os governantes têm de prestar contas ao povo. Mas como pode prestar contas ao povo quem, como o senhor Adhemar de Barros, tem medo da palavra "contas"?

As restrições de crédito impostas a São Paulo fizeram Adhemar iniciar entendimentos com parte do PSD e da UDN, num esforço para garantir a estabilidade e resguardar a ordem legal. Diferenças de caráter partidário foram temporariamente deixadas de lado. A iniciativa ampliou-se depois por meio de encontros com Carlos Lacerda e Magalhães Pinto. Com Lacerda o compromisso foi fácil: ele esteve em São Paulo, onde, ao lado de Adhemar, participou de uma solenidade em defesa da ordem democrática. Com Magalhães Pinto as coisas não se mostraram tão simples. Adhemar viajou com Miguel Reale a Belo Horizonte sob o pretexto de participar de uma reunião do PSP. Para amenizar o impacto da visita e afastar eventual caráter conspiratório, ambos foram acompanhados das respectivas esposas. Depois de uma longa conversa com o colega mineiro, Adhemar desabafou com os companheiros:

— O homem é pior que enguia ensaboada.

Nessa fase, Adhemar começava também a desafiar os militares, adiantando gestos de uma ousadia que, mais à frente, lhe causaria a ruína. Um dia, recebeu no palácio o almirante Silvio Mota, ministro da Marinha de Jango que vinha de Santos, onde aportara. O ministro chegou com muito atraso a São Paulo e foi para o palácio dos Campos Elíseos, onde Adhemar o recebeu. Ambos mal se cumprimentaram. Depois de ele passar em revista a guarda de honra, dirigiram-se para o almoço no Salão Dourado. Sentaram-se a uma mesa quadrada, um do lado do outro, sendo-lhes servida então uma maionese, iguaria que o governador anfitrião detestava. Adhemar apanhou o garfo, no que foi seguido pelo ministro, e, sem olhar para este, que ainda não havia começado a comer, comentou:

— Espero que o ministro não encontre nesta maionese o mesmo veneno que andou espalhando no cais do porto de Santos.

O almirante não concluiu a garfada. Pôs o talher sobre a mesa, levantou-se imediatamente, no que foi seguido por seus ajudantes militares, e se retirou. Adhemar não olhou de lado.

Apesar do respeito que nutria por muitos militares, Adhemar sabia que boa parcela da corporação apoiava Jango, e, assim como os civis, era capaz de qualquer ato para desestruturar o outro lado. Ele tinha motivos de sobra para saber. No começo de novembro, começou a circular em jornais do Rio e de São Paulo a notícia de que, no final de outubro, ele teria escapado de um sequestro planejado por membros do Exército na capital paulista. Seiscentos soldados, utilizando trinta viaturas, pretendiam invadir o palácio dos Campos Elíseos e prender o governador e sua família. Adhemar teria sido alertado por um oficial, que lhe telefonou e o aconselhou a deixar o palácio e recolher-se em sua residência particular, o que ele fez imediatamente. No dia seguinte, o governador teria se encontrado com o comandante da 2ª Região Militar, general Peri Constant Bevilacqua, que atestou que a denúncia de sequestro era verdadeira, explicando-lhe que o plano fora frustrado graças à sua intervenção. O fato nunca foi suficientemente esclarecido, havendo confusão também quanto à data exata, o que Adhemar não contribuiu para elucidar:

— O negócio tem fundamento. Apenas está superado, porque faz um mês, e não dez dias.

A Casa Civil dos Campos Elíseos distribuiu comunicado sobre o assunto no dia seguinte ao da entrevista. Salientava que Adhemar preferiu não dar crédito ao episódio, "que tanto viria denegrir os nossos foros de povo culto e civilizado". Já o comandante Bevilacqua não desmentiu nem confirmou a notícia em público. Apenas disse, devolvendo a bola para o governador, que apenas o chefe do Executivo paulista poderia dar declarações a respeito.

Bevilacqua tinha opiniões esquerdistas moderadas, mas foi um aliado de Adhemar na adoção de medidas enérgicas quando o CGT tentou, sem sucesso, promover a paralisação das indústrias de São Paulo. Diante das inúmeras greves que se sucediam o governador resolveu endurecer, incentivando inclusive o uso da violência, se fosse necessário para frear os movimentos. Mas os líderes do CGT aproximaram-se de Jango, o que fez Bevilacqua cair em descrédito. Em novembro, ele deixou o comando da 2ª Região Militar, quando entrou em seu lugar Amaury Kruel, ministro da Guerra de Goulart que havia sido substituído pelo general Jair Dantas Ribeiro na reforma ministerial de junho. Kruel foi recebido com muitas reservas por causa de sua proximidade com o presidente: ele era padrinho de João Vicente, filho de Jango.

Assim como os embates ideológicos e a luta pelo espaço político, também a disputa eleitoral estava na ordem do dia. No final de novembro, Adhemar anunciou em Cuiabá que apresentaria sua candidatura à Presidência da República, pelo PSP, ainda em 1963, e que iniciaria a campanha no dia 15 de janeiro com um comício em Salvador, na Bahia. Apesar de notório oponente da tendência comunista em curso, ele teria de disputar com Carlos Lacerda os votos da ala oposta. Mas nem mesmo dentro do partido as coisas estavam definidas. Havia, no PSP, duas correntes partidárias: a "avançada", que propunha uma guinada à esquerda, e o "clube do vovô", assim chamado o grupo dos reacionários. Em entrevistas, Adhemar desconversava, dizendo ter horror aos reacionários e que detestava tanto a extrema-direita como a extrema-esquerda. No seu entender, ele seria o candidato perfeito para o momento:

— Sinto que estou em condições de pôr fim ao processo de comunização do país, sem recorrer à violência ou ao paredão.

Em fevereiro de 1964, o PSP realizou a sua convenção nacional e indicou a candidatura de Adhemar à Presidência da República nas eleições marcadas para outubro de 1965. A escolha do vice foi cuidadosa e recaiu em João Calmon, que, além de antibrizolista ferrenho, era nada menos do que diretor do grupo jornalístico de Assis Chateaubriand. Realmente, uma chapa forte para enfrentar a situação era mais do que necessária. No final do mês, Adhemar foi à Cosipa, a gigantesca Companhia Siderúrgica Paulista, então recém-inaugurada em Cubatão, e recebeu uma vaia monumental. João Goulart, também presente, esforçou-se para conter os apupos, mas não se sabia até que ponto ele não apoiava a atitude da massa.

Em março, o PSD indicou Juscelino, que então era senador e havia tempos ensaiava a volta ao poder. A UDN, cuja convenção havia sido marcada para abril, tinha Lacerda como o provável candidato, mas rivalizando com Magalhães Pinto, outro que articulava a candidatura. Na corrente mais à esquerda, o principal candidato era Miguel Arraes, governador de Pernambuco, que organizava o eleitorado de modo paciente, sem embarcar na linha belicista de Brizola. Desse adversário, Adhemar dizia não acreditar que fosse um agente comunista, mas era, no seu entender, "um homem muito estranho".

Aquela seria a cartada derradeira do líder pessepista. Dois anos depois ele completaria sessenta e cinco anos e, de acordo com a legislação eleitoral em vigor, não poderia mais ser candidato a cargo nenhum. Era também o último incentivo aos integrantes do PSP, que iniciaram regime de esforço concentrado na tentativa de estabelecer pelo menos 3 mil diretórios partidários em todo o país. Eles sabiam que a agremiação, sem autenticidade e construída toda à sombra de Adhemar, seria esfacelada se ele saísse derrotado.

A esquerda estava bastante dividida. Havia a chamada "esquerda positiva", em uma ponta, e os nacionalistas radicais, em outra. Entre ambas, uma diversidade de grupos que adotavam linguagem marxista sem necessariamente aceitarem a disciplina dos partidos comunistas. Representando os trabalhadores, reinava sem maiores oposições o CGT. Entre os estudantes, os grupos mais destacados eram a Ação Popular (AP), a Juventude Universitária Católica (JUC) e a União Nacional dos Estudantes (UNE). Na zona rural, as Ligas Camponesas de Pernambuco, lideradas por Francisco Julião, incentivavam a formação de inúmeros movimentos de protesto contra a arcaica estrutura agrária do país. Brizola e Arraes eram as figuras independentes, que se valiam do prestígio eleitoral para forçar a abertura de frentes de influência, o primeiro de modo bem mais agressivo do que o segundo. Diante de um leque tão amplo, San Tiago Dantas tentou formar uma frente pluripartidária que congregasse do PCB ao PSD e desse condições de governo a Jango, permitindo-o chegar ao fim do mandato com um mínimo de estabilidade. Mas a proposta foi recusada por quase todas as partes que deveriam integrá-la.

Cada uma delas lutava à sua maneira. Certo dia, dirigentes da UNE e integrantes do PCB chegaram ao palácio dos Campos Elíseos e pediram uma audiência com o governador, apresentando como justificativa um documento em que protestavam contra a falta de verbas para a educação e o "imperialismo americano", entre outras coisas. Adhemar os deixou entrar, tomou o documento da mão do porta-voz do grupo e falou em voz alta:

— Tudo besteira. Tudo besteira.

Para não ser totalmente hostil, mandou o mordomo do palácio trazer cigarro aos estudantes, que receberam maços de Pall Mall. Sem conseguir o atendimento de nenhuma das reivindicações, os rapazes saíram fumando o cigarro americano oferecido por Adhemar, que olhou para o mordomo e comentou:

— Lá vão os comunistas, soltando fumaça imperialista.

A falta de apoio dos "imperialistas" americanos criava um vácuo que, em âmbito internacional, facilitava os avanços da corrente oposta. Numa entrevista, o embaixador soviético no Brasil, Andrei Fomin, afirmou que a reeleição de Goulart, em 1965, seria interessante para o seu país. Secretamente, a Casa Branca cogitava até mesmo reter a aprovação de empréstimos para enfraquecer o presidente brasileiro, contribuindo assim para a sua queda.

Jango era pressionado a todo instante, em manifestações que iam da simples cobrança até as ideias de conspiração. Esquerdistas radicais o iludiam, fazendo-o acreditar que ele teria todos os meios para implementar um golpe, se assim o desejasse. Seu jeito inseguro favorecia a aproximação de conselheiros — aos quais Adhemar se referia como "a moçada" — com fórmulas miraculosas para a solução da crise. Dois, em especial, ganharam a confiança do presidente: Raul Ryff, chefe do Serviço de Imprensa do gabinete presidencial; e Darcy Ribeiro, chefe da Casa Civil. O pouco apreço que Adhemar demonstrava pela "moçada" foi sentido na pele — literalmente — pelo último, quando de sua passagem por São Paulo, em 1963. Acostumado com o modo de vida natural dos índios, como antropólogo que era, ainda assim Darcy Ribeiro se surpreendeu com a recepção insólita que lhe foi dada pelo governador paulista e sua amante, como ele descreveu em suas *Confissões*:

> Depois fui à casa da amante de Adhemar, chamada doutor Rui, ali pertinho da praça da República. Fomos recebidos, eu e o funcionário do MEC que me acompanhava, muito cordialmente, pela referida senhora, que levava um traje longo e tinha todas as joias postas em cima. Nos fez sentar e esperamos alguns minutos. Aí surgiu, para meu espanto, Adhemar de Barros completamente nu, com seu corpo peludo como um macaco. Veio me abraçar, sentou-se ao meu lado, dizendo: "Isso é para quebrar o gelo, Darcy".

Mesmo diante de tanta descontração, o convidado prosseguiu com seus planos. Assim como Raul Ryff, Darcy Ribeiro achava que as medidas de caráter conciliatório não faziam efeito, e que o presidente deveria mobilizar as forças populares a seu favor, enfrentando a elite que se posicionava contra as reformas de base. A estratégia era organizar comícios gigantescos, em que Jango, após incendiar as massas, faria as mudanças por decreto, passando por cima do Congresso. Se depois os parlamentares se recusassem a aprovar as reformas, o presidente recorreria a plebiscitos. A arrancada foi dada no dia 13 de março, uma sexta-feira, no Rio de Janeiro.

Na praça da República, em frente à principal estação ferroviária da cidade, 150 mil pessoas assistiram ao comício. Um número nada desprezível, considerando-se o fato de que Carlos Lacerda havia decretado feriado, na esperança de que os cariocas viajassem e deixassem a cidade naquele dia. Jango estava nervoso, mas, quando chegou a hora, deu conta do recado. Fez o seu discurso e, num gesto teatral, assinou os dois decretos que vinha anunciando havia meses. O primeiro nacionalizava todas as refinarias privadas de petróleo. O segundo, da SUPRA, a Superintendência da Reforma Agrária, declarava a desapropriação de todas as áreas rurais que ultrapassassem 100 hectares, localizadas numa faixa de 10 quilômetros à margem das rodovias ou ferrovias federais, e as de mais de 30 hectares, quando situadas nas bacias de irrigação dos açudes federais. No final do discurso, fez uma advertência, que para muitos foi recebida como provocação:

— Nenhuma força será capaz de impedir que o governo continue a assegurar absoluta liberdade ao povo brasileiro. E, para isto, podemos declarar, com orgulho, que contamos com a compreensão e o patriotismo das bravas e gloriosas Forças Armadas da nação.

Havia outros comícios programados para Belo Horizonte, Salvador e Recife, ficando a apoteose reservada a São Paulo, no dia 1º de maio. Em cada evento, o presidente assinaria os decretos que julgasse necessários para governar sem o Congresso. Diante da iniciativa, ficava claro que Goulart resolvera trilhar o caminho da esquerda radical, o que levou as forças do centro a buscar refúgio entre os radicais de direita. Jango foi ficando cada vez mais isolado, e os articuladores da revolução, mais numerosos. Entre os militares, crescia a convicção de que estavam amparando um governo subversivo. A classe média também estava alvoroçada, assim como os banqueiros, industriais e grandes proprietários rurais. Todos achavam que algo deveria ser feito para deter os avanços de Goulart.

A febre nacionalista avançava com encampações e desapropriações, em meio a ruidosos protestos. No gabinete dos Campos Elíseos, uma jovem repórter desafiou Adhemar:

— E o senhor, governador, não vai encampar a Companhia Telefônica do Brasil?

Adhemar foi ligeiro:

— E eu pago com o quê, minha filha, fazendo o *trottoir*?

Também a SUPRA, seguindo a corrente dominante no governo federal, incentivava as invasões de terras produtivas. Três dias depois do comício de Jango, Adhemar mandou que policiais disfarçados de estudantes impedissem João Pinheiro Neto, diretor da entidade, de discursar num evento, o que deu origem a um tumulto. Pinheiro, depois, aproveitou a oportunidade para exagerar o episódio, dizendo quase ter sido morto "pelas bombas e rajadas de metralhadora", que não existiram. Adhemar ameaçava os invasores de terras falando de uma "grande procura de armas em São Paulo":

— Já não existe sequer um canivete para ser comprado. Esperto fui eu, que comprei antes. Aliás, estão tentando encontrá-las, mas até agora nem cheiro, pois estão muito bem escondidas.

As provocações se tornaram algo corriqueiro. Em Porto Alegre, Adhemar deu entrevista numa emissora de televisão e, na saída, soube que um grupo simpático a Brizola, incluindo militares, estava diante do prédio para pegá-lo. "Disseram que vão quebrar a sua cara", foi o que ele ouviu em tom de advertência. Os funcionários então perguntaram se ele queria sair pela porta dos fundos. Adhemar respondeu resoluto:

— Não, vou sair por onde entrei. Pela porta da frente.

E assim, sem guarda-costas ou nenhuma outra proteção, enfrentou o grupo hostil, que, para sua surpresa, estendeu-lhe a mão. Ele ficou sem saber se aquilo era uma ameaça ou um teste de macheza.

No dia 19, Jango recebeu a resposta aos seus avanços. Foi realizada em São Paulo a Marcha da Família com Deus pela Liberdade, com uma participação de 500 mil pessoas. A passeata, que começou às 19 horas, saiu da praça da República, entrou na rua Barão de Itapetininga, seguiu pela praça Ramos de Azevedo, Viaduto do Chá, praça do Patriarca, rua Direita, e terminou na praça da Sé. Adhemar não se juntou à multidão porque não quis dar um caráter político ao movimento e também porque, a princípio, não acreditava que o sucesso da iniciativa fosse tão grande. De helicóptero, sentado ao lado do piloto, observou admirado a massa enorme de gente.

Lacerda viajou a São Paulo com a intenção de participar da marcha incógnito, misturado com o povo. Chegou até a tirar os óculos, que eram a sua característica mais marcante, mas não teve jeito. Quando ele se preparava para entrar na catedral da Sé, um padre o reconheceu e gritou:

— Governadoooor!

Vendo que não seria possível passar despercebido, acabou retornando ao hotel. No dia seguinte, reuniu-se com Adhemar e conversaram sobre os rumores, que então corriam, de planos para a "eliminação" de ambos. Eles reconheceram que a passeata tinha sido um sucesso e demonstrou a capacidade de mobilização da sociedade (outra, nos mesmos moldes, estava marcada para o Rio, dia 2 de abril, data em que, segundo voz corrente entre os militares e de conhecimento até do CGT, Jango seria derrubado). O fato é que a marcha ajudou a quem ainda estava em cima do muro, como Magalhães Pinto, a se decidir: a "enguia ensaboada" veio a São Paulo e firmou aliança com Adhemar, Ildo Meneghetti e Ney Braga, entre outros governadores.

Na opinião de Adhemar, o movimento revolucionário levaria à implantação de um triunvirato, formado por um general, um ministro do Supremo Tribunal Federal e um elemento civil, ligado à conspiração. Ele trabalhava em silêncio para ser esse elemento, pois tinha certeza de que em seis meses, no máximo, reuniria condições de dominar o triunvirato e tornar-se chefe da nação, dadas as divergências que fatalmente ocorreriam entre os membros do grupo. Quando, porém, os articuladores da revolução propuseram que o movimento partisse de São Paulo, ele deu um passo atrás. Escaldado pelas experiências com a Revolução de 1932, na qual os paulistas acabaram sozinhos contra os demais, dizia:

— São Paulo será o segundo estado a deflagrar a revolução, mesmo que o primeiro seja o Piauí.

Nesse ponto não havia consenso. Em nenhum estado, por exemplo, a coordenação entre o governo e os generais era tão boa para o planejamento da insurreição como o era em Minas Gerais. Mas no Rio os conspiradores não punham fé nos mineiros, tanto assim que previam o levante a partir de São Paulo.

No partido, apesar da determinação de Adhemar, a maioria dos pessepistas não endossava o movimento por achar que tudo não passava de conspiração dos seus adversários políticos da UDN. Esses teriam visto na ocasião a brecha histórica para tomar o poder, na esperança de se tornar o partido dominante, por eleição direta ou mesmo indireta, articulando o golpe sob o argumento de que forças de esquerda estavam se infiltrando nas bases do governo. Contudo, ainda que essa teoria tivesse um fundo de verdade, a UDN sozinha não poderia fazer a revolução: havia necessidade de juntar outros elementos de forma a engrossar o coro contra João Goulart e criar meios de afastá-lo do comando. Adhemar foi um dos escolhidos porque era governador do estado com as maiores condições materiais de mobilização. Tinha recursos, assim como a população a seu favor. Além disso, se quisesse, poderia isolar São Paulo e sufocar economicamente o resto do país. No PSP, foi a ala mais conservadora que o influenciou. Pesaram forças como a das mulheres, às quais aderiu sua esposa, Leonor, e iniciativas como a Marcha da Família com Deus pela Liberdade, dentro de um contexto de temor generalizado pela alegada ameaça comunista.

Ao se engajar no movimento pela deposição de João Goulart, Adhemar ganhou o apoio de um de seus maiores e mais poderosos inimigos, o jornal *O Estado de S. Paulo*, que temporariamente deixou de lado a oposição incansável que fazia ao governador paulista, a quem se referia como "A. de Barros" — uma forma que o grupo de Júlio de Mesquita Filho utilizava para demonstrar o desprezo pelo chefe político que, durante o período do Estado Novo, havia promovido a intervenção no jornal, ainda que a mando de Getúlio Vargas. Adhemar acabou assimilando o boicote, chegando inclusive a fazer piada com o nome quando a oportunidade surgiu, numa solenidade de distribuição de recursos para santas casas do interior paulista, no seu último governo. Ele começou a ler, em ordem alfabética, os nomes das cidades contempladas, convocando os representantes. Quando chegou a vez do município de Júlio Mesquita, interrompeu a leitura, vacilou e, irônico, fez o chamado:

— O representante de J. Mesquita.

A animosidade entre os dois era bem conhecida, obrigando as pessoas a ter muito tato quando falavam de um para o outro. Numa das vezes em que esteve em São Paulo, Carlos Lacerda visitou o jornal e disse a Júlio de Mesquita Filho:

— Doutor Júlio, tenho uma notícia desagradável para lhe dar, mas conto com seu espírito público para compreender. Vou me encontrar com o governador Adhemar de Barros.

Mesquita respondeu com enfado:

— Realmente é preciso que este país tenha chegado a uma situação muito triste e muito grave para que um homem como o senhor tenha de se encontrar com um homem como Adhemar de Barros.

Suspensa a oposição ao governo estadual, iniciou-se um clima de neutralidade, quando não de endosso. Mesquita chegou inclusive a visitar o governador no palácio dos Campos Elíseos.

O assédio da imprensa era cada vez maior, pois todos queriam saber o que se passava nos bastidores. Adhemar compareceu ao programa de televisão *Pinga fogo*, da Rede Tupi, surpreendendo a todos ao dizer que poderia ser presidente ainda naquele ano. Apesar da insistência dos repórteres que o entrevistavam, esquivou-se de dar explicações sobre as circunstâncias em que isso ocorreria. Mas fez algumas revelações, entre elas a de que o deputado Leonel Brizola, quando Adhemar se recusou a assinar o documento de apoio à "República Sindicalista", teria anunciado que passaria a empenhar-se na "destruição do poder econômico de São Paulo". Após divertir os jornalistas e os telespectadores com um senso de humor incomum para um ocupante de cargo público (com declarações do tipo: "Tenho muita afinidade com Brigitte Bardot: ambos gostamos de Cabo Frio"; "Não sou velho, sou o broto de ontem que, de vez em quando, pinta os cabelos de branco"; "Quando eu passo por aí e ouço gritos de *paredón*, respondo a essas vozes dizendo: — Vai-te, satanás"), despediu-se reafirmando o que tinha dito:

— Dentro de pouco tempo vocês farão uma entrevista com o presidente Adhemar de Barros.

A partir de então, dando a entender que as mudanças não ocorreriam de forma pacífica, ele repetia diariamente às pessoas com quem se encontrava:

— Comprem galochas e guarda-chuvas, porque vai chover.

Nem Chatô escapou de seus conselhos. Como narra Fernando Morais, no dia 30 de março ele conversou com o jornalista durante visita à sua residência, a Casa Amarela, em um encontro testemunhado por uns poucos assessores e pela intérprete e enfermeira Emília Araúna, quando então o preveniu dos riscos que todos corriam:

> — Doutor Assis, nos próximos dias vai chover merda. A revolução já está nas ruas, e nada garante que nós vamos sair vencedores. Se não triunfarmos, seremos fritados como pastel de chinês. Vim aqui para propor que o senhor, preventivamente, deixe o país ou pelo menos passe os próximos dias escondido num lugar mais seguro. Se tudo der certo, dentro de uma semana o senhor retorna.
>
> O jornalista pareceu indignado com a proposta de fuga e encerrou a conversa com uma frase dramática:
>
> — Ademar, nós vamos vencer. Mas, se perdermos, quem é que vai querer prender um morto-vivo como eu? Vou esperar o desfecho sentado na minha cadeira de rodas, aqui na trincheira da Casa Amarela.

Enquanto Adhemar visitava Assis Chateaubriand, Jango se preparava para participar de uma reunião organizada por sargentos do Exército no Automóvel Clube do Rio de Janeiro, onde à noite discursou de modo considerado afrontoso pelos oficiais. O general Olímpio Mourão Filho, comandante da 4ª Região Militar, viu o discurso do presidente pela televisão. Ele estava irritado com Magalhães Pinto, que naquela tarde havia se recusado a pedir publicamente a deposição de Jango, como haviam combinado, mas concluiu que era hora de agir. E foi em Minas Gerais que, na madrugada do dia 31, deflagrou-se o movimento revolucionário contra o governo federal. Tropas sob o comando de Mourão Filho e do general Carlos Luís Guedes partiram em direção ao Rio de Janeiro.

Adhemar, então, estava reunido com os companheiros no palácio dos Campos Elíseos. Era hábito seu, desde os tempos da interventoria, convidar amigos próximos e pessoas de confiança sempre que precisava enfrentar momentos difíceis. Quando soube da notícia, fez o comentário:

— Esta revolução vem atrasada de um ano.

Ainda pela manhã, o general Cordeiro de Farias viajou para Belo Horizonte, de São Paulo, em um avião providenciado por Adhemar, e por telefone disse a ele que não pusesse a Força Pública em confronto com as tropas do Exército. O fato foi testemunhado, entre outros, por Miguel Reale. No entanto, muitos anos depois, não se sabe se por arroubo ou falha de memória, Farias afirmou em depoimento que havia telefonado a Adhemar "autorizando o levante das forças paulistas". Essa versão ajudou a reforçar a noção, equivocada, de que o governador de São Paulo teria ficado em cima do muro ao eclodir o movimento.

Adhemar andava de um lado para outro, medindo os passos. Fazia as ligações pessoalmente, entrando a toda hora na cabine telefônica. Numa das tentativas frustradas de localizar alguns de seus auxiliares, esbravejou:

— Agora que o Brasil acordou, meus homens estão dormindo.

Nem todos estavam. A Polícia Militar se mantinha de prontidão, assim como a Secretaria de Transportes, que estava alerta para qualquer necessidade de mobilização de sua estrutura, especialmente rodovias e ferrovias. Já o movimento dos sindicatos não escapava do vigilante secretário de Segurança, general Aldévio Barbosa de Lemos.

Às 11 horas, Adhemar já tinha feito vários contatos e tomado inúmeras providências, muitas delas às cegas, sem poder contar com a orientação do comando das tropas em São Paulo. Os telefonemas para o quartel-general da 2ª Região Militar, na rua Conselheiro Crispiniano, eram constantes e inúteis, pois o comandante Amaury Kruel não se definia.

Sem notícias de São Paulo, Carlos Lacerda ligou para Adhemar. De manhã bem cedo ele havia falado com Armando Falcão, que lhe confirmara a saída do general Mourão Filho com as tropas de Juiz de Fora, a caminho do Rio de Janeiro. Lacerda também ouviu rumores de que os fuzileiros navais estavam prontos a atacar o palácio Guanabara e, entrincheirado lá dentro, escondia duas metralhadoras e uma pistola sob o blusão de couro. Sua potência de fogo era de no máximo seis minutos, mas ele blefava dizendo ser de doze horas. Na avenida enfeitada de palmeiras que dava acesso ao palácio, os caminhões de lixo, pintados de cinza e laranja, faziam barricadas. Quando Adhemar atendeu sua ligação, ele logo o advertiu:

— Ponha aquele aparelho para a gente conversar.

— Que aparelho, meu filho?

— Aquele aparelho que eu lhe dei, lembra-se?

— Não me lembro, não.

— Aquele misturador que se põe no telefone.

— Ah, eu não sei onde foi parar aquilo.

— Bom, então vai direto mesmo. Quando é que vocês descem?

— Está meio difícil, porque o homem daqui ainda não se decidiu.

A referência era a Kruel, que continuava indefinido. Num determinado momento, o governador carioca exigiu de Adhemar "mais coragem" e ouviu o gracejo:

— Mas Lacerda, você não me disse que tem potência de fogo para aguentar doze horas? Pois então comece a contar agora.

No começo da tarde, Mario Beni, então presidente da Cagesp — Companhia de Armazéns Gerais de São Paulo, confirmou as providências relacionadas com o abastecimento. A retirada de cereais dos armazéns estava impedida. Trens carregados de alimentos destinados ao Rio Grande do Sul foram encostados e proibidos de sair. O estado tinha cereais suficientes para cem dias. Logo depois de falar com Beni, Adhemar recebeu os generais Cordeiro de Farias, que voltava de Belo Horizonte, e Nelson de Melo. Os salões do palácio estavam repletos de gente. Eram amigos, membros do partido, parlamentares, presidentes de associações e até adversários políticos.

Era noite quando Adhemar fez uma declaração formal de rompimento com o governo federal, cujo texto alguns militares acharam fraco. O marechal Ignácio Rolim, o general Ivanhoé Martins e alguns coronéis, entre eles Antonio Carlos de Andrada Serpa, que tinha vindo de Minas Gerais fazer a coordenação com os paulistas, foram aos Campos Elíseos e interromperam uma audiência do governador, às 23 horas. Queriam um pronunciamento mais firme. Serpa se exaltou e Adhemar atendeu ao pedido. Mas ficou curioso a respeito do coronel:

— Quem era aquele maluco que me apontou o dedo para a barriga? Pensei que fosse furá-la. Ele parecia um bandido mexicano com aqueles bigodes de Pancho Villa.

Às 23h30, a Presidência da República anunciou que parte da guarnição de Minas havia se rebelado sob inspiração no manifesto do governador de seu estado. A nota dizia que o movimento estava condenado ao malogro, e o governo federal esperava comunicar logo, oficialmente, o restabelecimento da ordem. Mas na mesma hora o general Amaury Kruel, em "manifestação às Forças Armadas e à Nação", anunciava que a 2ª Região Militar acabava de "assumir grave responsabilidade, com o objetivo de salvar a pátria em perigo, livrando-a do jugo vermelho".

Kruel tinha feito apelos a Jango para que se afastasse do CGT e demitisse Abelardo Jurema e Darcy Ribeiro, seus colaboradores mais radicais, alegando que somente desse modo teria condições de salvar o seu mandato. Mas Jango negou o pedido. Disse que não poderia abandonar as forças populares que o apoiavam, pois sem elas ficaria desmoralizado. O general entregou os pontos:

— Nesse caso, presidente, nada podemos fazer.

Kruel então deu ordens para que seus tanques se deslocassem rumo ao Rio, onde iam se encontrar com as tropas de Mourão Filho. Na verdade, como observou Elio Gaspari, a intenção de Kruel era "emparedar Jango sem depô-lo". Reafirmando sua posição pelo respeito à ordem constitucional e aos poderes legalmente instituídos, o general enfatizava que o papel da 2ª Região Militar era exclusivamente o de "neutralizar a ação comunista que se infiltrou em alguns órgãos governamentais". Ele chegou a falar com Jango mais duas vezes, pedindo que "jogasse a esquerda ao mar". Em vão.

Às duas da madrugada do dia 1º de abril, Adhemar declarou que São Paulo, Minas Gerais, Rio Grande do Sul, Goiás, Paraná e Mato Grosso estavam sublevados e unidos contra o comunismo, "pela tranquilidade da família brasileira e pela deposição de João Goulart" (a ele se referindo como "ex-presidente"). Mas a luta principal não havia acabado. Longe disso, apenas começava.

15

DECEPÇÃO E OUSADIA

Adhemar agiu rápido. Numa penada, estabeleceu feriado bancário para o dia seguinte, mandou expedir ato nomeando interventores nos sindicatos onde a agitação era mais evidente e fechou a Faculdade de Filosofia. Como estava rompido o pacto federativo, baixou decreto determinando que as repartições federais de todo o estado ficassem subordinadas ao governador, o que fez desencadear uma súbita corrida aos cargos então disponíveis. Ao amanhecer, mandou abrir ao público os portões dos Campos Elíseos e foi ovacionado pela multidão. Enquanto isso Abelardo Jurema, o ministro da Justiça falando pelo rádio, apelava inutilmente ao povo que lutasse contra os golpistas.

A cidade estava calma, em nada deixando transparecer que o governo federal havia sido derrubado. Mesmo assim, Adhemar considerava a hipótese de postular o reconhecimento, pelos Estados Unidos e demais países, do estado de beligerância interna, o que deixaria São Paulo em condições de importar armas e munições pesadas, que entrariam pelo porto de Santos. O temor se devia à situação de inferioridade, do ponto de vista bélico, da 2ª Região Militar, quando confrontada com a 1ª e a 3ª, situadas no Rio de Janeiro e no Rio Grande do Sul, respectivamente. No comando da 2ª Região, o general Amaury Kruel, em uniforme de campanha, era claro ao afirmar que cuidaria somente da questão militar, deixando as demais por conta do governador. O desfecho rápido da insurreição, contudo, demonstrou que as medidas extremas eram desnecessárias.

Ao meio-dia, Jango voou para Brasília, e às 22h30 embarcou para Porto Alegre no Avro AC2501 da FAB, pouco antes de Auro de Moura Andrade, presidente do Senado, declarar vaga a presidência da República e empossar no cargo o presidente da Câmara, Ranieri Mazzilli. A medida provocou verdadeiro tumulto entre os deputados do PTB, pois Jango não havia abandonado o cargo formalmente. Ao desembarcar na capital gaúcha, na madrugada do dia 2, o presidente deposto discutiu asperamente com Brizola, que chegou a chorar, argumentando que o Rio Grande do Sul poderia resistir. Jango também teve uma crise de choro em consequência da intensa pressão a que vinha sendo submetido. Mas não cedeu aos apelos do cunhado, pois não queria violência. Antes que ele se acomodasse, o general Floriano Machado chamou sua atenção para o fato de que tropas de Curitiba marchavam sobre Porto Alegre, e advertiu:

— O senhor tem duas horas para deixar o país se não quiser ser preso.

Diante de um recado tão explícito, Goulart refugiou-se com Assis Brasil na Fazenda Rancho Grande, em São Borja. No sábado, quando ele pedia asilo político ao Uruguai, Adhemar e os outros governadores de estado adeptos do levante se reuniram no Palácio Guanabara para escolher um nome que pudessem apresentar à chefia do governo. Às 11 horas, foram todos ao edifício onde funcionava o Ministério da Guerra se encontrar com Costa e Silva. O general não havia tomado parte direta na movimentação que resultara no golpe militar de 1964, mas, uma vez instaurado o regime, tornara-se a sua voz mais ativa. Ele demorou um pouco para entrar na sala de reuniões e depois mandou chamar Adhemar, com quem ficou a sós por cerca de meia hora. Encerrado o encontro reservado, Adhemar não revelou a ninguém o teor da conversa: Costa e Silva lhe dissera que só toleraria sua permanência no governo de São Paulo se ele renunciasse à ideia de ser candidato à Presidência da República.

A reunião foi tensa. Carlos Lacerda lembrou o compromisso com a realização de eleições diretas depois de concluído o afastamento e a punição dos agentes subversivos, mas o general nem o deixou terminar, dizendo que essa questão estava superada. Indignado, Lacerda ameaçou:

— Nesse caso, só me resta renunciar ao cargo de governador do estado da Guanabara.

Costa e Silva respondeu no ato:

— Se o senhor quer renunciar, esse problema é com a Assembleia Legislativa do seu estado. Nós vamos prosseguir com nossos trabalhos.

Conciliador, Magalhães Pinto mencionou o nome de Castello Branco para o cargo, também lembrando que a eleição tinha caráter transitório. Adhemar, por solidariedade, escolheu Amaury Kruel. Mas o nome de Castello já estava aprovado, como o próprio Lacerda havia anunciado aos repórteres no palácio Guanabara, antes de se dirigirem ao Ministério da Guerra.

Adhemar deu importância relativa ao recado de Costa e Silva e, por isso, não saiu contrariado da reunião. Naquele momento, ele ainda acreditava que seria o candidato apoiado pelo governo revolucionário, mesmo porque todas as conversas que tivera com seus artífices giravam em torno disso — a intenção manifestada por eles era reformar e reorganizar o país, para, em seguida, realizar eleições democráticas. Por essa razão, Adhemar continuava fiel ao movimento. Assim como Lacerda no Rio, em São Paulo ele apoiava a ação do DOPS na repressão aos líderes de esquerda, que havia tempos já estavam sendo vigiados. Numa entrevista, falou sem rodeios sobre os elementos retirados do poder:

— Vamos começar imediatamente o expurgo dos comunistas. Darcy Ribeiro, Jurema, Valdir Pires, Ryff, Pinheiro Neto, Eloy Dutra e outros canalhas. Eles jamais quiseram reformas de base. O que eles queriam era fazer delas escudo para a reforma da constituição. Mas nós não permitimos. O presidente Mazzilli vai revogar todos os decretos espúrios. Goulart bolchevizou a família brasileira. Mandou mais de 11 mil estudantes paulistas fazerem cursos comunistas na Rússia. Agora vou mandar os comunistas falarem de liberdade em Moscou.

Não foi apenas para "revogar todos os decretos espúrios" que o presidente em exercício recebeu pressões. Logo que assumiu o posto, Ranieri Mazzilli foi fortemente incentivado a se livrar dos elementos que, no entender dos militares, fossem inaceitáveis para a nova ordem que desejavam estabelecer, e também para aprovar legislação que desse ao Executivo amplos poderes para expurgar o funcionalismo da corrupção e cassar os mandatos políticos dos membros dos legislativos federal, estaduais e municipais. Mas os líderes do Congresso não estavam dispostos a cortar tão fundo assim como os militares esperavam, o que ficou claro na versão de um ato de emergência elaborado por eles. Diante disso, os revolucionários resolveram agir.

No dia 9 de abril, com a autoridade que eles próprios tinham se arvorado de Supremo Comando Revolucionário, publicaram um Ato Institucional. Elaborado por Francisco Campos (que ganhou o apelido de Chico Ciência), o documento dava poderes excepcionais ao Executivo, conforme o desejo dos militares, entre eles o de cassar mandatos legislativos e suprimir direitos políticos por até dez anos. Dispunha também que a eleição de um novo presidente e um novo vice-presidente deveria ocorrer dois dias após sua publicação, franqueando o posto aos militares da ativa, o que se opunha à vedação constitucional anterior nesse sentido. Com o caminho aberto, foram eleitos o general Castello Branco, para presidente, e José Maria Alkmin, para vice, os quais tomaram posse no dia 15. Adhemar foi a Brasília para a solenidade acompanhado de grande comitiva. No avião que o trazia de volta a São Paulo, mais do que nunca consciente de sua quase nula influência na formação do novo governo, desabafou:

— O prato não é de quem faz, mas de quem come.

Contudo, desde o início, ele procurou manter com Castello Branco e seus companheiros de farda um bom relacionamento, marcado pela sinceridade e pela ajuda mútua. Logo após a posse dos eleitos, a bancada pessepista na Câmara assinou um termo de compromisso com a UDN, o PSD, o PDC e partidos menores, visando à formação de uma maioria parlamentar de apoio ao Executivo.

Quando era conveniente, Adhemar assumia a defesa do movimento, como o fez em uma carta enviada a Charles De Gaulle, presidente da França, na qual manifestou suas críticas à "deturpação" que o ato recebeu por parte dos jornais franceses, como *Le Monde*, *Figaro*, *France Soir*, *La Nation* e *L'Aurore*. Afirmando que só restava "o recurso às armas ou a transformação do Brasil em senzala de Moscou", Adhemar justificou a deposição do antigo governo, que, segundo ele, "se converteu em presa dócil dos agentes de Moscou, Pequim e Havana, que aqui ditavam ordens". E prosseguiu: "Nós, os revolucionários, somos a lei, somos a Carta Magna, somos a ordem jurídica, somos a normalidade institucional, e por isso, nos termos precisos da Lei Suprema, foi logo eleito pelo órgão soberano, o Congresso Nacional, o novo presidente da República". No final, dizia que seu objetivo com a carta fora repor a verdade histórica do movimento, reparo que entendia indispensável "para a restauração do clima de estima e o restabelecimento da cordialidade que sempre predominaram nas relações entre franceses e brasileiros".

Havia grande expectativa em relação ao governo de Castello Branco. Acreditava-se que com ele o país iria encontrar a estabilidade e que seria pavimentado o caminho para a volta da democracia. Além disso, iniciava-se um amplo programa de reformas econômicas, sob a direção dos dois ministros da área, Roberto Campos e Otávio Gouveia de Bulhões, os quais mostraram eficácia na contenção da escalada inflacionária, criando um ambiente propício para a retomada do crescimento.

O que preocupava eram os expurgos. Cada vez mais, ficava evidente que não só os elementos considerados subversivos seriam alvo de cassações, mas também as principais lideranças políticas, pois havia outros interesses em jogo. Jango e Jânio tiveram seus direitos políticos cassados por força do Ato Institucional e tudo levava a crer que Juscelino Kubitschek seria a próxima vítima. Pressionado por setores militares, ele havia apoiado a eleição de Castello Branco para presidente, acolhendo a promessa de Costa e Silva de que garantiria o respeito às normas democráticas e o funcionamento do regime. Mas não afastou seu interesse de se candidatar nas eleições de 3 de outubro de 1965.

Costa e Silva, que a essa altura já manobrava para ser o sucessor de Castello Branco, mandou um emissário pressionar Juscelino, pedindo-lhe que retirasse sua candidatura "pelo bem do Brasil e para o seu próprio bem". Não era um apelo, mas um ultimato. Numa viagem a São Paulo com Castello Branco, no dia 26 de maio, Costa e Silva perguntou diante de Adhemar, que os acompanhava no carro, a caminho do aeroporto:

— Como é, presidente? Você cassa ou não cassa o Kubitschek? Quero lhe prevenir que aqui em São Paulo a situação militar está muito tensa, por causa da demora em efetivar-se a punição.

Castello, sentindo-se desconfortável, disse que falaria sobre o assunto depois. Mas no avião, de volta ao Rio, repreendeu o ministro por ter abordado o tema na presença de Adhemar — "um boquirroto" — e lhe mostrou o caminho:

— Lembro que você, como ministro, tem a competência de propor a cassação de mandatos. Se acha que Kubitschek deve ser cassado, represente contra ele.

Costa e Silva foi direto:

— Está bem, vou fazer isso.

O cerco, então, começou a se fechar em torno de Juscelino. Ele já vinha recebendo ameaças por telefone, de madrugada, e via constantemente a presença de policiais mal-encarados diante de seu prédio na avenida Vieira Souto, no Rio de Janeiro. Quando intimidado, ele se defendia dizendo que o povo já o havia julgado, e o faria novamente na primeira oportunidade. Salientava que não estavam apenas querendo derrubar um candidato, mas o próprio regime democrático.

Castello Branco não se posicionava, preferindo adotar uma atitude passiva. Não queria tomar a iniciativa de cassar o ex-presidente, mas não fazia nada para impedir que o ato se efetivasse. Muitos civis também torciam secretamente pela cassação, pois era óbvio que a remoção de um rival daquele peso lhes facilitaria o caminho. Lacerda, por exemplo, manifestava-se de modo ambíguo. Numa entrevista, ao falar de Jânio e Juscelino, disse que as qualidades do primeiro eram tão numerosas quanto seus defeitos, ao passo que as qualidades de Kubitschek não chegavam aos pés dos seus defeitos. Adhemar era menos contido:

— Graças à Virgem Maria, dois jotas nós já conseguimos derrotar. Agora só falta o terceiro, que sempre foi o principal conselheiro de Jango. Os três jotas estavam unidos contra a democracia.

O processo apresentado para justificar a cassação era repleto de acusações inconsistentes, feitas com base em uma frágil documentação. Roberto Campos, que pediu vista dos autos, acabou por votar contra a medida. Juscelino fez um discurso em sua defesa, no Senado, e recebeu o apoio de poucos colegas. A maioria, acovardada, preferiu lhe dar as costas. Com a mulher, Sara, o senador Gilberto Marinho e o deputado Celso Machado deixaram Brasília de carro. O aeroporto estava vigiado para impedir que ele embarcasse para o Rio, viagem que ele acabou fazendo por terra, em etapas. Mas os golpes continuaram: entre outras coisas, diziam que ele tinha dinheiro depositado em bancos estrangeiros; que recebera vantagens de empreiteiros durante seu governo em Minas e na presidência; que se beneficiara da corrupção com a construção de Brasília.

No dia 8 de junho, uma segunda-feira, foi emitido o decreto cassando os direitos políticos de Juscelino Kubitschek pelo período de dez anos. O governo anunciou a medida como um "ato político", pois não havia provas contra ele. Nos bastidores, todo mundo sabia que Costa e Silva tinha sido o grande artífice. Ele temia que Juscelino reunisse em torno de si a parcela da população que queria a restituição do poder à sociedade civil e, com isso, acabasse minando a candidatura à presidência desejada pelo general.

O papa Paulo VI apelava às autoridades brasileiras para que moderassem as punições aos líderes políticos, o que estava bem longe de acontecer. Mesmo após o ato de cassação, as truculências contra Juscelino não cessaram. O embaixador espanhol, vendo de perto a perseguição contra o ex-presidente (a embaixada funcionava no primeiro andar do prédio em que Juscelino morava), ofereceu-lhe proteção. O governo da Espanha, consultado, colocou-se à disposição para recebê-lo. No dia 14 de junho, Kubitschek embarcou num avião da Ibéria para Madri, onde iniciou seu longo e angustiante exílio. A multidão que foi se despedir lotou as dependências do Aeroporto do Galeão, cantando o Hino Nacional.

As declarações de Adhemar, no caso, não passavam de fanfarronice. Ele não pediu a cassação de Jango, Jânio e Juscelino, nem manobrou para que isso acontecesse, pois sabia que o jogo poderia acabar virando contra ele. Mas viu seu nome envolvido em outro ato, ainda que de menor repercussão. Naquela época, ele vinha lutando para fortalecer o PSP e procurava elementos que pudesse agregar à bancada do Congresso. Um deles foi William Salem. O antigo desafeto, que o havia intimado a depor na Câmara Municipal em junho de 1959, tinha se transferido para o PTB e agora era deputado federal. Apesar de tê-lo atravessado na garganta por causa de inúmeras rusgas, Adhemar não escondia sua admiração pelo velho pupilo, que considerava um elemento combativo. Por intermédio de um amigo comum, o deputado maranhense Henrique de La Rocque Almeida, mandou chamá-lo para conversar. Salem recusou o convite, pois achava que o chefe pessepista o faria "pedir o penico" (expressão que no meio político significa "humilhar-se"). Adhemar, então, enviou-lhe um recado sutil.

Logo após a deposição de Jango, Salem havia discursado em plenário propondo que a bancada do PTB renunciasse coletivamente ao mandato, como protesto, o que causou enorme alvoroço, principalmente porque a maioria vivia de subsídios ou vantagens. Para tentar dissuadi-lo da iniciativa, pediram que fizesse a proposta por escrito, o que, para surpresa da maioria, acabou acontecendo: no dia 14 de abril ele a protocolou na mesa-diretora da Câmara dos Deputados, durante a sessão. O documento seguiu os trâmites normais, mas acarretou consequências bem diferentes do que ele imaginava. Depois do primeiro encontro, Almeida voltou a procurá-lo e, com ar preocupado, disse-lhe que o deputado Cantídio Sampaio tinha levado a Adhemar uma cópia da proposta. Salem perguntou surpreso:

— Como ele teve acesso a ela?

— Isso eu não sei. Mas boa coisa eles não devem estar tramando.

O comentário era pertinente. Cantídio Sampaio também tivera sérias divergências com Salem, desde o tempo em que ambos faziam parte do

PSP. A simples menção ao fato e aos antigos adversários deixou o deputado paulista apreensivo. Almeida refez então o convite de Adhemar, mas a resposta de Salem foi a mesma. Insistiu em outra oportunidade, alguns dias depois, sem sucesso. Na antevéspera do prazo concedido ao presidente da República pelo Ato Institucional, Almeida voltou, abraçou Salem e disse:

— William, este é o meu abraço de despedida.

— Por quê?

— Porque o ato com a sua cassação vai ser publicado amanhã.

Atônito, Salem ouviu a explicação. Por intermédio de um coronel do Exército, Adhemar teria enviado aos militares documentos capazes de embasar a decretação da medida — não apenas a cópia da proposta de renúncia coletiva na Câmara de Deputados, mas também velhos recortes de jornal contendo notícias desfavoráveis a Salem, com as versões dos fatos conforme tinham sido publicados (entre eles, as brigas na Câmara Municipal; o atropelamento e morte do menino; os processos que o então vereador paulistano sofreu). Como havia sido absolvido em todos esses casos, Salem alimentou esperança de que a cassação não ocorresse. Mas não foi bem assim: no dia 13 de junho, o *Diário Oficial da União* publicava o decreto com a suspensão de seus direitos políticos. Anos mais tarde, atendendo a requerimento do jornal *Folha de S.Paulo* (que Salem processou judicialmente), o Conselho de Segurança Nacional expediu ofício no qual declarava, de modo expresso, que o deputado havia sido punido por corrupção.

Até o fim da vida Salem atribuiu sua cassação ao antigo padrinho, mas a verdade é que nunca ficou comprovada a participação de Adhemar no episódio. Companheiros mais próximos duvidavam que o cacique fosse capaz de atitude tão rasteira. Era possível que certos pessepistas, temendo o retorno de Salem à agremiação, tivessem trabalhado no sentido de afastá-lo da política. O mesmo podia ser dito sobre membros do PTB, irritados com o colega que sugeriu a renúncia coletiva da bancada federal.

Quando o Ato Institucional expirou, mais de 400 pessoas tinham sido cassadas. Além disso, a realização de eleições democráticas tornou-se mais distante. Em julho, o Congresso aprovou uma emenda que prorrogava o mandato de Castello Branco até 15 de março de 1967, marcando a eleição do seu sucessor para novembro de 1966 — o período de exceção seria prolongado, talvez de modo indefinido. Adhemar ensaiou algumas manifestações de protesto, mas logo surgiram ações com o objetivo claro de intimidá-lo. Uma série de inquéritos policiais militares foi promovida pelo brigadeiro Brandini e pelo general Mena Barreto, em São Paulo, com o indiciamento de vários elementos ligados ao governador. Na madrugada de 11 de agosto, Afonso Bossi, assessor jurídico do gabinete de Adhemar, foi preso e recolhido em prisão militar. O subchefe da Casa Civil, Adelávio Sette de Azevedo, também foi intimado a depor no caso da CMTC.

Inicialmente, a crise foi resolvida em favor de Adhemar, com o afastamento do general Mena Barreto, responsável pelo inquérito. Mas nem por isso o governador de São Paulo deixou de ser vigiado — como, aliás, vinha sendo havia tempos. Em maio, membros da polícia política haviam relatado que, de acordo com informação reservada obtida no PCB, Adhemar, Magalhães Pinto e Amaury Kruel estavam envolvidos em um movimento que pretendia fazer uma contrarrevolução no país, e que os dirigentes comunistas dariam ao público provas desse fato, por meio de boletins que o partido pretendia lançar logo mais (o que não aconteceu). Segundo os policiais, Adhemar era um elemento perigoso, que mudava de lado conforme lhe interessasse. Nos anos que sucederam ao golpe, os investigadores continuaram a anotar todas as declarações do governador paulista que indicassem conspiração ou subversão.

Já a CMTC, pretexto para a convocação de Adelávio Sette de Azevedo, continuava a dar pano para manga e parecia ser a sina de Adhemar. Na Assembleia Legislativa, o deputado Paulo de Castro Prado, da UDN, que em maio já havia cogitado propor o *impeachment* do governador, incluiu o caso entre os motivos determinantes. O pedido inicial tinha por base infrações constitucionais, como a permanência do presidente da Caixa Econômica Estadual, Cássio de Toledo Leite, cuja indicação havia sido rejeitada pela Assembleia por maioria de votos, além de atos praticados por Adhemar enquanto estivera à frente da prefeitura e que viraram objeto de inquérito. Com relação à CMTC, a despesa com propaganda era seriamente questionada, ainda mais por se tratar de uma estatal, com reserva de mercado para os seus serviços. A maior acusação, porém, vinha do pagamento feito a uma empresa inexistente, Polaris, de propriedade de Otávio Rodrigues Maria, político de pouca expressão. Os argumentos eram todos relevantes, mas a UDN e os outros partidos oposicionistas mantinham reserva quanto à iniciativa do deputado.

No dia 28 de agosto, Paulo de Castro Prado apresentou o pedido de *impeachment* de Adhemar, com base na Lei de Responsabilidades. Ao saber, o governador sorriu e respondeu:

— O avião só sobe contra o vento. Eu tenho subido, na vida, graças a esses sujeitos. Quero ver se haverá número suficiente para aprovação.

Ele estava certo. No dia 31, ao apreciar o requerimento, a mesa da Assembleia indeferiu-o liminarmente. A oposição sentiu-se mais confortável, pois, se fosse posto em votação, o pedido seria rejeitado por grande maioria de votos, com desgaste para os envolvidos.

Mesmo com tantos acontecimentos desfavoráveis, Adhemar não perdia a irreverência. Em setembro, ele recebeu o presidente do Senegal, Léopold Senghor, que viera com seus ministros ao Brasil e visitara São Paulo, num acontecimento que movimentou a intelectualidade. Senghor não era apenas um líder político, mas uma figura humanista de escol. Poeta, filósofo, linguista, ele havia estudado e lecionado na França, sendo integrante da Academia Francesa de Letras. Apesar de fluente em diversas línguas, não falava nem entendia o português. No palácio dos Campos Elíseos, a cerimônia de recepção já estava em curso quando chegou atrasado o professor Ataliba Nogueira, secretário da Educação. Esbaforido, ainda de casaca, ele foi interpelado por Adhemar, que estava ao lado do ilustre senegalês:

— Ataliba, venha cá, deixe-me apresentar a você este pelezinho. Veja se ele está afinado com o nosso partido.

Por essas e outras, Adhemar ia ficando sem o frágil apoio que havia obtido do jornal *O Estado de S. Paulo* antes da deflagração do movimento militar. O periódico da família Mesquita considerava cumprido o papel do governador paulista na derrubada do governo de João Goulart e voltava à carga, retomando as críticas constantes (além de incentivar secretamente, com políticos da UDN, a abertura dos inquéritos policiais militares contra ele). No dia 17 de outubro, publicou editorial ocupando metade de uma página, no qual resumia os processos que Adhemar havia enfrentado em sua carreira política, para concluir:

> Está aí, senhor presidente, a razão pela qual o povo não compreende como uma revolução, que se disse saneadora, poupou um homem cujo passado e presente denigre o poder público e envilece uma Nação. Porque os dispositivos do ato institucional praticamente não foram aplicados em São Paulo [...]. Assim, a revolução passou uma esponja sobre tão negro passado [...].

Apesar de descontente com os rumos que o governo tomava, Adhemar, em novembro, assinou com mais oito governadores um manifesto reafirmando o princípio da legalidade e a autoridade do presidente. Contudo, logo depois da divulgação do documento, começou a se afastar do esquema militar de forma irreversível, pois já tinha os olhos voltados para a sucessão presidencial, sua derradeira empreitada política. Para coroar de êxito a peregrinação que deveria fazer, estava contratando até mesmo publicitários americanos que trabalharam na campanha do presidente John Kennedy. Também tinha em mente inaugurar obras. Para dar seguimento a tudo isso, dedicava seus maiores esforços na preparação da base política.

Adhemar pretendia apoiar o vice-governador, Laudo Natel, nas eleições para a prefeitura de São Paulo, que ocorreriam no ano seguinte, dentro de uma estratégia que visava deixar o palácio dos Campos Elíseos livre quando ele se desincompatibilizasse para concorrer às eleições presidenciais. Assim, o posto seria ocupado pelo futuro presidente da Assembleia Legislativa (provavelmente um membro do PSP), que lhe prestaria valiosa colaboração em sua caminhada rumo ao Alvorada. Ironicamente, agindo dessa forma, ele minava os planos de candidatura à prefeitura de seu genro, Manuel de Figueiredo Ferraz, que era inclusive apoiado pela maioria do partido. Os correligionários também reclamavam da sua atitude — típica, aliás — de boicotar certos elementos em favor de figuras menos representativas, que acabavam fazendo o papel de marionetes, como Arnaldo Cerdeira, que na Câmara Federal freava os avanços de Cantídio Sampaio, desprestigiado por Adhemar porque reunia maiores condições de liderança. A mesma coisa ocorria na Assembleia Legislativa do estado, onde Cyro Albuquerque se sobrepunha à ascendência de Hilário Torloni. Na Câmara Municipal não era diferente: Adhemar havia indicado o genro, Manuel Ferraz, para a presidência, prejudicando a candidatura de Hélio Mendonça.

No governo do estado, Adhemar se beneficiava da situação financeira deixada por Carvalho Pinto, o que lhe permitia um número grande de realizações nas áreas de transporte, saneamento e energia. Uma delas, no entanto, chamou a atenção por seu caráter simbólico: o palácio dos Bandeirantes, sonho que ele vinha alimentando havia algum tempo.

Logo depois de eleito, mas antes de tomar posse, em novembro de 1962, Adhemar comparecera a um jantar na casa de Oscar Americano, no Morumbi, e comentara com o anfitrião o desejo de transferir a sede dos Campos Elíseos. Queixava-se de que o palácio no centro da cidade havia se tornado inadequado para receber os grandes chefes de estado que visitavam o país — era um prédio até satisfatório como repartição pública, mas sem projeção de nível internacional. Ao ouvir a reclamação, Americano se lembrou imediatamente das obras paralisadas no imenso terreno em frente à sua casa e animou o convidado ilustre:

— Pode ser uma grande oportunidade, Adhemar.

Explicou-lhe então que, desde 1955, a família Matarazzo mantinha ali a construção de um edifício, criado para abrigar a futura Fundação Conde Francisco Matarazzo — uma universidade voltada para economia e administração de empresas. Mas a verba foi escasseando e as obras pararam. Em dificuldades financeiras, a família tentou, sem sucesso, oferecer a direção do projeto a instituições como a Fundação Getúlio Vargas. Como o Grupo Matarazzo tinha débitos com o governo paulista, Adhemar entrou em acordo e acabou desapropriando o imóvel pela metade do seu valor, retomando as obras com as devidas adaptações.

No dia 25 de janeiro de 1965, mesma data em que era conferido o cardinalato a dom Agnelo Rossi, o palácio foi inaugurado. A transferência da sede do governo, no entanto, ocorreria somente em 22 de abril.

Nesse intervalo de tempo houve, em março, o primeiro teste eleitoral após o movimento revolucionário, com a disputa para prefeito de São Paulo. Faria Lima, apoiado por Jânio Quadros, venceu o pleito, causando irritação entre os militares linha-dura e preocupação a todos os demais, diante da expectativa das eleições para governador que se realizariam em onze estados, entre eles a Guanabara e Minas Gerais, em outubro. O núcleo de poder resolveu agir e, em julho, tomou duas medidas para aumentar o controle sobre o processo político. A primeira foi uma lei que tornava inelegíveis para as eleições seguintes os ministros que tivessem servido durante a gestão de João Goulart. A segunda foi a aprovação de um novo Estatuto dos Partidos Políticos, que tinha por objetivo reorganizar a estrutura partidária. Mas as investidas não surtiram o efeito desejado. Sentindo-se derrotado pela oposição nas eleições, o governo baixou o Ato Institucional nº 2, em 27 de outubro. No preâmbulo, sua edição era justificada sem meias palavras:

> Agitadores de vários matizes e elementos da situação eliminada teimam, entretanto, em se valer do fato de haver ela reduzido a curto tempo o seu período de indispensável restrição a certas garantias constitucionais, e já ameaçam e desafiam a própria ordem revolucionária, precisamente no momento em que esta, atenta aos problemas administrativos, procura colocar o povo na prática e na disciplina do exercício democrático.

O novo ato, que deveria permanecer em vigor até 15 de março de 1967, quando Castello Branco passaria a faixa ao seu sucessor, estabeleceu que a eleição do presidente e do vice-presidente da República seria indireta, assim como a dos governadores. Todos os partidos políticos foram extintos. Criaram-se, então, a Aliança Renovadora Nacional (Arena) e o Movimento Democrático Brasileiro (Modebra, depois MDB). A Arena seria o sustentáculo político do governo revolucionário, enquanto que o MDB faria o papel de oposição.

Surgiu assim uma verdadeira salada de tendências no panorama político, que até então caminhava para uma seleção natural, após a qual não mais do que cinco ou seis partidos restariam. O Ato Institucional nº 2 criou as duas agremiações, mas permitiu que cada uma tivesse três sublegendas, abrindo, na prática, a possibilidade de haver seis partidos, ou, pior, partidos dentro de partidos. Forçaram-se configurações que não correspondiam à realidade e às afinidades existentes, além de situações esdrúxulas. Havia políticos já integrados ao governo, favoráveis ao regime, que foram aconselhados a se transferir para o MDB e fortalecer essa agremiação, muitas vezes em cidades expressivas política e economicamente, apenas para legitimar o processo.

Mas os líderes civis não aceitaram pacificamente o novo ato institucional. Carlos Lacerda reagiu de pronto, renunciando sua candidatura à presidência. Adhemar fez um pronunciamento na televisão exigindo a revogação pura e simples do ato. Insistiu na necessidade de eleições diretas, ainda em 1966, para presidente e governadores:

— O povo deseja votar, quer eleição, tem saudade das urnas.

Sua ideia inicial foi aconselhar os correligionários a se filiarem ao MDB, como destino natural de um grupo que não consentia com os rumos do regime instaurado. Mas o núcleo mais próximo, formado por Mario Beni, Arnaldo Cerdeira, Paulo Lauro, Broca Filho e Carvalho Sobrinho, opôs-se com uma justificativa indiscutível: os elementos janistas haviam se antecipado e constituído o MDB em São Paulo, e não faria sentido aliar-se aos inimigos históricos. Assim, não restou alternativa aos adhemaristas senão ingressar na Arena. Quem não o fez se arrependeu — como Adhemar de Barros Filho, que por orientação do pai foi para o MDB e acabou isolado em um ambiente hostil a ele. Não por coincidência, o primeiro diretório da Arena em São Paulo era dominado por aproximadamente 80% de antigos pessepistas, que tinham sempre dois terços de *quorum* em qualquer decisão, fosse de âmbito estadual ou municipal. Sem dúvida, um resultado patético para a UDN, que continuou distante do poder mesmo depois de tentar assumi-lo *manu militari*.

Mas Castello Branco não assistiu passivamente às investidas do governador paulista na Arena, e colocou Arnaldo Cerdeira no comando da articulação política do partido em São Paulo. Apesar de ligado a Adhemar e secretário da Agricultura do governo estadual, Cerdeira não era um pessepista histórico, tendo raízes na UDN. Ao receber a incumbência, ele logo mostrou ser homem de confiança do presidente, acirrando conflitos com o antigo chefe. Adhemar, que a cada dia ficava mais desiludido com os rumos que as coisas estavam tomando, desabafou com o jornalista Reali Júnior, numa viagem de trem para São Manuel:

— Vou te dizer uma coisa, broto: a direita é pior do que a esquerda. Pode falar isso aos seus amigos de esquerda.

Para frear os avanços do cacique, o governo federal voltou a intimidá-lo. Desta feita, com o reaparecimento dos autos do processo envolvendo as barcaças de ferro que seriam utilizadas no serviço de transporte marítimo entre Santos e Guarujá — caso ocorrido durante o primeiro mandato de Adhemar como governador eleito e revelado durante a gestão de Jânio Quadros, graças à investigação conduzida por Hélio Bicudo. Os documentos haviam sido remetidos ao Tribunal de Justiça, em 1957, após a conclusão das investigações, e então desapareceram misteriosamente. Agora, oito anos depois, quando Adhemar se via enredado com os militares, os autos foram enviados de volta ao mesmo tribunal, de forma anônima, pelo correio.

Mesmo assim, era difícil fazê-lo se calar. Além das críticas diárias à falta de liberdade partidária, Adhemar vinha causando incômodo aos militares por atacar duramente, e em várias oportunidades, a política econômica do governo federal — ele não aceitava as medidas de contenção da inflação e nem a elevação de impostos. Quando foi anunciado o projeto de reforma tributária, elaborado pelos ministros da Fazenda e do Planejamento, ele se rebelou, acusando o governo de restringir a autonomia de estados e municípios. Talvez por isso se sentisse menosprezado pelo Planalto. Os pedidos que fazia às autoridades ficavam à mercê de uma solução ou simplesmente não tinham resposta. Um desses pontos de atrito foi a concessão de linhas aéreas internacionais após o fim da Panair do Brasil. A Varig era sempre a escolhida, em detrimento da Vasp, que ficava de fora mesmo sendo a pioneira da aviação comercial no país. Adhemar não se conformava:

— A constituição federal diz que não pode haver monopólio na República. No entanto, uma empresa de aviação possui 95% das linhas externas do Brasil. Não é justo que nós sejamos excluídos. Nem mesmo uma linha para Montevidéu ou Assunção nós conseguimos. O ministro Eduardo Gomes tem sido um grande adversário de São Paulo. Por quê? Eu não sei.

A extinção da Panair foi um fato dramático, além de bastante significativo, da falta de escrúpulos que permeava o regime militar. A empresa era a líder do transporte aéreo nacional, com hangares e aeroportos nas principais cidades brasileiras, muitos deles construídos com recursos próprios, além de responsável por toda a infraestrutura de telecomunicações aeronáuticas no país. Tinha rotas internacionais para a América do Sul, Europa, África e Oriente Médio — cruzava o oceano Atlântico com os modernos *Constellations*. Seus escritórios no exterior funcionavam como verdadeiros consulados, fazendo os brasileiros se sentirem em casa.

Um misterioso decreto, baixado no dia 10 de fevereiro de 1965 e assinado pelo presidente Castello Branco e pelo ministro da Aeronáutica, brigadeiro Eduardo Gomes, cassou as concessões de suas linhas aéreas. O ato foi anunciado apenas cinco horas antes da decolagem de um voo com destino a Frankfurt. A justificativa era de que a situação financeira da empresa vinha se deteriorando, o que tornava o colapso iminente. Argumento absurdo, considerando-se o fato de que o seu patrimônio líquido era enorme e poderia cobrir com folga as dívidas em aberto. Com a cassação, foram transferidas provisoriamente para a Varig as linhas internacionais da Panair, e as linhas domésticas ficaram sob a responsabilidade da Cruzeiro do Sul. O mais estranho é que a Varig, beneficiária das rotas internacionais, operou os voos imediatamente, dando mostras de que seus funcionários vinham sendo preparados havia algum tempo para desempenhar essa função.

O furacão que colheu a Panair acabou varrendo também as outras empresas de seu dono, Mario Wallace Simonsen, que era então o homem mais rico do país. Nunca ficaram claras as razões da perseguição que a ditadura militar lhe impôs, a ponto de destruir o seu poderoso conglomerado, mas é certo que interesses escusos e a cobiça de empresários, no Brasil e no exterior, influíram de maneira decisiva. No caso da companhia aérea havia um fator agravante, pelo fato de seu sócio no negócio, Celso da Rocha Miranda, ser amigo íntimo do ex-presidente Juscelino Kubitschek, o que os militares não viam com bons olhos. Além disso, no histórico da empresa ficou registrado um episódio que a marcou de modo negativo, politicamente. Ainda que Simonsen não fosse um homem de esquerda, ele protegeu João Goulart do movimento que se articulava contra sua posse após a renúncia de Jânio Quadros, colocando inclusive um dos diretores da companhia, Max Rechulsky, para acompanhar o vice-presidente em parte da viagem, com um avião da Panair à disposição. Com isso, ganhou inimigos entre os militares e conspiradores de direita. Depois, em 1964, já sob a ditadura militar, Simonsen autorizou a empresa a fornecer passagens gratuitas para os estudantes da UNE, que então faziam protestos por todo o país. Quem recebia os bilhetes de viagem era o presidente da entidade à época, José Serra.

Cinco dias após o decreto de cassação foi anunciada a falência da Panair sem que houvesse um único título vencido ou protestado em nome da empresa. Simonsen, que já estava abalado com a morte da esposa, passou a beber todas as noites, um risco enorme para um diabético, como era o seu caso. Ainda naquele fatídico mês de fevereiro de 1965, ele morreu de infarto, em Paris.

Além das linhas internacionais, a Varig recebeu de mão beijada a rede de agências e representações da Panair no exterior, incluindo os bens móveis, e obteve o arrendamento dos aviões DC-8 da companhia falida a preços abaixo dos praticados no mercado internacional — as aeronaves Caravelle foram arrendadas à Cruzeiro do Sul. Diante de tal quadro, os esforços de Adhemar em favor da Vasp se mostravam inúteis. Era evidente que o espólio da Panair possuía destinatários mais que certos e a empresa paulista não teria espaço na brincadeira.

Como se não bastassem todos esses problemas, Adhemar agora se desgastava com a oposição da família Mesquita em dose dupla. No dia 4 de janeiro de 1966 circulava a primeira edição do *Jornal da Tarde*, publicado pelo grupo de *O Estado de S. Paulo*, com o mesmo tom crítico em relação ao governador — a quem também se referia como "A. de Barros". Um jornalista do comitê de imprensa do palácio levou o exemplar a ele, que, ao ler a primeira página, não resistiu:

— Muito bem, saiu o p. da tarde, para me castigar.

— Como, governador?

— O pau da tarde, pois o da manhã já me deixou com as costas calejadas de tanto levar pancada.

A essa altura, contudo, as pancadas não eram exclusividade da imprensa, nem da oposição: partiam de todos os lados e a toda hora. No dia 25, durante as solenidades em comemoração ao aniversário da cidade, Adhemar pronunciou um duro discurso contra o governo federal no Ceasa, e mais tarde, ao reunir a imprensa para uma entrevista coletiva no palácio dos Bandeirantes, criticou a formação artificial da Arena e do MDB, afirmando que lutaria por eleições diretas. Para enfatizar, valeu-se da famosa citação em latim que expressava o sentimento dos revolucionários de 1932:

— *Non ducor duco*. Nós guiamos, não somos guiados por ninguém e por nenhum partido. Além do mais, acho uma estupidez colocar grupos antagônicos nas mesmas agremiações. Nós vamos mesmo é lutar por duas coisas, a criação do terceiro e do quarto partidos e por eleições diretas, que mais se afinam com a índole e o espírito de nosso povo. No fundo, chegamos à conclusão dolorosa de que fizemos a revolução contra nós mesmos.

Nessa mesma oportunidade, Adhemar se mostrou inconformado com o fato de que "criaturas que eram antes por mim lideradas queiram agora me liderar", numa clara alusão a Arnaldo Cerdeira, acrescendo que "a Arena é infeliz até no nome, pois os leões são todos de chácara". Ele tentou amenizar o tom ao declarar, no dia seguinte, que o pronunciamento feito não se tratava de rompimento, mas de desabafo. Enquanto isso, no Rio, Carlos Lacerda divulgava um manifesto, gerando especulações sobre uma possível aliança entre os dois governadores, prontamente rechaçada pelos udenistas.

Desgastada a relação com os militares, acabavam-se também as gentilezas. Convidado a participar do programa de Hebe Camargo, que era transmitido ao vivo do Teatro Record, em São Paulo, Adhemar ouviu a pergunta da famosa apresentadora:

— O que o senhor acha do presidente Castello Branco? Ele é bonitinho, não é?

— Bonitinho? Aquele homem é horroroso, não tem pescoço.

As coisas estavam realmente por um fio. No dia 7 de março, Adhemar rompeu publicamente com o governo federal, acusando o presidente Castello Branco de não cumprir os compromissos assumidos com o povo. Em sua manifestação, denunciou as afrontas à constituição, seguidamente retalhada, a imposição de eleições indiretas e o cerceamento das liberdades individuais, além da extinção dos partidos políticos. E concluiu:

— O governo Castello Branco é da direita e caminha rapidamente para a extrema-direita. Estamos sem liberdade e não podemos compactuar com os atentados à democracia que vêm sendo perpetrados.

Aos mais íntimos, porém, as declarações de Adhemar não se resumiam a protestos: ele se gabava de ter um efetivo, na Polícia Militar do Estado, superior até mesmo ao do exército argentino. Ainda que fosse um exército sem baionetas, não havia dúvidas de que o corpo de soldados daria muito trabalho caso resolvesse protagonizar uma revolta armada. Antes da derrubada de Jango, o governador já havia aumentado consideravelmente o contingente de policiais, além de dar ordem para a compra de armamentos modernos no exterior. Com uma retaguarda dessas, não era de admirar que ele bradasse com tanta desenvoltura, enquanto batia com a mão gorda sobre a mesa:

— Eu tenho o segundo exército da América do Sul e vou derrubar esse cabeça chata que aí está.

16

O FIM

A partir do rompimento, as manifestações de Adhemar contra Castello Branco passaram a ser diárias e cada vez mais ousadas. Em declarações e entrevistas, ele procurava enfatizar o fato de que o presidente falhara em seus compromissos, sem cumprir nada do que havia prometido. Ao mesmo tempo, começava a defender a renúncia de Castello, "num gesto de grandeza e patriotismo", e a sua substituição pelo marechal Eurico Dutra, que ocuparia um governo provisório durante noventa dias, período em que os trabalhos da Assembleia Constituinte deveriam se realizar. De acordo com a proposta, uma vez aprovada a nova constituição, seriam convocadas eleições gerais, diretas.

Além de incomodar os militares, a ideia atingia diretamente a candidatura de Costa e Silva à sucessão presidencial, que já era do conhecimento de todos, e conturbava ainda mais o quadro político, então dominado pelo clima de incerteza e insegurança. Em São Paulo, a pressão ocorria com as eleições para a presidência da Assembleia Legislativa, sob a ameaça velada de cassação de deputados, como forma de intimidação. Mesmo diante de um panorama desses, no qual poderia figurar como a próxima vítima, Adhemar continuou firme e insistiu sobre Dutra:

— Nele, todos confiam.

Consultado, o ex-presidente disse que não estava interessado no caso e nem no cargo, e que achava absurda a hipótese. Adhemar, então, radicalizou. No dia 14 de março, divulgou na imprensa carioca um manifesto duro, exigindo a restauração da normalidade democrática e denunciando manobras continuístas por parte de Castello Branco. O texto, que deixou os meios políticos perplexos, dizia que o presidente tentava permanecer no poder destruindo "todos os que poderiam fazer sombra à sua vocação ditatorial".

Parecia que a tão alardeada intervenção no estado de São Paulo iria ocorrer. Segundo se dizia, o general Amaury Kruel ocuparia o posto. A medida extrema não foi consumada, porém, em contrapartida, o governo federal iniciou imediatamente um movimento com a intenção de isolar Adhemar. Os ministros do Interior e da Indústria e Comércio passaram a manter diálogo direto com as classes empresariais paulistas, sem intermediação do governador.

No segundo aniversário da revolução, enquanto Castello Branco percorria São Paulo, Adhemar concedia entrevista coletiva. Aos jornalistas, deixou claro seu desencanto:

— Não vou mais fazer nenhuma revolução. Já chega a de 31 de março, que para mim é de 1º de abril.

E completou de forma irônica:

— Aliás, um longo 1º de abril.

Castello Branco aproveitou a viagem para reafirmar que em São Paulo se realizava "outra revolução", em decorrência da primeira, "a do seguro desenvolvimento nacional, dentro da estabilidade e da democracia". Depois, fez uma série de inaugurações, com as quais procurava demonstrar à população que se mantinha atento ao estado. No dia 3 de abril, lançou oficialmente as obras de Ilha Solteira, que formaria com a usina de Jupiá o conjunto hidrelétrico de Urubupungá, então o maior empreendimento de infraestrutura do governo federal — quando concluído, deveria fornecer 3,2 milhões de quilowatts. Dez dias depois, Adhemar visitou o local com sua comitiva e questionou a atitude de Castello:

— O governo federal não pode assumir o controle das obras nas quais não empregou um único tostão.

Ilha Solteira já tinha se tornado, muito antes, um forte ponto de atrito entre ambos. Adhemar havia iniciado sua construção em 1965, sem ajuda da União e dispensando, inclusive, a presença dos militares na solenidade de inauguração do canteiro de obras e da cidade dos operários. Na ocasião, Castello Branco era esperado por todos, mas o governador chegou uma hora antes, cortou a fita e deu a obra por inaugurada. Gente da empreiteira responsável ainda quis contemporizar, mas ele não deu trela:

— A obra é minha e eu não preciso esperar ninguém para inaugurá-la.

Em seguida, foi para o aeroporto, já se preparando para retornar a São Paulo. Quando o avião do presidente apontou no horizonte, ele decolou e foi embora.

Tempos depois, quando ele estava rompido com Castello Branco, veio o troco, durante uma ação bélica simulada realizada próximo da cidade de Itapetininga, interior do estado, em uma região de campo cerrado. Adhemar chegou com atraso, após o início das operações militares, e esperou um intervalo para cumprimentar o presidente. Quando se aproximou, Costa e Silva e os ajudantes de ordem cercaram Castello Branco e viraram as costas para o governador. Adhemar voltou para o seu lugar e procurou manter as aparências — algo difícil, pois todos ali tinham visto o ocorrido. Castello Branco ainda tentou consertar o erro, indo em direção a Adhemar, que se virou e ficou observando a demonstração, deixando o presidente parado a pouco mais de um metro, numa situação muito constrangedora.

As desavenças aumentavam com notícias vindas de Brasília, que também deixavam Adhemar em profundo desagrado. Para amenizar a carga dos informantes, quatro amigos — Mario Beni, Broca Filho, Paulo Lauro e Carvalho Sobrinho — se reuniam diariamente, levando ao chefe político ponderações mais realistas e menos escabrosas da situação. Mesmo de Brasília partiam iniciativas de paz. Os gestos ousados de Adhemar estavam fazendo que sua deposição fosse cozinhada, mas no fundo Castello

Branco não queria tomar a medida, pois temia os seus efeitos. Assim, procurava gerir a crise e dar algumas oportunidades para o governador paulista se recompor. Uma delas contou com a colaboração do general Flodoardo Maia, amigo de Adhemar de longos anos. Maia, também velho conhecido de Castello Branco, de quem tinha sido colega de turma, atendeu ao pedido de vir a São Paulo conversar com o governador rebelde.

Mas a atitude não surtiu o efeito desejado. Adhemar fazia ouvidos moucos aos conselhos dos amigos, deixando-se envenenar pelos recados dos emissários e também por um grupo mais radical, integrado pelo seu secretário da Justiça, Júlio d'Elboux Guimarães, além da figura mais notória nesse meio, a amante e secretária Ana Capriglione — o "dr. Rui". Ao falar da influência que ela exercia sobre o governador, Mario Beni afirmou que "uma sombra, feminina até no nome, estimulava-o a tomar medidas em defesa de suas prerrogativas constitucionais". A personagem era bem conhecida de todos, sobretudo pela sua ingerência em assuntos governamentais, a qual fez com que parte dos companheiros se afastasse. Beni, inclusive, deixou de ser secretário estadual por pressão de Capriglione, assim como ocorreu com Miguel Reale e Pelerson Soares Penido.

Para a defesa das tais "prerrogativas constitucionais" não havia limites. Adhemar pressionava Aldévio Barbosa de Lemos, seu secretário de Segurança, para que gravasse as ligações telefônicas de Castello Branco, como fazia com João Goulart. Aos mais próximos, comentava:

— Com o Jango era bem mais fácil. Agora, com o Castello Branco, é quase impossível.

Seu comportamento, no entanto, era ambíguo. Ao mesmo tempo em que conspirava abertamente contra o governo federal, manobrava para não ser cassado. No começo de abril ele manteve um encontro reservado com Costa e Silva, a quem propôs uma espécie de aliança: o ministro o apoiava até o fim do mandato e, em troca, seria apoiado para a Presidência da República. Costa e Silva foi até Castello Branco e expôs o teor da conversa, mas o que ouviu dele não foi propriamente uma sugestão:

— Não cogito intervir em São Paulo, mas, se o Adhemar tentar qualquer movimento, eu o farei. E você, o que fará?

O general achou melhor adiar a resposta, pois estava preocupado com o seu futuro político. Aliás, algo comum a ambos os lados. No dia 26, Adhemar declarou que pretendia ingressar no MDB mediante a cessão de uma sublegenda do partido, a qual congregaria os principais pessepistas, permitindo-os concorrer às eleições parlamentares.

O pleito movimentava todos os setores, especialmente o governo federal, preocupado com os péssimos resultados da disputa anterior. Seria preciso empenho, pois a sucessão governamental seria aberta em outros onze estados: Acre, Amazonas, Ceará, Pernambuco, Sergipe, Bahia, Rio de Janeiro, Espírito Santo, São Paulo, Piauí, e Rio Grande do Sul. Claro que os Campos Elíseos requeriam muito maior atenção, não apenas pela importância econômica e política de São Paulo, mas também pelos obstáculos que Adhemar decerto colocaria no caminho. Foi por esse motivo que, no início de maio, Castello Branco convocou a direção da Arena paulista para uma reunião no Palácio das Laranjeiras. Ficou acertado que os responsáveis pelo partido no estado (deputados federais e estaduais e diretório regional) fariam uma lista tríplice, da qual sairia o candidato. Mas Castello advertiu que este deveria ser um "revolucionário autêntico", o que implicava neutralizar a influência das três lideranças populares paulistas — Adhemar de Barros, Jânio Quadros e Carvalho Pinto — no processo de escolha. Apresentada a lista, Abreu Sodré apareceu à frente de Laudo Natel e Paulo Egídio Martins, entre os três mais votados. No dia 30 de maio, o gabinete executivo da Arena paulista homologou sua candidatura.

Sentindo-se excluído por não ter participado das negociações que culminaram na escolha, Adhemar lançou-se a uma guerra aberta contra o governo federal, tendo como principal objetivo minar a política financeira da União. Primeiro, promoveu um verdadeiro festival de nomeações para as diversas secretarias e autarquias do estado. Depois, colocou no mercado letras do Tesouro com juros e remunerações bem melhores que as dos títulos federais (Bônus Rotativos do Estado, que ficaram conhecidos como "adhemaretas"), atraindo a preferência dos investidores. Paralelamente, abriu as portas do Banco do Estado na concessão de empréstimos a fundo perdido, com os quais esperava conquistar os deputados necessários para, em conjunto com o MDB, derrotar o candidato da Arena. O governo federal emitiu sinal de alerta, pois a política adotada por Adhemar desmoralizava o esforço de controle da inflação: os Bônus Rotativos lançados chegavam a 50 bilhões de cruzeiros; as nomeações já passavam de 13 mil. O que deixou o presidente mais intrigado, contudo, foi a notícia de um acordo entre Adhemar e Jânio Quadros para eleger o futuro governador paulista.

Adhemar era categórico e andava repetindo uma frase semelhante à que havia cunhado em 1948, quando também se achava vítima de perseguição:

— Do governo de São Paulo só saio pelas minhas pernas ou carregado num caixão. De quatro, não saio.

Mas não era isso o que se tramava. Castello mandou organizar o dossiê de Adhemar, já disposto a afastá-lo. Seguindo a ordem, Otávio Bulhões prometeu convocar o Conselho Monetário Nacional, a fim de tomar medidas que neutralizassem a atuação do governador paulista no campo financeiro. No dia 3 de junho, uma sexta-feira, Castello reuniu-se com o ministro da Justiça, Mem de Sá, que lhe sugeriu a cassação dos deputados estaduais de São Paulo integrantes do grupo denominado "a pesada", cujos processos já estavam concluídos. Mem de Sá argumentava que havia provas inequívocas de corrupção praticada por eles, sendo que a medida serviria para intimidar outros suspeitos. No entanto, Castello achava que a tática, além de ineficaz, iria mutilar o órgão eleitoral, comprometendo a escolha do futuro governador. Parecia-lhe melhor cortar o mal pela raiz:

— A revolução teve paciência com Adhemar, levando em conta a sua colaboração com o movimento, mas agora ele foi longe demais.

Ao ouvir Mem de Sá dizer que estaria pronto para cumprir a missão, Castello Branco advertiu que a execução do encargo deveria ter respaldo militar, e que a incumbência caberia ao general Amaury Kruel, do comando do 2º Exército, mesmo sendo ele um crítico do governo revolucionário. De fato, era. Quando Castello decidiu esvaziar politicamente o governador de São Paulo, logo pensou na remoção do general do posto que ocupava. Kruel já estava havia dois anos no comando, período após o qual o regimento militar determinava a substituição. O mais cotado era o general Aurélio Lira Tavares, que não tinha boas relações com Adhemar. Mas Kruel permaneceu, pois o governo traçava outros planos para Lira Tavares. Diante da objeção de Mem de Sá, Castello foi irônico:

— Não há o que temer. O general Amaury Kruel é um bom soldado e cumprirá a ordem que eu lhe der. Se houver risco, será um risco muito bem calculado.

Mem de Sá, exultante, comentou com o presidente:

— Hoje vou jantar na casa do professor Eugênio Gudin e comemorar esta bela notícia com os magníficos vinhos que ele oferece.

Castello, então, convocou Ernesto Geisel, Golbery do Couto e Silva e os ministros Otávio Bulhões, Pedro Aleixo e o próprio Mem de Sá, para uma reunião no dia seguinte no palácio das Laranjeiras, durante a qual o assunto seria decidido. Ele já tinha conversado com o vice-governador, Laudo Natel, para preparar o terreno, mas ainda não havia tomado a decisão.

Roberto Campos estava em São Paulo, onde, pela televisão, respondera às críticas de Adhemar sobre a política econômica do governo federal. Ao chegar ao hotel, já tarde da noite, soube que Castello havia deixado recado para que telefonasse imediatamente, o que ele fez na primeira hora do dia seguinte, pouco antes de embarcar num avião para o Rio de Janeiro. No palácio, Castello lhe revelou a intenção de cassar o mandato do governador paulista e lhe pediu a opinião com relação aos possíveis desdobramentos da medida. Com sua reconhecida capacidade de argumentação, Campos observou que a classe dos empresários, diante da desordem econômica do estado, veria com bons olhos o afastamento. A repercussão, no seu entender, seria negativa apenas em âmbito internacional e perante os eleitores. Mesmo assim, ele achava que os representantes diplomáticos e os dirigentes de empresas estrangeiras imediatamente reportariam aos seus países de origem a necessidade de intervenção, e a impressão ruim inicial ficaria sanada. Com relação à possível reação popular, foi direto:

— Adhemar é um político clientelesco, do tipo que cria interesses temporários. É diferente dos ideológicos, como Brizola, que são perigosos porque despertam lealdades fanáticas. Os seguidores do político clientelesco, diante da perspectiva de luta, não derramam sangue por teses ou ideias: buscam logo um novo patrão.

O decreto com a cassação de Adhemar estava pronto, mas não havia respaldo legal para a ordem, pois o Ato Institucional nº 2, em que ele se baseava, dava poderes ao presidente para cassar mandatos legislativos, o que não era o caso dos governadores. Às pressas, Leitão de Abreu foi chamado ao palácio das Laranjeiras e redigiu o que viria a ser o Ato Complementar nº 10, que estendia os efeitos das cassações de direitos políticos a todos os mandatos eletivos. O último obstáculo estava superado. Em termos técnicos, Adhemar não tinha o mandato cassado, mas suspenso o seu exercício, o que, na prática, significava a mesma coisa.

Desde sexta-feira ele estava recolhido com forte gripe, o que o impediu de viajar para a cidade de Orlândia, onde participaria de solenidades. No domingo, como já havia rumores da cassação, os companheiros procuraram obter de Brasília notícias mais específicas a respeito, mas somente à tarde ela começou a ser revelada. O chefe da Casa Civil estadual, Adelávio Sette de Azevedo, atendeu ao telefone e ouviu uma voz ansiosa do outro lado da linha:

— Adelávio, não diga o meu nome. Você sabe quem está falando?

Diante da resposta positiva, a pessoa deu o recado:

— Avise o governador para sair de São Paulo, porque ele vai ser cassado.

E desligou. Era Hugo Borghi. Azevedo também soube por Kruel, que havia seguido para o Rio, a mando de Castello, que o ato com a cassação de Adhemar seria publicado no dia seguinte. Às 19 horas o general chegava de volta, trazendo a prova tipográfica do decreto. Uma hora depois, as emissoras de rádio e televisão passaram a divulgar a notícia.

Durante o dia todo Adhemar havia permanecido no apartamento que mantinha com Ana Capriglione na avenida São Luís, onde recebeu grande número de visitas, inclusive do cardeal arcebispo de São Paulo, dom Agnelo Rossi — quando soube da cassação, o cardeal deixou às pressas uma cerimônia que se realizava em Perus, às 17 horas, para encontrar-se com Adhemar e convencê-lo a aceitar a decisão presidencial sem criar maiores problemas. A vizinhança do prédio foi policiada por agentes do DOPS, que se retiraram pouco antes de Adhemar sair. Os companheiros o levaram ao palácio dos Campos Elíseos, onde, a exemplo do que ocorrera dia 31 de março de 1964, amigos, membros do partido, os secretários, deputados e pessoas da sociedade acorreram para lhe dar apoio, ou apenas participar do momento histórico. Ao chegar, ele imediatamente convocou uma reunião do secretariado. À cabeceira da mesa, visivelmente abatido, falou por cerca de cinco minutos:

— Olhem, eu estou encerrando a minha carreira. A não ser que as coisas mudem radicalmente, mas não acredito. Isto que está aí veio para ficar. Todos nós fomos traídos. Eu, Juscelino, Lacerda, todos nós. Os militares não vão entregar o poder tão facilmente. Por isso, só posso dizer que está tudo acabado.

Presente à reunião como "intruso", o jornalista Reali Júnior escreveu depois que quase todos os presentes estavam "tremendo de medo" com a perspectiva de resistência por parte do governador, e que "o alívio foi geral" quando Adhemar anunciou que não resistiria. A exceção ficou por conta de Dagoberto Salles, secretário dos Transportes, que se mostrou indignado com o desfecho. Além de Salles, Adhemar tinha braços militares a apoiá-lo, como o general Euryale de Jesus Zerbini, que, ao saber da decisão, saiu pelas portas dos fundos, acompanhado de Reali Júnior e Wladimir de Toledo Piza. Depois, no salão vermelho, o secretário da Educação, Ataliba Nogueira, leu o comunicado oficial em nome do governador deposto:

> Surpreendido com o decreto de suspensão dos meus direitos políticos, sinto-me no dever indeclinável de me dirigir, neste momento tão grave da nossa vida, ao povo brasileiro. Jamais poderia imaginar que a mesma revolução para cuja vitória tão decisivamente contribuí, arriscando naquela altura a minha vida e este próprio mandato, viesse um dia arrebatar os meus direitos políticos. Compelido a deixar o mandato que, pela terceira vez, o povo me confiou, protesto perante a História pela

violência que assim compromete todos os princípios da democracia, por cuja sobrevivência lutamos a 31 de março. Grato a meu povo, fiel à minha Nação, confio aqui o meu até sempre e confirmo a minha confiança num Brasil democrático. Rogo a Deus proteger minha Pátria.

Obrigado a deixar rapidamente os Campos Elíseos, onde mantinha residência, Adhemar pediu aos jovens colaboradores Mario Carlos Beni, filho do velho companheiro de partido, e Walter Auada que fossem buscar de carro pelo menos parte de seus pertences. Os dois embrulharam a mudança em lençóis e na saída foram revistados por soldados do Exército acompanhados de um oficial. Repórteres os assediaram e Auada perdeu a paciência com um deles:

— Você quer saber o que tem aqui? Pois eu lhe mostro. É a cueca do governador, quer ver?

Já diante do palácio, Adhemar procurou se recompor, dizendo aos presentes que ia tratar da saúde e assistir à Copa do Mundo. Mas não cogitou sair de cena:

— Sinto-me como se abandonasse uma ilha no Pacífico. É a terceira vez que me vejo acossado. Não me custa nada voltar e prosseguir.

No dia seguinte, o Gabinete Civil da Presidência da República divulgou nota oficial em que justificava a cassação. Segundo o documento, havia muito tempo "que ponderáveis correntes de opinião consideravam incompatíveis os objetivos do movimento regenerador de março de 1964 com a presença na vida pública do ex-governador de São Paulo". Numa alusão clara às nomeações e aos empréstimos a fundo perdido, dizia a nota que, "nos últimos dias, com o propósito de perturbar a marcha normal do processo sucessório, o mais desenfreado suborno ameaçava a vida pública paulista. E quais as graves consequências daí advindas não será preciso encarecer". O documento arrematava: "Assim, desejosa de proporcionar ao país eleições legítimas, limpas, não poderia a Revolução assistir impassível ao espetáculo de corrupção que se ensaiava em proporções jamais vistas". Em depoimento no mesmo dia, o ministro da Justiça, Mem de Sá, disse que, além da corrupção, o propósito de desmoralizar a política econômico-financeira do governo federal era outro motivo da suspensão dos direitos políticos do ex-governador.

Alguns jornais informavam também que o afastamento já estava decidido desde a metade da semana anterior (na verdade, Castello Branco vinha conversando a respeito com os colaboradores mais próximos, mas tomou a decisão apenas no sábado), e que Laudo Natel foi avisado previamente, fato negado por ele. No entanto, segundo se apurou depois, no fim de semana Natel havia confidenciado a amigos íntimos que assumiria o governo de São Paulo na segunda-feira.

O próprio Leitão de Abreu foi mandado a São Paulo como emissário do presidente. Havia um avião militar pronto para conduzi-lo, mas a chuva forte impedia o pouso em Congonhas. Leitão de Abreu acabou vindo de carro e, logo pela manhã, chegou ao quartel-general do 2º Exército, onde Amaury Kruel destacou um coronel para acompanhá-lo ao Bandeirantes — o que demonstra que Castello Branco desistira da ordem que daria ao general. O palácio estava deserto. À tarde, na Assembleia Legislativa, Laudo Natel foi empossado governador do estado. Em toda a cidade o policiamento foi reforçado, mas nada de mais sério ocorreu. Jornalistas que ouviram o desabafo de Adhemar no dia anterior já sabiam disso, pois ele lhes esclareceu, de um jeito maroto:

— Eu só iria brigar se tudo desse certo.

Após assumir o cargo, Laudo Natel contou com alguma ajuda do governo federal para superar a situação de insolvência, de modo que pelo menos houvesse dinheiro para o pagamento do funcionalismo. O novo secretário da Fazenda, Delfim Netto, iniciou imediatamente os esforços para colocar a casa em ordem, demonstrando a capacidade gerencial que o credenciaria a assumir o cargo de ministro da Fazenda no ano seguinte.

Adhemar, por sua vez, superou rápido o trauma da cassação. Logo pensou em criar novas frentes, fazendo um grande número de deputados na eleição seguinte. Chamou Mario Beni e os amigos de sempre e os mandou reorganizar o grupo, agora encastelado na Arena. Nessa estratégia, acabou deixando de lado a ideia — que tinha começado a articular em abril — de incentivar a transferência de antigos pessepistas para o

MDB, onde, sem o cacique, eles não teriam condições de sobrevivência. Reforçou a instrução:

— Já que vocês foram para a Arena, vamos tomar conta do partido e virar o jogo.

Após a cassação, um novo pesadelo rondava. O procurador-geral da República, Alcino Salazar, dava declarações públicas de que os bens de Adhemar seriam sequestrados com base na Lei Bilac Pinto, "que precisa ser cumprida para que o país se livre de iniciativas corruptas e corruptoras, como as que foram tomadas, no passado e no presente, pelo ex-governador de São Paulo". A medida drástica, contudo, dependia de representação do ministro da Justiça, Mem de Sá, que não se concretizou. Numa entrevista, ele afirmou que, "desgraçadamente", o governo não conseguiu reunir provas que permitissem o confisco de bens de Adhemar.

Em setembro, houve eleição indireta para governador. No mês seguinte, Costa e Silva foi eleito o sucessor de Castello Branco, num pleito que o MDB boicotou, em forma de protesto. Mas a maioria detida pela Arena assegurou a vitória. Em novembro, a decepção se repetiu com as eleições parlamentares. A Arena ganhou 277 cadeiras na Câmara (ficando com 68%) contra 132 do MDB, e no Senado conquistou quarenta e sete postos (perfazendo 71%); o MDB ficou com apenas dezenove senadores.

O quadro eleitoral mexeu com os brios de um velho lutador, Carlos Lacerda, que resolveu agir. Como a existência de apenas dois partidos criava uma camisa de força, ele teve a ideia de congregar grupos diversos e iniciou um movimento de oposição a que batizou de Frente Ampla. Por meio de emissários, fez contatos com Juscelino, em Portugal, e com Jango, no Uruguai, pedindo o apoio dos antigos desafetos políticos. Sem as assinaturas de Juscelino e Jango, publicou um manifesto em outubro de 1966 no qual exigia a volta do país à democracia e o retorno ao nacionalismo e à independência em política externa. Em novembro, Juscelino emitiu a "Declaração de Lisboa", cujo conteúdo era semelhante ao manifesto de Lacerda, mas, a exemplo deste, sem a assinatura de Goulart. O documento anunciava o que seria um terceiro partido político e defendia o reinício do desenvolvimento econômico segundo diretrizes nacionalistas.

Fora do Brasil, Adhemar cuidava da saúde, já bastante precária. Na Europa, teve complicações no fígado, mas os médicos se recusaram a operá-lo diante dos riscos que a cirurgia envolvia. Um frade amigo seu recomendou uma visita à fonte de Lourdes, sugestão que ele acatou. Mesmo com o frio intenso que fazia, Adhemar se banhou nas águas ditas milagrosas e, deitado no chão, esperou o corpo secar. Em dezembro, internou-se no New York Memorial Hospital para se tratar da vesícula. A equipe médica, porém, via possibilidades remotas de ele se restabelecer da doença. No dia 27, após assinar um termo de responsabilidade, ele se submeteu à operação. Ao receber alta, permaneceu na cidade por mais um tempo, no apartamento que possuía no Park West. Quando contava o episódio de Lourdes, afirmava a todos que a reação tinha sido "impressionante":

— A cirurgia só terminou o que a santa fez.

Enquanto Adhemar estava fora, o país ganhava uma nova constituição, que entrou em vigor no dia 15 de março, mesma data em que o marechal Costa e Silva recebia a faixa presidencial. Entre outras coisas, ela instituía a eleição indireta para presidente e proibia o Congresso de propor leis criando despesas ou de aumentar as que fossem criadas pelo Executivo. Para desespero dos democratas, a nova Carta era a confirmação de tudo o que os atos institucionais haviam implementado.

Mas as vítimas do golpe não se intimidaram. No dia 9 de abril, Juscelino desembarcou de surpresa no Rio, acompanhado da mulher, do genro e da filha, que havia sido operada da coluna numa clínica de Houston e viajara de maca. Disse que não aguentava mais o exílio e que, ao aceitar o degredo, estava admitindo alguma forma de culpa. No dia 27, Adhemar repetiu o roteiro de Kubitschek, também desembarcando de surpresa no Rio, vindo de Miami. Estava vinte e oito quilos mais magro, com cabelos tingidos de castanho e costeletas. Usava óculos escuros e chapéu-coco com peninha vermelha. Quase ninguém o reconheceu. Mem de Sá, então ex-ministro, ironizou:

— Esse retorno reforçou o cardápio do governo. Primeiro veio a feijoada, agora o mocotó. Só falta a sobremesa, que pode ser o senhor Leonel Brizola.

Nos três dias em que ficou no Rio, Adhemar se instalou no apartamento de Ana Capriglione, na avenida Ruy Barbosa. A saída do elevador permaneceu trancada, e as janelas, também. A resposta dos empregados era sempre a de que a patroa e o hóspede ilustre estavam ausentes, mas a permanência de um investigador do DOPS em frente ao edifício, vinte e quatro horas por dia, confirmava a presença de Adhemar no local.

Parecia que os algozes estavam esperando a sua volta. A Procuradoria Geral da República, por intermédio do procurador Oscar Correia Pina, tinha acabado de apresentar ao Supremo Tribunal Federal denúncia contra Adhemar; o ex-ministro da Saúde de Kubitschek, Mario Pinotti — com quem o político paulista tinha ligações —, e outras quinze pessoas, por crime de peculato. A principal acusação referia-se à compra irregular de duas aeronaves pelo Departamento Nacional de Endemias Rurais, sob a ordem de Pinotti, em 1958, sendo uma delas um helicóptero Sikorski. Segundo a peça acusatória, a aquisição havia sido feita sem licitação e o aparelho ficara por mais de dois anos à disposição de Adhemar para utilização em campanhas eleitorais do PSP, antes que fosse inventariado ou registrado pela autarquia federal.

A outra operação era relativa a um avião Beechcraft prefixo PT-HDL. Avaliada em 150 mil cruzeiros, a aeronave teria sido vendida pelo líder pessepista ao mesmo departamento por um valor quarenta vezes superior, numa transação fraudulenta intermediada pelo seu secretário particular César Dias Baptista. Além do negócio irregular, Adhemar era acusado de utilizar o avião (durante a campanha de 1958, por exemplo) mesmo após a venda ter sido efetuada. E, assim como ocorreu com o helicóptero, com combustível e manutenção pagos pela autarquia.

Os processos a que esses fatos deram origem vinham tramitando na Justiça até o golpe de 1964 e transformaram-se em inquéritos policiais militares, até que, com o afastamento do general Mena Barreto, responsável pelas investigações, o assunto acabou esfriando. Agora, os procuradores queriam recuperar o tempo perdido. Dentre os acusados, pelo menos um, César Dias Baptista, não era pessoa de se envolver em negócios escusos, mas acabou levado de roldão pelas atitudes típicas do seu chefe, impetuosas e sem cuidado com o dinheiro público.

Baptista começou a trabalhar com Adhemar no final dos anos 1940, escrevendo discursos, e logo ganhou a confiança do cacique, tornando-se seu braço direito. A integração entre as famílias foi consequência. Sua esposa, Clarisse, ficou amiga de Leonor. Seus filhos, Cláudio, Arnaldo e Sérgio, passavam as férias na fazenda do patrão do pai, em Taubaté, onde andavam a cavalo e podiam variar as traquinagens que faziam na cidade. Estudantes de música, tinham o privilégio de assistir aos concertos realizados no Theatro Municipal instalados confortavelmente no camarote do então prefeito Adhemar de Barros.

Sérgio e Arnaldo acabaram formando, com uma espevitada ruiva de sardas, Rita Lee, o grupo de *rock* Os Mutantes, que se tornou um dos maiores expoentes musicais do Tropicalismo, movimento cultural em curso. Enquanto César enfrentava o processo judicial, os dois rapazes, aparentemente alheios ao fato, realizavam apresentações na televisão e tocavam como banda de apoio do cantor Gilberto Gil. Em junho do ano seguinte, lançariam o disco homônimo de estreia do conjunto — o primeiro de cinco álbuns com a presença do trio original e porta de entrada para um enorme sucesso no Brasil e no exterior.

Quando Adhemar desembarcou em Congonhas, no dia 30, pouca gente o esperava. Ele foi o primeiro a descer do Viscount da Vasp que o trazia. No *hall*, as pessoas começaram a notar sua presença. Algumas bateram palmas. Cyro Albuquerque, que tinha se tornado secretário do governo estadual e, por coincidência, aguardava ali a chegada do ministro do Trabalho, foi ao encontro do velho amigo para abraçá-lo. Adhemar quis saber:

— Você não está com medo?

— Não, por quê? — Cyro estranhou a observação.

— Por nada.

À saída, Adhemar já estava cercado de várias pessoas. Sempre sorrindo, dirigiu-se ao Aero Willys Itamaraty cinza do amigo João Carlos

Barbosa e sentou-se no banco da frente. Só foi seco quando lhe perguntaram do processo movido:

— Que processo? Vim a São Paulo hoje por causa do aniversário da minha filha.

Quando ele partiu, ouviu-se um comentário, vindo do grupo de curiosos:

— O homem está mesmo acabado.

Alguns dias depois ele retornou ao Rio, sozinho e visivelmente mal-humorado. Embarcou quinze minutos antes dos demais passageiros, por um portão lateral, acompanhado de antigos auxiliares. Diante da insistência do repórter que lhe perguntava o destino, disse que do Rio de Janeiro seguiria para Cabo Frio. Mas acrescentou:

— Se você disser que eu vou para a Cochinchina, é melhor.

Viajar por longos períodos passou a ser rotina para ele, depois de cassado. Ia com mais frequência à França e especialmente a Paris, onde se hospedava no Hotel Regina, na Place Jeanne d'Arc, sempre na companhia de Ana Capriglione. Numa oportunidade, recebeu o neto, que chegava de Londres na companhia do repórter esportivo Álvaro Paes Leme e de Gil Passarelli, fotógrafo da *Folha de S.Paulo*, e levou os três para almoçar. Então comeram, beberam, falaram do Brasil e dos amigos. Ao se despedir, ele pediu a Passarelli:

— Gil, me faça um favor. Quando voltar a São Paulo, diga aos seus amigos jornalistas que, em Paris, você tomou uma cerveja com o ladrão do Adhemar de Barros.

A troça tinha razão de ser. Apesar de seus esforços, Adhemar não conseguiu convencer a opinião pública de que sua fortuna foi amealhada de forma honesta, nem que as suas atuações à frente dos cargos que exerceu ficaram livres de irregularidades. O bordão "rouba, mas faz" acabou impregnado em seu nome, de forma indelével. Contudo, mesmo os que o acusavam de ter se apropriado do dinheiro público, caso de Paulo Duarte e Viriato de Castro, entre os mais notórios, reconheciam que isso não era indício de uma atitude gananciosa ou materialista, mas um meio de financiar a campanha que lhe daria a grande realização pessoal: a Presidência da República.

O fim de carreira comovia até os inimigos. Artigos sobre ele publicados em *O Estado de S. Paulo* chamavam a atenção pelo tom melancólico e pelo tratamento humano e respeitoso. Para o jornal, agora ele não era mais "A. de Barros", mas simplesmente "Ademar" (sem o "h"). A narrativa era triste, quase cúmplice. Os textos, que não vinham assinados, descreviam as andanças do velho político pela capital paulista, assim como o contato com a família e os poucos amigos que ficaram.

Quando estava em São Paulo, ele cuidava dos negócios no escritório da praça Ramos de Azevedo, ao lado do Theatro Municipal. Em sua sala, no quarto andar, havia uma imagem de Nossa Senhora da Imaculada Conceição, um barroco autêntico de 1700. Repetia sempre que não queria falar de política, muito menos voltar ao passado. Mas era difícil — jornalistas, admiradores e mesmo antigos adversários volta e meia o procuravam.

Em janeiro de 1968, Lacerda disse que estava disposto a falar com Adhemar e até com o diabo sobre a Frente Ampla. Em setembro do ano anterior, quase um ano após o manifesto que deflagrou o movimento, João Goulart havia aderido, ao firmar com ele uma nota conjunta. Deputados do MDB se animaram e a iniciativa tomou corpo, com comícios nas cidades paulistas de Santo André, São Bernardo do Campo e São Caetano do Sul, em dezembro, reunindo um número expressivo de participantes. Quando soube do recado, Adhemar foi ao Rio, mas advertiu:

— Não gostei disso, pois não faço negócios com o diabo. Sou um homem educado. Minha casa está aberta para conversar com Carlos Lacerda, a quem admiro pela inteligência, talento e coragem. Conversarei sobre tudo, menos sobre política e muito menos sobre Frente Ampla.

O movimento acabou de maneira patética. Apesar do otimismo e do número crescente de adesões, marchas e protestos cada vez mais expressivos, vindos do meio estudantil, serviram de pretexto para o governo agir. No dia 5 de abril, uma portaria do Ministério da Justiça proibiu todas as atividades da Frente Ampla.

As coisas já estavam em ebulição. No final de agosto e começo de setembro, o deputado federal Márcio Moreira Alves pronunciou uma série de discursos na Câmara, nos quais denunciava a violência policial e a tortura de presos políticos. Numa tirada espirituosa, sugeriu que os pais protestassem contra o regime militar impedindo seus filhos de assistir à parada de 7 de Setembro, e propôs a "Operação Lisístrata", durante a qual as mulheres brasileiras, como as retratadas na peça de Aristófanes, boicotariam seus maridos até que o governo suspendesse a repressão. O público achou graça, mas os três ministros militares, nem um pouco: eles exigiram que o Congresso suspendesse as imunidades parlamentares de Moreira Alves, para que o deputado pudesse ser processado com base na Lei de Segurança Nacional. Foi encaminhado pedido presidencial à Comissão de Justiça da Câmara, onde inclusive a Arena tinha maioria. Mas os parlamentares não aprovaram a iniciativa. A pressão dos militares cresceu.

Na verdade, eles sentiam a oposição vinda de todos os lados, não apenas da classe política. Em outubro, o cardeal arcebispo de São Paulo, dom Agnelo Rossi, recusou-se a celebrar missa em homenagem ao aniversário do marechal Costa e Silva no quartel-general do 2º Exército. A iniciativa, vinda do líder católico do estado mais rico do país, repercutiu como insulto ao presidente.

O caso Moreira Alves não esfriou. Atendendo à pressão dos seus pares, Costa e Silva convocou o Congresso extraordinariamente, no início de dezembro, para votar a suspensão das imunidades do deputado. A Câmara realizou a votação no dia 12. Para a fúria dos militares linha-dura, o pedido do governo foi rejeitado. Pressentindo dias piores mesmo com a aparente vitória, Márcio Moreira Alves desapareceu e tomou rumo voluntário ao exílio. A resposta do governo foi imediata. Na manhã seguinte, o presidente reuniu os vinte e três membros do Conselho de Segurança Nacional para discutir os termos do novo Ato Institucional, o de nº 5, que foi promulgado naquela mesma noite. No preâmbulo, redigido por Chico Ciência, advertiu-se "que atos nitidamente subversivos, oriundos dos mais distintos setores políticos e culturais", estavam servindo para combater e destruir a Nação, e que, portanto, tornava-se imperiosa a adoção de medidas no sentido de impedir que tais processos "de guerra revolucionária" frustrassem "os ideais superiores da Revolução".

Pelo novo ato, foi conferido ao presidente da República o poder de decretar a intervenção nos estados e municípios, sem as limitações previstas na constituição. Também se manteve o poder, nos mesmos termos, de suspender os direitos políticos de qualquer cidadão pelo prazo de dez anos e cassar mandatos eletivos federais, estaduais e municipais. Mas o pior estava por vir. O novo diploma ditatorial suspendeu a garantia de *habeas corpus* nos casos de crimes políticos contra a segurança nacional, a ordem econômica e social e a economia popular. Também excluiu de qualquer apreciação judicial os atos praticados de acordo com as suas normas. A ditadura, então, tornava-se fora de dúvidas.

No dia 30, para alívio dos militares, Carlos Lacerda finalmente tinha os seus direitos políticos cassados. O "demolidor de presidentes", como havia ficado conhecido ao longo dos anos, juntava-se agora a Jango, Jânio, Juscelino e Adhemar. Estava aberto o caminho para os tecnocratas, as figuras apagadas e os fantoches, que teriam a seu favor uma verdadeira máquina de apoio e também de massacre à oposição.

Dias antes do AI-5, Adhemar viajou. Pretendia passar um tempo na França antes de partir para os Estados Unidos, onde se submeteria a outra operação abdominal. Em Paris, durante um almoço no Hotel Le Bristol, em Saint Honoré, concedeu a Itaboraí Martins, correspondente do *Jornal da Tarde*, a sua última entrevista. Tomaram uma dose de uísque e dividiram uma garrafa de Beaujolais. Adhemar estava de dieta e se limitou a uma sopa leve e um bife malpassado com espinafre cozido, mas ofereceu queijos ao jornalista: Gruyére, *brie* e de leite de cabra. Só falou de política para elogiar Castello Branco:

— Ele fez bem em cassar o meu mandato. Caso contrário, eu não estaria aqui, vivo.

A viagem aos Estados Unidos estava marcada para 15 de fevereiro, mas Adhemar queria contar com os benefícios da água "milagrosa" novamente, e no dia 7, sexta-feira, retornou ao santuário de Lourdes. O tão desejado efeito mágico, contudo, não veio: em plena visita à gruta, ele sofreu um ataque cardíaco. Rapidamente, foi internado num hospital local, enquanto um helicóptero do serviço de proteção civil efetuava a transferência, de

Toulouse para Lourdes, de um aparelho respiratório, equipamento indispensável para que o paciente pudesse ser transportado até Paris. No dia seguinte, na capital, ele foi instalado no Hospital Broussais, onde passou a ser assistido por uma equipe de cardiologistas sob a chefia de Henri Kaufmann. Chegou a passar dez horas em estado de coma.

Logo que receberam a notícia no Brasil, a esposa, a filha Maria, o genro Manuel de Figueiredo Ferraz e Adhemar Filho viajaram a Paris. Mas retornaram no começo de março, pois Adhemar havia começado a reagir e dava mostras de que iria se recuperar — apenas Adhemar Filho ficou por lá. Ao todo, Adhemar sofreu três infartos, sendo os dois seguintes no hospital. Durante todo esse tempo, não recobrou plena consciência. Apenas olhava longamente os circundantes, sem dizer uma palavra.

Os sinais de melhora que os boletins médicos relatavam sofreram uma reversão abrupta, para surpresa de todos. Adhemar teve sete paradas do coração, até que não foi mais possível salvá-lo. Na manhã do dia 12 de março, uma quarta-feira, ele faleceu. Nenhum dos familiares presenciou o desenlace.

Enquanto em Paris seu corpo era exposto no anfiteatro do hospital, onde compareceram vários brasileiros residentes na cidade, em São Paulo a Câmara Municipal suspendeu a sessão que ocorreria naquela tarde. Os parentes e amigos se dirigiram à residência de dona Leonor para confortá-la. No dia seguinte, ela recebeu uma mensagem de pêsames de Charles de Gaulle, na qual o presidente da França enaltecia a acolhida que lhe dera o então governador Adhemar de Barros, quando de sua visita à capital paulista, em outubro de 1964. Nos jornais brasileiros, a notícia da morte era quase sempre acompanhada de um retrospecto da carreira política do falecido. A *Folha de S.Paulo* conseguiu resumir o fato com rara propriedade:

> Amado e combatido, aclamado e atacado em toda sua carreira política, o homem que faleceu ontem, em Paris, deixa, para a história de São Paulo e do Brasil, uma das mais controvertidas imagens entre os políticos de seu tempo.

O avião com os restos mortais de Adhemar decolou do aeroporto de Orly às 10 horas da manhã (6 horas de Brasília), no sábado. Quando o voo 93 da Air France pousou no aeroporto de Viracopos, em Campinas, pouco depois das 19 horas, mais de 500 carros se perfilavam para o cortejo na via Anhanguera, até São Paulo.

Responsável pelo traslado do corpo desde Paris, Ana Capriglione se compôs com a família de Adhemar de modo a evitar constrangimentos: permaneceu no velório até o começo da madrugada e, então, retirou-se. Durante todo o domingo, como em outras ocasiões importantes, a casa da rua Baronesa de Itu — o solar do velho Antonio Emygdio de Barros — ficou com os salões repletos de figuras políticas e personalidades diversas, enquanto do lado de fora o povo aguardava pacientemente a sua vez de se despedir do velho ídolo, formando filas enormes.

À tarde, uma multidão de 5 mil pessoas acompanhou o cortejo cantando o Hino Nacional e *Saudades de Matão*. O caixão foi coberto com a bandeira do Brasil e levado sobre um caminhão do Corpo de Bombeiros. No Cemitério da Consolação, os populares se comprimiam nos locais por onde passou o féretro, e até mesmo em volta da sepultura. Carvalho Sobrinho discursou em nome da família, ali confortada pelo cardeal arcebispo dom Agnelo Rossi e o ministro da Fazenda, Delfim Netto, entre outros presentes. O governador Abreu Sodré também compareceu, mas guardou razoável distância dos familiares do falecido.

À missa póstuma, celebrada no dia 18 na Catedral da Sé, o cardeal Rossi exaltou a figura do ex-governador, lembrando sobretudo a maneira resignada com que ele, que não queria derramamento de sangue, recebeu a notícia da cassação, evitando instigar qualquer movimento de revolta:

— O Brasil e as outras nações admiraram então a discrição absoluta de um homem loquaz e exuberante, que, mesmo na infelicidade, nada falou contra a sua pátria. Ao contrário, rezava por ela, exatamente como também ocorreu no momento em que a enfermidade mortal o surpreendeu.

Nada mal para quem, no final da vida pública, se queixou de tanto levar pancada.

CRONOLOGIA

1901 — Nasce em 22 de abril, na cidade de Piracicaba.

1923 — Forma-se na Faculdade Nacional de Medicina do Rio de Janeiro e se especializa em parasitologia, helmintologia e microbiologia no Instituto Oswaldo Cruz. Depois, faz especialização em ginecologia e obstetrícia e apresenta a tese *Histerectomia abdominal subtotal*, aprovada com distinção e laureada com o prêmio Medalha de Ouro Visconde de Saboia, com viagem de estudos pela Europa.

1924 a 1926 — Faz residência médica na Faculdade de Medicina da Universidade de Berlim e cursos de aperfeiçoamento em hospitais de Paris, Londres e Viena, entre outros lugares.

1927 — No dia 6 de abril, casa-se com Leonor Mendes de Barros, com quem viria a ter quatro filhos: Maria Helena, Adhemar Filho, Maria e Antonio.

1932 — Integra a Revolução Constitucionalista, servindo no setor Norte como 2º Tenente da Reserva do Exército na 2ª Divisão de Infantaria, sob o comando do coronel Euclides Figueiredo. É promovido a capitão-médico. Encerrado o movimento, exila-se na Argentina. Retorna ao Brasil após a anistia geral concedida por Getúlio Vargas.

1934 — Elege-se deputado à Assembleia Constituinte e à Assembleia Legislativa do Estado de São Paulo, pelo PRP.

1935 a **1937** — Exerce o mandato de deputado até o golpe do Estado Novo, que determina o fechamento das casas legislativas.

1938 — Em 27 de abril, é nomeado interventor federal, em São Paulo, pelo presidente Getúlio Vargas.

1941 — Em 5 de junho, é afastado da interventoria e substituído por Fernando Costa.

1945 — Ingressa na UDN, apoiando, no início, a candidatura presidencial do brigadeiro Eduardo Gomes. Depois, funda o Partido Republicano Progressista.

1946 — Funda o Partido Social Progressista, formado pela fusão do Partido Republicano Progressista com o Partido Popular Sindicalista, de Miguel Reale e Marrey Jr., e o Partido Agrário Nacional, de Mário Rolim Teles.

1947 — Elege-se governador de São Paulo para o quadriênio 1947--1951. Apoia a candidatura de Novelli Jr., que é eleito vice-governador.

1948 — Rompe com Novelli Jr. e sofre processo de *impeachment*, do qual sai vitorioso.

1950 — Elege seu sucessor ao governo do estado, Lucas Nogueira Garcez, e apoia a eleição de Getúlio Vargas para a Presidência da República. Tenta uma vaga para o Senado, mas tem sua candidatura impugnada pelo Tribunal Superior Eleitoral.

1953 — Rompe com Lucas Nogueira Garcez e afasta-se de Getúlio Vargas.

1954 — Por pequena margem de votos, é derrotado nas eleições ao governo do estado pelo prefeito de São Paulo, Jânio Quadros.

1955 — Disputa a eleição para a Presidência da República com Juscelino Kubitschek, Juarez Távora e Plínio Salgado, ficando em terceiro lugar.

1956 — O Tribunal de Justiça de São Paulo o condena a dois anos de reclusão, por peculato. Refugia-se no Paraguai e depois na Bolívia. Volta ao Brasil após decisão do Supremo que o absolveu.

1957 — É eleito prefeito de São Paulo, derrotando Prestes Maia, candidato de Jânio Quadros.

1958 — Disputa as eleições para governador do estado e perde para Carvalho Pinto. Reassume a prefeitura, da qual estava licenciado.

1960 — Disputa as eleições para a Presidência da República, sendo derrotado por Jânio Quadros.

1962 — Elege-se governador do estado para o período de 1963 a 1966 vencendo Jânio Quadros, que havia renunciado à Presidência da República.

1964 — É lançado candidato à Presidência da República, em fevereiro, pela Convenção Nacional do PSP. Apoia o golpe militar de 1º de abril, que depôs João Goulart.

1965 — Descontente com os rumos tomados pelo movimento revolucionário, passa a fazer oposição ao governo federal.

1966 — Em junho, deixa o governo do estado, atingido por decreto presidencial que cassou seus direitos políticos. Exila-se na Europa.

1969 — No dia 12 de março, falece em Paris.

Posfácio

O ROUBO DO COFRE

Apenas quatro meses após a morte de Adhemar de Barros — que antes do falecimento vinha amargando o ostracismo —, o nome do antigo político paulista foi envolvido num dos episódios mais estrepitosos dos assim denominados anos de chumbo da história brasileira. Em plena vigência do AI-5, um grupo armado de esquerda realizou, na casa onde estava morando sua ex-amante e secretária, Ana Capriglione, o roubo de um cofre que teria pertencido a ele. A operação, que contou com requintes cinematográficos, repercutiu também em decorrência dos valores que supostamente logrou levantar.

Tudo foi obra da VAR-Palmares, organização nascida no dia 1º de julho de 1969 como resultado da fusão do Comando de Libertação Nacional (Colina), grupo do qual faziam parte Dilma Rousseff e seu então marido Carlos Franklin de Araújo, e da Vanguarda Popular Revolucionária (VPR), de Carlos Lamarca. Eles pretendiam derrubar a ditadura militar e, depois, implantar um regime socialista no Brasil. Dilma e Araújo não participaram do roubo, mas tiveram papéis diversos antes e depois da operação: ele ajudou a planejá-la; ela, a trocar o dinheiro.

A informação a respeito do cofre havia sido passada pelo estudante secundarista Gustavo Schiller, sobrinho da amante do político e residente na mesma casa. Ele simpatizava com a proposta revolucionária do grupo e se empenhou em ajudar.

A mansão, na verdade, era do cardiologista Aarão Burlamaqui Benchimol, irmão de Ana e tio de Gustavo. Ela havia se transferido temporariamente para lá em razão de reformas que ocorriam na sua residência, para onde acabou voltando após o término das obras.

Com a informação obtida, começaram os planos de execução, postos em prática no dia 18 de julho, uma sexta-feira. Às 15h30, um Aero Willys Itamaraty branco com teto de vinil preto, uma Veraneio Chevrolet C-14 cinza e uma Rural verde e branca estacionaram próximo da mansão, na rua Bernardino Santos, no bairro de Santa Teresa, Rio de Janeiro. Nos carros vinham treze militantes, sendo onze homens (que atendiam pelos codinomes Alberto, Elias, Felipe, Jeremias, Justino, Juvenal, Léo, Mário, Maurício, Orlando e Ronaldo) e duas mulheres (Mariana e Simone). Léo, Mariana e Maurício ficaram de prontidão no Aero Willys. Os demais entraram.

Em menos de meia hora, os militantes renderam os funcionários do local (que não acreditaram no "mandado de busca e apreensão" apresentado por Alberto) e roubaram o cofre. A enorme caixa de aço pesava mais do que o previsto e deu muito trabalho para ser embarcada. A maior surpresa, contudo, veio quando os executores do assalto a abriram: dentro dela havia a bagatela de dois milhões e meio de dólares. Carlos Lamarca declarou à *France Presse*: "Esse dinheiro, roubado do povo, ao povo será devolvido".

A divulgação do fato causou enorme rebuliço. Ana Capriglione se apressou a dizer que o cofre estava vazio. Seu outro irmão, o capitão-de-mar-e-guerra José Burlamaqui Benchimol, afirmou na Justiça Militar que as declarações de Lamarca não passavam de "fanfarronada", pois "não havia nada no cofre". Mas o sobrinho Gustavo Schiller, que depois da operação foi preso e interrogado sob tortura para falar do assalto e do paradeiro dos líderes do grupo, confirmou a existência do dinheiro em acareação com o tio militar.

Procurados por jornalistas, familiares de Adhemar responderam que ele não tinha dinheiro guardado em cofres ou contas abertas no exterior. Para os partidários do velho político, a história do roubo teria sido utilizada para encobrir outras operações criminosas praticadas pelos guerrilheiros, especialmente os integrantes do Colina, como assaltos a agências bancárias. Era uma tese difícil de sustentar, mesmo porque uma coisa não excluía a outra. Se as ações mais radicais nem sempre chegavam ao conhecimento do público, eram acompanhadas de perto pelos militares, sendo que muitas delas os deixavam enfurecidos, pois desmoralizavam os órgãos de segurança. Não dava para esconder esses atos com o roubo do cofre na casa onde estava residindo Ana Capriglione.

No entanto, se o conteúdo do cofre permanecia envolto em controvérsias, o dinheiro, anunciado por Carlos Lamarca como aquele que fora "roubado do povo", a este não foi devolvido. Dos 2,5 milhões de dólares, cerca de 1 milhão foi enviado para a Argélia, país onde a organização tinha ligações (quem fez a remessa foi o embaixador argelino no Brasil, Hafid Keramane). Depositada em uma conta secreta na Suíça com acesso restrito a apenas quatro militantes, a quantia acabou se dissipando pela ação de um perdulário e de um vigarista.

O restante 1,5 milhão foi dividido entre Inês Etienne Romeu, Antonio Espinosa e Carlos Franklin de Araújo, mas é certo que os valores não ficaram com eles, pois os três acabaram presos. Num depoimento em 2009 para a revista *piauí*, Araújo declarou ser "impossível chegar a uma conclusão" a respeito desse assunto, que para ele não tinha "mais importância nenhuma".

A história toda foi contada dezenas de vezes, com nuances aqui e ali. Alguns relatos sobre o roubo do cofre, por exemplo, omitem os nomes de Simone e Ronaldo, falando em onze — e não treze — militantes que teriam participado da operação. Apesar das divergências, o fato é que havia pelo menos duas mulheres no grupo, como informaram os principais jornais à época. Após o assalto, quando os três carros dispersaram, os dois companheiros teriam seguido juntos na Rural. Os outros nunca mais os viram.

FONTES

ENTREVISTADOS

Antonio Delfim Netto
Benedito Sidney Alcântara
Delfim Cerqueira Neves
Erasmo de Freitas Nuzzi
Ítalo Fittipaldi
Ives Gandra Martins
José Barbosa
Laudo Natel
Manuel de Figueiredo Ferraz
Maria de Barros Ferraz
Mario Carlos Beni
Pelerson Soares Penido
Plínio de Arruda Sampaio
Reinaldo Canto Pereira
Rogério Ribeiro da Luz
Sólon Borges dos Reis
Walmor Barbosa Martins
William Salem

BIBLIOGRAFIA

ALVES FILHO, Francisco Rodrigues. *Um homem ameaça o Brasil — A história secreta e espantosa da "caixinha" de Adhemar de Barros*. São Paulo: s. e., 1954.

AMERICANO, Jorge. *São Paulo naquele tempo*. São Paulo: Saraiva, 1957.

ANDRADE, Oswald de. *Ponta de lança*. Rio de Janeiro: Civilização Brasileira, 1972.

AQUINO, Maria Aparecida; LEME, Marco Aurélio Vannucchi; SWENSSON JR., Walter Cruz; MORAES, Maria Blassioli. *Dossiês DEOPS/SP — Radiografias do autoritarismo republicano brasileiro*. São Paulo: Imprensa Oficial do Estado, 2002. v. 2.

BANDEIRA, Manuel e ANDRADE, Carlos Drummond. *Rio de Janeiro em prosa & verso*. Rio de Janeiro: Livraria José Olympio Editora, 1965.

BARROS, Adhemar de. *Mensagem apresentada pelo governador à Assembleia Legislativa do Estado de São Paulo*. São Paulo: Assembleia Legislativa, 14 mar. 1964.

BARROS, Frederico Ozanan Pessoa de (org.). *Adhemar de Barros — Atuação na Assembleia Constituinte e na Assembleia Legislativa do Estado de São Paulo (1935-1937)*. São Paulo: Nacional, 1986.

________ (org.). *Cinquentenário da interventoria — Discursos e entrevistas — abril/38 a maio/41*. São Paulo: Plenário Social Progressista, s.d.

BASBAUM, Leôncio. *História sincera da república — De 1930 a 1960*. São Paulo: Alfa-Ômega, 1976.

BATISTA, Maria Rossetti e outros. *Brasil — 1º tempo modernista — 1917/29*. São Paulo: Instituto de Estudos Brasileiros, USP, 1972.

BELO, José Maria. *História da república*. São Paulo: Cia. Editora Nacional, 1964.

BENI, Mario. *Adhemar*. São Paulo: Grafikar, s.d.

BOJUNGA, Cláudio. *JK, o artista do impossível*. Rio de Janeiro: Objetiva, 2001.

BICUDO, Hélio. *Minhas memórias*. São Paulo: Martins Fontes, 2006.

BOSI, Ecléa. *Memória e sociedade — Lembranças de velhos*. São Paulo: T. A. Queiroz Editor, 1979.

BOUZAN, Walter. "Campos Elíseos nunca mais". *O Cruzeiro*, Rio de Janeiro, 3 fev. 1962.

CABRAL, Sérgio. *Ensaios de opinião*. 1ª ed. Rio de Janeiro: Inúbia, 1975.

CALADO, Carlos. *A divina comédia dos Mutantes*. São Paulo: Editora 34, 1995.

CAMARGO, Aspásia (coord.). *Artes da política — Diálogos com Amaral Peixoto*. Rio de Janeiro: Nova Fronteira, 1986.

CANNABRAVA FILHO, Paulo. *Adhemar de Barros — Trajetória e realizações*. São Paulo: Terceiro Nome, 2004.

CARONE, Edgar. *O Estado Novo — 1937-1945*. 1ª ed. Rio de Janeiro: Difel, 1976.

CASTELLO BRANCO, Carlos. *Os militares no poder*. Rio de Janeiro: Nova Fronteira, 1976.

CHAIA, Vera. *A liderança política de Jânio Quadros (1947-1990)*. São Paulo: Humanidades, 1991.

CHAGAS, Carlos. *O Brasil sem retoque: 1808-1964 — A história contada por jornais e jornalistas*. Rio de Janeiro: Record, 2001. v. 1-2.

COTTA, Luiza Cristina Villaméa. *Adhemar de Barros (1901-1969): a origem do "rouba, mas faz"*. 2008. Tese de Doutorado. Faculdade de Filosofia, Letras e Ciências Humanas da Universidade de São Paulo, São Paulo.

DENIS, Pierre. *O Brasil do século XX*. 1ª ed. Lisboa: José Bastos e Cia. Editores, s.d.

DINES, Alberto; FERNANDES Jr. Florestan; SALOMÃO, Nelma (org.). *Histórias do poder — 100 anos de política no Brasil. Militares, igreja e sociedade civil*. São Paulo: Editora 34, 2001. v. 1.

DULLES, John W. F. *Carlos Lacerda — A vida de um lutador*. Vol. 1: 1914-1960. Tradução: Vanda Mena Barreto de Andrade. Rio de Janeiro: Nova Fronteira, 1992. Vol. 2: 1960-1977. Tradução: Daphne F. Rodger. Rio de Janeiro: Nova Fronteira, 1992.

EDMUNDO, Luiz. *O Rio de Janeiro do meu tempo*. Rio de Janeiro: Imprensa Nacional, 1938.

EXPILLY, Charles. *Mulheres e costumes do Brasil*. 1ª ed. São Paulo: Cia. Editora Nacional, 1953.

FERREIRA, Barros. *Meio século de São Paulo*. 1ª ed. São Paulo: Melhoramentos, 1954.

FERREIRA, Jorge. *João Goulart — Uma biografia*. 2ª ed. Rio de Janeiro: Civilização Brasileira, 2011.

FREYRE, Gilberto. *Casa Grande & Senzala*. 48ª ed. São Paulo: Global, 2003.

GASPARI, Elio. *A ditadura envergonhada*. São Paulo: Companhia das Letras, 2002.

________. *A ditadura escancarada*. São Paulo: Companhia das Letras, 2002.

GODFEDER, Miriam. *Por trás das ondas da Rádio Nacional*. Rio de Janeiro: Paz e Terra, 1981.

HAYASHI, Marli Guimarães. *A gênese do ademarismo (1939-1941)*. 1996. Tese de Doutorado. Faculdade de Filosofia, Letras e Ciências Humanas da Universidade de São Paulo, São Paulo.

________. *Paulo Duarte, um Dom Quixote brasileiro*. 2001. Tese de Doutorado. Faculdade de Filosofia, Letras e Ciências Humanas da Universidade de São Paulo, São Paulo.

HENRIQUES, Afonso. *Ascensão e queda de Getúlio Vargas — O Estado Novo*. Rio de Janeiro: Record, 1966.

HOLANDA, Nestor de. *Memórias do Café Nice*. 1ª ed. Rio de Janeiro: Conquista, 1969.

JAGUARIBE, Hélio. *O que é ademarismo? Cadernos do nosso tempo*, n. 2, Rio de Janeiro, jan./jun. 1954.

LACAZ, Carlos da Silva. *O médico Adhemar Pereira de Barros, 22/4/1901-12/03/1969*. In: *Revista do Hospital das Clínicas*. São Paulo. v. 39 — (3) 129-131, 1984.

LACERDA, Carlos. *Depoimento*. Rio de Janeiro: Nova Fronteira, 1977.

LAFER, Celso; CARDIM, Carlos Henrique (org.). *Horácio Lafer — Democracia, desenvolvimento e política externa*. Brasília: FUNAG/IPRI; Comissão JK, 2002.

LARANJEIRA, Carlos. *Histórias de Adhemar*. São Paulo: Plenário Social Progressista, 1990.

________. *Mais histórias de Adhemar!* São Paulo: edição do autor, 1991.

LEITE, Aureliano. *Páginas de uma longa vida*. São Paulo: Livraria Editora Martins, 1967.

LOPES RODRIGUES. *Adhemar de Barros perante a nação*. São Paulo: Editora Piratininga, 1954.

MACHADO, Carlos. *Memórias sem maquiagem*. São Paulo: Cultura, 1979.

MARTINS, Wilson. *História da inteligência brasileira*. São Paulo: Cultrix/Edusp, 1976/1978.

NÉRY, Sebastião. *Folclore político*. 5ª ed. Rio de Janeiro: Record, 1976.

NEME, Mario. *Plataforma da nova geração*. Porto Alegre: Globo, 1945.

MERCADANTE, Luiz Fernando. *20 perfis e uma entrevista*. São Paulo: Siciliano, 1994.

MORAIS, Fernando. *Chatô, o rei do Brasil*. 2ª ed. São Paulo: Companhia das Letras, 1998.

MOTA, Carlos Guilherme. *Ideologia da cultura brasileira*. 1ª ed. São Paulo: Ática, 1977.

NASSER, David. *A revolução que se perdeu a si mesma — Diário de um repórter*. Rio de Janeiro: Edições O Cruzeiro, 1965.

OLIVEIRA, Juscelino Kubitschek de. *Meu caminho para Brasília — Cinquenta anos em cinco*. Rio de Janeiro: Bloch Editores, 1958.

PACHECO, José de Assis. *Revivendo 32*. São Paulo: s.e., 1954.

PASCHOAL, Engel. *A trajetória de Octávio Frias de Oliveira*. São Paulo: Publifolha, 2007.

PENTEADO, Iolanda. *Tudo em cor-de-rosa*. Rio de Janeiro: Nova Fronteira, 1977.

POMAR, Pedro Estevam da Rocha. *A democracia intolerante — Dutra, Adhemar e a repressão ao Partido Comunista (1946-1950)*. São Paulo: Imprensa Oficial do Estado de São Paulo, 2002.

RAMALHO, João. *A administração calamitosa do sr. Adhemar de Barros*. Rio de Janeiro: A. Barros & Cia Editores, 1941.

REALE, Miguel. *Memórias*. Vol. 1: Destinos cruzados. 2ª ed. rev. São Paulo: Saraiva, 1987.

________. *Memórias*. Vol. 2: A balança e a espada. São Paulo: Saraiva, 1987.

REALI Jr., depoimento a Gianni Carta. *Às margens do Sena*. Rio de Janeiro: Ediouro/A.P. Quartim de Moraes, 2007.

REY, Marcos. *O adhemarista*. In: *Soy loco por ti América*. Porto Alegre: L&PM Editores, 1978.

RIBEIRO, Darcy. *Confissões*. São Paulo: Companhia das Letras, 1997.

SALZANO, Erlindo. *O "crime perfeito" do prof. Lucas Nogueira Garcez*. São Paulo: Editora Piratininga, 1953.

SAMPAIO, Regina. *Adhemar de Barros e o PSP*. São Paulo: Global, 1982.

SASAKI, Daniel Leb. *Pouso forçado — A história por trás da destruição da Panair do Brasil pelo regime militar*. Rio de Janeiro: Record, 2005.

SILVA, Hélio. *1954: Um tiro no coração*. Rio de Janeiro: Civilização Brasileira, 1978.

________. *1964: golpe ou contragolpe?* Rio de Janeiro: Civilização Brasileira, 1976.

SKIDMORE, Thomas E. *Brasil: de Getúlio Vargas a Castelo Branco, 1930-1964*. Tradução: Ismênia Tunes Dantas. 7ª ed. Rio de Janeiro: Paz e Terra, 1982.

________. *Brasil: de Castelo a Tancredo, 1964-1985*. Tradução: Mario Salviano Silva. Rio de Janeiro: Paz e Terra, 1988.

SODRÉ, Nélson Werneck. *A história da imprensa no Brasil*. Rio de Janeiro: Civilização Brasileira, 1966.

SOUZA, Maria do Carmo C. *Estado e partidos políticos no Brasil*. São Paulo: Alfa-Ômega, 1976.

SOUZA, Percival de. *A maior violência do mundo*. São Paulo: Traço Editora, 1980.

TÁVORA, Juarez. *Uma vida e muitas lutas — Memórias*. 1ª ed. Rio de Janeiro: Livraria José Olympio Editora, 1974.

TEIXEIRA, Maria de Lourdes. *Rua Augusta*. 2ª ed. São Paulo: Livraria Martins Editora, s.d.

TELLES JUNIOR, Goffredo. *A folha dobrada — Lembranças de um estudante*. Rio de Janeiro: Nova Fronteira, 1999.

VIANA Fº, Luiz. O *governo Castelo Branco*. Rio de Janeiro: Livraria José Olympio Editora, 1975.

VILLA, Marco Antonio. *Jango — Um perfil (1945-1964)*. São Paulo: Globo, 2004.

WAINER, Samuel. *Minha razão de viver*. Rio de Janeiro: Record, 1987.

WEFFORT, Francisco C. "Raízes sociais do populismo em São Paulo". In: *Revista da Civilização Brasileira*, Rio de Janeiro, n. 2.

XAVIER, Ana Maria (coord.). *O poder em São Paulo — História da administração pública da cidade, l554-l992*. São Paulo: Cortez, 1993.

JORNAIS

A Gazeta
A Noite
A Tribuna

A União
Correio Paulistano
Diário da Noite
Diário Popular
Folha da Noite
Folha da Tarde
Folha de S.Paulo
Gazeta de Notícias
Gazeta de São Paulo
O Dia
O Estado de S. Paulo
O Radical
Tribuna da Imprensa
Última Hora

REVISTAS

Manchete
O Cruzeiro
Realidade
Revista Feminina
Revista São Paulo
Senhor
Time
Veja

ARQUIVOS

Arquivo do Estado de São Paulo
Arquivo Histórico Municipal de São Paulo
Centro de Documentação Cultural da Unicamp

INTERNET

http://bernardoschmidt.blogspot.com.br
http://cpdoc.fgv.br
http://www.academia.org.br
http://www.cnv.gov.br
http://www.planalto.gov.br/legislacao
http://www.revistadehistoria.com.br

ÍNDICE ONOMÁSTICO